나의 첫 문학 수업

문학을 열다

1

나의 첫 문학 수업

문학을 열다 1 – 한국 현대 소설 베스트 ❶

초판 1쇄 발행 2020년 09월 10일
초판 16쇄 발행 2024년 07월 22일

글 이태준·김유정·이상 외 **그림** 에토프
발행처 주식회사 스푼북 **발행인** 박상희 **총괄** 김남원
출판신고 2016년 11월 15일 제2017- 000267호
주소 (03993) 서울시 마포구 월드컵북로6길 88-7 ky21빌딩 2층
전화 02- 6357- 0050(편집) 02- 6357- 0051(마케팅)
팩스 02- 6357- 0052 **전자우편** book@spoonbook.co.kr

ISBN 979 - 11 - 6581 - 027 - 6(44810)
ISBN 979 - 11 - 6581 - 026 - 9(세트)

나의 첫 문학 수업

문학을 열다

1

한국 현대 소설 베스트 ❶

이태준·김유정·이상 외 글 | 에토프 그림

스푼북

들어가며

〈문학을 열다〉 시리즈는 중·고등학생들이 내신과 수능을 완벽하게 대비할 수 있도록 중·고등학교 교과서 수록 작품 및 대학수학능력시험과 평가원 모의평가 등에서 다루었던 문학 작품 중 핵심적인 작품을 엄선한 것입니다. 시험을 볼 때 중요한 것은 제시된 작품을 빠르게 읽고 출제 의도를 정확하게 파악하여 정답을 찾는 것입니다. 하지만 한 문장으로 말할 수 있는 이 행위가 결코 손쉽게 이루어지는 것이 아님을 학생 여러분은 이미 알고 있으리라 생각합니다. 문학 작품을 이해하고 분석하는 데 필요한 핵심적인 역량은 무엇일까요? 수많은 제시문과 기출 문항들을 통해 다양한 문학 작품을 접하고 있다고 생각하지만, 사실 입시를 준비하는 대부분의 청소년들은 문학 작품의 일부분만을 읽는 데 그치는 경우가 많습니다.

문학이 어려운 이유는 표면적인 의미뿐만 아니라 내포된 의미를 파악해야 하기 때문입니다. 표현된 것, 그리고 그 안에 숨겨진 의미까지 읽어 낼 수 있을 때 우리는 문학을 이해할 수 있습니다. 따라서 문학 작품을 이해하는 첫 단계는 작품을 처음부터 끝까지 읽어 보는 과정에 있습니다. 학생들은 흔히 눈으로, 입으로 글자를 지나치는 과정을 읽기로 이해하고 있지만, '읽다'의 의미는 그 글에 담긴 뜻을 헤아려 아는 데까지 확장됩니다. 따라서 작품에 대한 이해는 처음부터 끝까지 그 작품을 읽고 그 안에 내재된 작가의 의도를 파악하며 나아가 독자 개개인의 해석까지를 포괄합니다. 이 점에서 〈문학을 열다〉 시리즈는 해당 작품을 전체적으로 조망하고 그 의미를 파악하는 데 기여함으로써 학습자들의 이해를 돕고 있습니다. 특히 스토리가 중요한 소설의 경우, 작품 전반에 대한 이해는 관련 작품을 분석하고 해석하는 힘을 키우는 데 상당히 유용할 것입니다.

〈문학을 열다〉 시리즈는 총 6권으로 구성됩니다. 1~4권은 한국 현대 소설 베스트, 5권은 세계 명작 소설 베스트, 6권은 한국 고전 소설 베스트로, 해당 분야의 대표작을 선별하여 발표 시대순으로 수록함으로써 해당 작품의 특수성뿐만 아니라 문학사의 흐름도 함께 파악할 수 있도록 기획되었습니다. 또한 각각의 작품은 가독성을 위해 현대어 띄어쓰기에 맞춰 수정을 가했을 뿐 최대한 원전을 보존하여 당대 어휘 활용과 작가의 개성적 표현을 훼손하지 않았으며, 추가 해석이 필요한 어휘의 경우 주석을 병기하여 의미의 이해를 보완하였습니다. 특히 원전에 대한 중요성이 강조되는 현 상황에서 이와 같은 자료는 당시 상황을 현장감 있게 재현해 줌으로써 작품에 몰입하는 데 도움을 줍니다. 그리고 의미 파악이 쉽지 않은 어휘에 대한 상세한 부가 설명은 작품에 대한 이해를 높이는 데 효과적으로 기능합니다.

1권에는 1921~1940년에 발표된 한국 현대 소설 17편이 수록되어 있습니다. 이 작품들은 현진건, 염상섭, 전영택, 최서해, 김동인, 이태준, 김유정, 계용묵, 이효석, 이근영, 이상, 박화성, 현덕, 김사량 등 이름만 들어도 기라성 같은 작가들의 대표작입니다. 1920년대 발표 작품부터 수록한 데에는 그 나름의 이유가 있을 것입니다. 대학생을 대상으로 강의를 할 때, 한국 문학의 역사에 대해 묻곤 합니다. 여러분이 알고 있는 한국 현대 문학은 언제, 누구에 의해 탄생한, 어떤 작품인가요? 사실 기원을 찾고 의미를 부여하는 일은 그렇게 중요하지 않을지도 모릅니다. 하지만 시간이라는 가로축을 두고 우리 문학사에서 핵심적인 작품을 세로축에 배열한다고 할 때, 대부분의 학생들은 주저하며 입을 열지 않습니다. 문학을 배우기는 했으나 문학사를 염두에 두고 학습을 한 적은 없기에 시대에 따라 중요한 작품과 그 작품들이 왜 중요한 의미를 지니는지는 파악하지 못

하고 있기 때문입니다.

한국 현대 문학을 이야기할 때 1916년은 중요한 기점입니다. 현재 우리가 알고 있는 '사상이나 감정을 언어로 표현한 예술'이라는 문학의 정의는 이광수가 1916년 〈매일신보〉에 발표한 〈문학이란 하오〉에서 설명한 문학의 개념에 기인합니다. 이광수의 글을 통해 문학의 개념은 새로이 정립되었습니다. 그리고 그 이듬해인 1917년 이광수가 〈매일신보〉에 발표한 장편 소설《무정》은 그 이전의 작품과는 차별화되는 한국 문학의 새로운 기점이 되는 작품으로 평가받고 있습니다.《무정》은 최초의 한국 현대 소설이라는 수식어를 지니는 작품으로, 우리가 흔히 이야기하는 한국 현대 소설은 그 이후의 소설을 일컫습니다. 따라서 1권에 수록된 1920년대에서 1930년대에 발표된 작품은 한국 현대 소설의 태동기에 해당하는 작품입니다.

교과서나 시험에서 다루어지는 작품만이 한국 문학을 대표하는 작품은 아닙니다. 그 이외에도 한국 문학을 빛내는 작품들은 많이 있습니다. 하지만 교과서나 시험에서 다루어지는 작품들은 모두 한국 문학의 대표작임에는 틀림없습니다. 주목받지 못했던 작품들이 새로운 평가를 통해 중요한 작품으로 등장할 수는 있지만 이미 대표작으로 선정된 작품이 그 중요성을 퇴색할 가능성은 희박합니다. 따라서 여러분이 〈문학을 열다〉 시리즈를 통해 접하게 되는 이 작품들은 계속해서 한국 현대 소설의 대표작으로 존재할 것입니다. 시대를 초월하여 의미를 지닌다는 것, 그것이 이 작품들이 지니고 있는 힘이자, 우리가 이 작품을 읽어야 하는 이유입니다.

우리는 지금 2020년을 살고 있습니다.《무정》이 발표된 1917년 이후 100년이 훌쩍 지났습니다. 새로운 매체가 등장하고 수없이 많은 정보들이 넘쳐나는 상황 속에서 우리가 문학을, 그것도 100여 년 전의 문학을 읽어야 하는 이유는 무엇일까요? 입시 때문이라고 말하는 학생들이 많을 것 같습니다. 물론 입시는 중요합니다. 우리 모두가 알고 있듯, 입시는 새로운 가능성을 향한 문이 되어 주기 때문입니다. 하지만 그것만이 이유가 된다면 명작이나 베스트셀러는 우리 사회에 존재하지 않을 것입니다. 시시각각 변화하는 유행을 좇기 바쁜 요즘, 100년이 지나도 오롯이 남아 생명력을 지닌다는 것은 그 가치가 현대 사회에도 통용되기에 가능한 일일 겁니다. 한 마디의 말로 한 사람의 인생을 변화시킬 수 있는 힘, 그 힘이 있기에 우리는 문학을 읽습니다. 그리고 청소년 여러분들에게 그 힘은 보다 강력하게 작용할 것입니다.

흔히 인간은 사회적 동물이라고 합니다. 여기에서 사회는 관계를 의미합니다. 우리는 타인을 통해 자신을 알게 됩니다. 이때 문학은 다른 사람의 삶을 들여다보게 해 주는 창이 되어 줍니다. 우리는 문학을 통해 손쉽게 시대와 장소를 초월하여 다른 사람의 삶을 살펴볼 수 있습니다. 여러분 앞에 놓여 있는 창을 하나씩 열어 이 작품들을 찬찬히 음미해 보기 바랍니다. 그 다양한 삶의 가치를 읽어 내는 것, 그것이 우리가 지금의 삶을 보다 의미 있고 가치 있게 변화시킬 수 있는 계기가 될 것입니다.

김동희(고려대학교 교수)

차례

들어가며 004

1	빈처	현진건	1921	011
2	할머니의 죽음	현진건	1923	033
3	만세전	염상섭	1924	049
4	박돌의 죽음	최서해	1925	075
5	화수분	전영택	1925	095
6	달밤	이태준	1933	107
7	광화사	김동인	1935	121
8	떡	김유정	1935	147
9	백치 아다다	계용묵	1935	161

10	봄봄	김유정	1935	181
11	날개	이 상	1936	199
12	농우	이근영	1936	227
13	메밀꽃 필 무렵	이효석	1936	253
14	고향 없는 사람들	박화성	1937	267
15	남생이	현 덕	1938	289
16	패강랭	이태준	1938	327
17	빛 속으로	김사량	1939	343

일러두기

1. 표기는 원문에 충실히 따르는 것을 원칙으로 하되, 띄어쓰기는 최대한 현행 표기법을 따랐습니다. 단, 작품의 분위기에 영향을 준다고 판단되는 방언이나 구어체 표현, 의성어, 의태어 등은 그대로 두었습니다.
2. 책 제목, 장편 소설은 《 》, 단편 소설, 연극·잡지·노래 제목은 〈 〉로 표시하였습니다.
3. 부가적으로 설명이나 단어 풀이가 필요하다고 판단한 경우에는 각주로 설명을 붙여 놓았습니다.
4. 작품의 말미에 밝혀 둔 작품 출처는 저작권사의 요청으로 인한 것입니다.

빈처

현진건

현진건 (1900~1943)

대구에서 출생하여 일본 도쿄와 중국 상하이에서 공부했다. 1920년 단편 소설 〈희생화〉를 발표하면서 문단에 등장했다. 〈빈처〉를 통해 일제 강점기를 살아가는 지식인의 모습을 드러내고 있는 현진건은 한국 문단의 리얼리즘 문학을 개척하고 단편 소설의 토대를 마련한 작가로 알려져 있다. 그는 일제 강점기 당시 우리 민족이 겪는 고통을 소설을 통해 보여 준다. 〈운수 좋은 날〉은 일제 식민지 아래 하층 계급의 궁핍한 현실을 형상화한 작품이며, 〈술 권하는 사회〉〈빈처〉 등은 식민지 현실에서 무능하게 살 수밖에 없는 지식인들의 삶을 그렸다.

1

"그것이 어째 없을까?"

아내가 장문을 열고 무엇을 찾더니 입안말로 중얼거린다.

"무엇이 없어?"

나는 우두커니 책상머리에 앉아서 책장만 뒤적뒤적하다가 물어보았다.

"모본단[1] 저고리가 하나 남았는데……."

"………."

나는 그만 묵묵하였다. 아내가 그것을 찾아 무엇 하려는 것을 앎이라. 오늘 밤에 옆집 할멈을 시켜 잡히려 하는 것이다.

이 2년 동안에 돈 한 푼 나는 데는 없고 그대로 주리면 시장할 줄 알아 기구(器具)와 의복을 전당국[2] 창고에 들여밀거나 고물상 한구석에 세워 두고 돈을 얻어 오는 수밖에 없었다. 지금 아내가 하나 남은 모본단 저고리를 찾는 것도 아침거리를 장만하려 함이라. 나는 입맛을 쩍쩍 다시고 폈던 책을 덮어 놓고 후- 한숨을 내쉬었다.

봄은 벌써 반이나 지내었건마는 이슬을 실은 듯한 밤기운이 방구석으로부터 슬금슬금 기어 나와 사람에게 안기고, 비가 오는 까닭인지 밤은 아직 깊지 않건만 인적조차 끊어지고 온 천지가 빈 듯이 고요한데 투닥투닥 떨어지는 빗소리가 한없는 구슬픈 생각을 자아낸다.

---

1 모본단 비단의 하나. 본래 중국에서 난 것으로, 짜임이 곱고 윤이 나며 무늬가 아름답다.
2 전당국(典當局) 물건을 잡고 돈을 빌려주어 이익을 취하는 곳.

"빌어먹을 것, 되는 대로 되어라."

나는 점점 견딜 수 없어 두 손으로 흩어진 머리카락을 쓰다듬어 올리며 중얼거려 보았다. 이 말이 더욱 처량한 생각을 일으킨다. 나는 또 한 번, '후-' 한 숨을 내쉬며 왼팔을 베고 책상에 쓰러지며 눈을 감았다.

이 순간에 오늘 지낸 일이 불현듯 생각이 난다.

늦게야 점심을 마치고 내가 막 궐련(卷煙) 한 개를 피워 물 적에 한성은행 다니는 T가 공일이라고 놀러 왔었다. 친척은 다 멀지 않게 살아도 가난한 꼴을 보이기도 싫고 찾아갈 적마다 무엇을 꾸어 내라고 조르지도 아니하였건만 행여나 무슨 구차한 소리를 할까 봐서 미리 방패막이를 하고 눈살을 찌푸리는 듯하여 나도 발을 끊고 따라서 찾아오는 이도 없었다. 다만 이 T는 촌수가 가까운 까닭인지 자주 우리를 방문하였다.

그는 성실하고 공순하여[3] 설설(屑屑)[4]한 소사(小事)에 슬퍼하고 기뻐하는 인물이었다. 동년배인 우리 둘은 늘 친척 간에 비교거리가 되었었다. 그리고 나의 평판이 항상 좋지 못하였다.

"T는 돈을 알고 위인이 진실해서 그 애는 돈푼이나 모을 것이야! 그러나 K(내 이름)는 아모짝에도 못 쓸 놈이야. 그 잘난 언문 섞어서 무어라고 끄적거려 놓고 제 주제에 무슨 조선의 유명한 문학가가 된다니! 시러베아들 놈[5]!"

이것이 그네들의 평판이었다. 내가 문학인지 무엇인지 하는 소리가 까닭 없이 그네들의 비위에 틀린 것이다. 더군다나 나는 그네들의 생일이나 혹은 대사 때에 돈 한 푼 이렇다는 일이 없고, T는 소위 착실히 돈벌이를 하여 가지고 국수 밥소라[6]나 보조를 하는 까닭이다.

---

3 공순하다 공손하고 온순하다.
4 설설 자질구레하고 많음.
5 시러베아들 놈 실없는 사람을 낮잡아 이르는 말.
6 밥소라 밥, 떡, 국수 따위를 담는 큰 놋그릇. 여기서는 살림에 보탬이 된다는 뜻.

"얼마 아니 되어 T는 잘살 것이고, K는 거지가 될 것이니 두고 보아!"

오촌 당숙은 이런 말씀까지 하였다 한다. 입 밖에는 아니 내어도 친부모 친형 제까지라도 심중으로는 다 이렇게 생각할 것이다. 그래도 부모는 달라서 화가 나시면,

"네가 그리하다가는 말경에 비렁뱅이가 되고 말 것이야."

라고 꾸중은 하셔도,

"사람이란 늦복 모르느니라."

"그런 사람은 또 그렇게 되느니라."

하시는 것이 스스로 위로하는 말씀이고 또 며느리를 위로하는 말씀이었다. 이것 을 보아도 하는 수 없는 놈이라고 단념을 하시면서 그래도 잘되기를 바라시고 축원하시는 것을 알겠더라.

여하간 이만하면 T의 사람됨을 가히 알 수가 있다. 그러고 그가 우리 집에 올 것 같으면 지어서 쾌활하게 웃으며 힘써 재미스러운 이야기를 하였다. 단둘이 고적하게 그날그날을 보내는 우리에게는 더할 수 없이 반가웠다.

오늘도 그가 활발하게 집에 쑥 들어오더니 신문지에 싼 기름한 것을 '이것 봐 라.' 하는 듯이 마루 위에 올려놓고 분주히 구두끈을 끄른다.

"이것은 무엇인가?"

나는 물어보았다.

"저- 제 처의 양산이야요. 쓰던 것이 벌써 다 낡았고 또 살이 부러졌다나요."

그는 구두를 벗고 마루에 올라서며 나오는 웃음을 참지 못하여 벙글벙글하면 서 대답을 한다. 그는 나의 아내를 보며 돌연히,

"아지머니 좀 구경하시렵니까?"

하더니 싼 종이와 집을 벗기고 양산을 펴 보인다. 흰 비단 바탕에 두어 가지 매 화를 수놓은 양산이었다.

"검정이는 좋은 것이 많아도 너무 칙칙해 보이고…… 회색이나 누렁이는 하

나도 그것이야 싫은 것이 없어서 이것을 산걸요."

그는 '이것보다 더 좋은 것을 살 수가 있나!' 하는 뜻을 보이려고 애를 쓰며 이런 발명까지 한다.

"이것도 퍽 좋은데요."

이런 칭찬을 하면서 양산을 펴 들고 이리저리 홀린 듯이 들여다보고 있는 아내의 눈에는 '나도 이런 것을 하나 가졌으면.' 하는 생각이 역력히 보인다.

나는 갑자기 불쾌한 생각이 와락 일어나서 방으로 들어오며 아내의 양산 보는 양을 빙그레 웃고 바라보고 있는 T에게,

"여보게, 방에 들어오게그려, 우리 이야기나 하세."

T는 따라 들어와 물가 폭등에 대한 이야기며, 자기의 월급이 오른 이야기며, 주권(株券)을 몇 주 사 두었더니 꽤 이익이 남았다든가, 이번 각 은행 사무원 경기회[7]에서 자기가 우월한 성적을 얻었다든가, 이런 것 저런 것 한참 이야기하다가 돌아갔었다.

T를 보내고 책상을 향하여 짓던 소설의 결미[8]를 생각하고 있을 즈음에,

"여보!"

아내의 떠는 목소리가 바로 내 귀 곁에서 들린다. 핏기 없는 얼굴에 살짝 붉은빛이 돌며 어느 결에 내 곁에 바싹 다가앉았더라.

"당신도 살 도리를 좀 하셔요."

"……."

나는 또 '시작하는구나.' 하는 생각이 번개같이 머리에 번쩍이며 불쾌한 생각이 벌컥 일어난다. 그러나 무어라고 대답할 말이 없이 묵묵히 있었다.

"우리도 남과 같이 살아 보아야지요?"

아내가 T의 양산에 단단히 자극을 받은 것이다. 예술가의 처 노릇을 하려는

---

7 경기회(競技會) 영업 실적을 겨루는 일.
8 결미 글이나 문서 따위의 끝부분.

독특한 결심이 있는 그는 좀처럼 이런 소리를 입 밖에 내지 아니하였다. 그러나 무엇에 상당한 자극만 받으면 참고 참았던 이런 소리를 하게 되는 것이다. 나도 이런 소리를 들을 적마다 '그럴 만도 하다.'는 동정심이 없지 아니하나 심사가 어쩐지 좋지 못하였다.

이번에도 '그럴 만도 하다.'는 동정심이 없지 아니하되 또한 불쾌한 생각을 억제키 어려웠다. 잠깐 있다가 불쾌한 빛을 드러내며,

"급작스럽게 살 도리를 하라면 어찌할 수가 있소? 차차 될 때가 있겠지!"

"아이구, 차차란 말씀 그만두구려, 어느 천년에⋯⋯."

아내의 얼굴에 붉은빛이 짙어지며 전에 없던 흥분한 어조로 이런 말까지 하였다. 자세히 보니 두 눈에 은은히 눈물이 고이었더라.

나는 잠시 멍멍하게 있었다. 성낸 불길이 치받쳐 올라온다. 나는 참을 수 없었다.

"막벌이꾼한테 시집을 갈 것이지 누가 내게 시집을 오랬어! 저따위가 예술가의 처가 다 뭐야!"

사나운 어조로 몰풍스럽게⁹ 소리를 꽥 질렀다.

"에그⋯⋯!"

살짝 얼굴빛이 변해지며 어이없이 나를 보더니 고개가 점점 수그러지며 한 방울 두 방울 방울방울 눈물이 장판 위에 떨어진다.

나는 이런 일을 가슴에 그리며 그래도 내일 아침거리를 장만하려고 옷을 찾는 아내의 심중을 생각해 보니, 말할 수 없는 슬픈 생각이 가을바람과 같이 설렁설렁 심골(心骨)을 분지르는 것 같다.

쓸쓸한 빗소리는 굵었다 가늘었다 의연히 적적한 밤공기에 더욱 처량히 들리고 그을음 앉은 등피(燈皮)¹⁰ 속에서 비추는 불빛은 구름에 가린 달빛처럼

---

9 몰풍스럽다 성격이나 태도가 정이 없고 냉랭하며 퉁명스러운 데가 있다.
10 등피 등불이 꺼지지 않도록 바람을 막고 불빛을 밝게 하기 위하여 남포등에 씌우는 유리로 만든 물건.

우는 듯 조는 듯 구차히 얻어 산 몇 권 양책(洋冊)의 표제 금자(金字)가 번쩍거린다.

2

장 앞에 초연히 서 있던 아내가 무엇이 생각났는지 고개를 끄덕끄덕하며 들릴 듯 말 듯 목 안의 소리로,

"오흐…… 옳지, 참 그날……."

"찾았소?"

"아니야요, 벌써…… 저 인천 사시는 형님이 오셨던 날……."

"……"

아내가 애써 찾던 그것도 벌써 전당포의 고운 먼지가 앉았구나! 종지 하나라도 차근차근 아랑곳하는 아내가 그것을 잡혔는지 아니 잡혔는지 모르는 것을 보면 빈곤이 얼마나 그의 정신을 물어뜯었는지 가히 알겠다.

"……"

"……"

한참 동안 서로 아무 말이 없었다. 가슴이 어째 답답해지며 누구하고 싸움이나 좀 해 보았으면, 소리껏 고함이나 질러 보았으면 실컷 울어 보았으면 하는 일종 이상한 감정이 부글부글 피어오르며, 전신에 이가 스멀스멀 기어 다니는 듯, 옷이 어째 몸에 끼이고 견딜 수가 없다. 나는 이런 감정을 노골적으로 드러내며,

"점점 구차한 살림에 싫증이 나서 못 견디겠지?"

아내는 무엇을 생각하는지 모르게 정신을 잃고 섰다가 그 게슴츠레한 눈이 둥그레지며,

"네에? 어째서요?"

"무얼 그렇지!"

"싫은 생각은 조금도 없어요."

이렇게 말이 오락가락함을 따라 나는 흥분의 도가 점점 짙어 간다.

그래서 아내가 떨리는 소리로,

"어째 그런 줄 아세요?"

하고 반문할 적에,

"나를 숙맥[11]으로 알우!"

라고 격렬하게 소리를 높였다.

아내는 살짝 분한 빛이 눈에 비치며 물끄러미 나를 들여다본다. 나는 괘씸하다 하는 듯이 흘겨보며,

"그러면 그것 모를까! 오늘날까지 잘 참아 오더니 인제는 점점 기색이 달라지는걸, 뭐! 물론 그럴 만도 하지마는!"

이런 말을 하는 내 가슴에는 지난 일이 활동사진 모양으로 어른어른 나타난다.

6년 전에(그때 나는 16세이고 저는 18세였다.) 우리가 결혼한 지 얼마 아니 되어 지식에 목마른 나는 지식의 바닷물을 얻어 마시려고 표연히 집을 떠났었다. 광풍에 나부끼는 버들잎 모양으로 오늘은 지나(支那)[12], 내일은 일본으로 굴러다니다가 금전의 탓으로 지식의 바닷물도 흠씬 마셔 보지도 못하고 반거들충이[13]가 되어 집에 돌아오고 말았다. 내게 시집올 때에는 방글방글 피려는 꽃봉오리 같던 아내가 어느 결에 이울어[14] 가는 꽃처럼 두 뺨에 선연한 빛이 스러지고 이마에는 벌써 두어 금 가는 줄이 그리어졌다.

처가 덕으로 집간[15]도 장만하고 세간도 얻어 우리는 소위 살림을 하게 되었다. 처음에는 그럭저럭 지내었지마는 한 푼 나는 데 없는 살림이라 한 달 가고 두 달

---

11 숙맥(菽麥) 콩과 보리도 구분 못한다는 뜻의 숙맥불변(菽麥不辨)에서 나온 말로서, 사리 분별을 못 하는 모자라고 어리석은 사람을 이르는 말.
12 지나 예전에 '중국'을 지칭하던 말. 현재에는 쓰이지 않는다.
13 반거들충이 무엇을 배우다가 중도에 그만두어 다 이루지 못한 사람.
14 이울다 꽃이나 잎이 시들다.
15 집간 '집칸'의 잘못. 변변하지 못한 집.

갈수록 점점 곤란해질 따름이었다. 나는 보수 없는 독서와 가치 없는 창작으로 해가 지고 날이 새며, 쌀이 있는지 나무가 있는지 망연케 몰랐었다. 그래도 때때로 맛난 반찬이 상에 오르고 입은 옷이 과히 추하지 아니함은 전혀 아내의 힘이었다. 전들 무슨 벌이가 있으리오, 부끄럼을 무릅쓰고 친가에 가서 눈치를 보아가며, 구차한 소리를 하여 가지고 얻어 온 것이었다. 그것도 한 번 두 번 말이지 장구한 세월에 어찌 늘 그럴 수가 있으랴! 말경에는 아내가 가져온 세간과 의복에 손을 대는 수밖에 없었다. 잡히고 파는 것도 나는 알은체도 아니하였다. 그가 애를 쓰며 퉁명스러운 옆집 할멈에게 돈푼을 주고 시켰었다.

이런 고생을 하면서도 그는 나의 성공만 마음속으로 깊이깊이 믿고 빌었었다. 어느 때에는 내가 무엇을 짓다가 마음에 맞지 아니하여 쓰던 것을 집어 던지고 화를 낼 적에,

"왜 마음을 조급하게 잡수셔요! 저는 꼭 당신의 이름이 세상에 빛날 날이 있을 줄 믿어요. 우리가 이렇게 고생을 하는 것이 장래에 잘될 근본이야요."
하고 그는 스스로 흥분되어 눈물을 흘리며 나를 위로한 적도 있었다.

내가 외국으로 돌아다닐 때에 소위 신풍조에 떠어 까닭 없이 구식 여자가 싫었었다. 그래서 나의 일찍이 장가든 것을 매우 후회하였다. 어떤 남학생과 어떤 여학생이 서로 연애를 주고받고 한다는 이야기를 들을 적마다 공연히 가슴이 뛰놀며 부럽기도 하고 비감스럽기도 하였었다.

그러나 낫살이 들어 갈수록 그런 생각도 없어지고 집에 돌아와 아내를 겪어 보니 의외에 그에게 따뜻한 맛과 순결한 맛을 발견하였다. 그의 사랑이야말로 이기적 사랑이 아니고 헌신적 사랑이었다. 이런 줄을 점점 깨닫게 될 때에 내 마음이 얼마나 행복스러웠으랴! 밤이 깊도록 다듬이를 하다가 그만 옷 입은 채로 쓰러져 곤하게 자는 그의 파리한 얼굴을 들여다보며,

"아아, 나에게 위안을 주고 원조를 주는 천사여!"
하고 감격이 극하여 눈물을 흘린 일도 있었다.

내가 알다시피 내가 별로 천품[16]은 없으나 어쨌든 무슨 저작가로 몸을 세워 보았으면 하여 나날이 창작과 독서에 전심력을 바쳤다. 물론 아직 남에게 인정 될 가치는 없는 것이다. 그 영향으로 자연 일상생활이 말유(末由)[17]하게 되었다.

이런 곤란에 그는 근 2년 견디어 왔건마는 나의 하는 일은 오히려 아무 보람 이 없고 방 안에 놓였던 세간이 줄어 가고 장롱에 찼던 옷이 거의 다 없어졌을 뿐이다.

그 결과 그다지 견딜성 있던 저도 요사이 와서는 때때로 쓸데없는 탄식을 하 게 되었다. 손잡이를 잡고 마루 끝에 우두커니 서서 하염없이 먼 산만 바라보기 도 하며, 바느질을 하다 말고 실심[18]한 사람 모양으로 멍멍히 앉았기도 하였다. 창경(窓鏡)[19]으로 비치는 어스름한 햇빛에 나는 흔히 그의 눈물 머금은 근심 있는 눈을 발견하였다. 이럴 때에는 말할 수 없는 쓸쓸한 생각이 들며 일없이,

"마누라!"

하고 부르면 그는 몸을 흠칫하고 고개를 저리로 돌리어 치맛자락으로 눈물을 씻으며,

"네에!"

하고 울음에 떨리는 가는 대답을 한다. 나는 등에 찬물을 끼얹은 듯 몸이 으쓱해 지며 처량한 생각이 싸늘하게 가슴에 흘렀었다. 그렇지 않아도 자비(自卑)하기[20] 쉬운 마음이 더욱 심해지며,

'내가 무자격한 탓이다.'

하고 스스로 멸시를 하고 나니 더욱 견딜 수 없다.

'그럴 만도 하다.'

는 동정심이 없지 아니하되, 그래도 그만 불쾌한 생각이 일어나며,

---

16 천품(天稟) 타고난 기품이나 소질.
17 말유 어찌할 도리가 없음.
18 실심(失心) 근심 걱정으로 맥이 빠지고 마음이 산란하여지다.
19 창경 창문에 단 유리.
20 자비하다 스스로 자기 자신을 낮추다.

'계집이란 할 수 없어.'

혼자 이런 불평을 중얼거리었다 -.

환등 모양으로 하나씩 둘씩 이런 일이 가슴에 나타나니 무어라고 말할 용기조차 없어졌다. 나의 유일의 신앙자이고 위로자이던 저까지 인제는 나를 아니 믿게 되고 말았다, 그는 마음속으로,

'네가 6년 동안 내 살을 깎고 저미었구나! 이 원수야!'

할 것이다. 이렇게 생각하매 그의 불같던 사랑까지 엷어져 가는 것 같았다. 아니 흔적도 없이 사라지고 만 것 같았다. 나는 감상적으로 허둥허둥하며,

"낸들 마누라를 고생시키고 싶어 시켰겠소! 비단옷도 해 주고 싶고 좋은 양산도 사 주고 싶어요. 그렇기에 왼종일 쉬지 않고 공부를 아니 하오? 남 보기에는 편편히 노는 것 같아도 실상은 그렇지 않아! 본들 모른단 말이오?"

나는 점점 강한 가면을 벗고 약한 진상을 드러내며 이와 같은 가소로운 변명까지 하였다.

"왼 세상 사람이 다 나를 비소(誹笑)하고 모욕하여도 상관이 없지마는 마누라까지 나를 아니 믿어 주면 어찌한단 말이오?"

내 말에 스스로 자극이 되어 마침내,

"아아!"

길이 탄식을 하고 그만 쓰러졌다. 이 순간에 고개를 숙이고 아마 하염없이 입술만 물어뜯고 있던 아내가 홀연,

"여보!"

울음소리를 떨면서 무너지는 듯이 내 얼굴에 쓰러진다.

"용서……."

하고는 북받쳐 나오는 울음에 말이 막히고 불덩이 같은 두 뺨이 내 얼굴을 누르며 흑흑 느끼어 운다. 그의 두 눈으로부터 샘솟듯 하는 눈물이 제 뺨과 내 뺨 사이를 따뜻하게 젖어 퍼진다.

내 눈에서도 눈물이 흘러내린다. 뒤숭숭하던 생각이 다 이 뜨거운 눈물에 봄 눈 슬듯 스러지고 말았다.

한참 있다가 우리는 눈물을 씻었다. 내 속이 얼마큼 시원한 듯하였다.

"용서하여 주셔요! 그렇게 생각하실 줄은 참 몰랐어요."

이런 말을 하는 아내는 눈물에 불어 오른 눈꺼풀을 아픈 듯이 꿈적거린다.

"암만 구차하기로니 싫증이야 날까요? 나도 한번 먹은 마음이 있는데……."

가만가만히 변명을 하는 아내의 눈물 흔적이 어룽어룽한[21] 얼굴을 물끄러미 바라보며 겨우 심신이 가든하였다.

3

어제 일로 심신이 피곤하였던지 그 이튿날 늦게야 잠을 깨니 간밤에 오던 비는 어느 결에 그치었고 명랑한 햇발[22]이 미닫이에 높았더라. 아내가 다시금 장문을 열고 잡힐 것을 찾을 즈음에 누가 중문을 열고 들어온다. 우리는 누군가 하고 귀를 기울일 적에 밖에서,

"아씨!"

하는 소리가 들리었다.

아내는 급히 방문을 열고 나갔다. 그는 처가에서 부리는 할멈이었다. 오늘이 장인 생신이라고 어서 오라는 말을 전한다.

"오늘이야! 참 옳지, 오늘이 2월 열엿샛날이지, 나는 깜빡 잊었어!"

"원, 아씨는 딱도 하십니다. 어쩌면 아버님 생신을 잊으신단 말씀이오? 아무리 살림이 재미가 나시더래도……."

시큰둥한 할멈은 선웃음을 쳐 가며 이런 소리를 한다. 가난한 살림에 골몰하느

---

21 어룽어룽하다 눈물이 그득하여 넘칠 듯하다.
22 햇발 사방으로 뻗친 햇살.

라고 자기 친부의 생신까지 잊었는가 하매 아내의 정지(情地)[23]가 더욱 측연(惻然)하였다[24].

"오늘이 본가 아버님 생신이라요. 어서 오라시는데……."

"어서 가구려……."

"당신도 가셔야지요. 우리 같이 가셔요."

하고 아내는 하염없이 얼굴을 붉힌다.

나는 처가에 가기가 매우 싫었었다. 그러나 아니 가는 것도 내 도리가 아닐 듯하여 하는 수 없이 두루마기를 입었다.

아내는 머뭇머뭇하며 양미간을 보일 듯 말 듯 찡그리다가 곁눈으로 살짝 나를 엿보더니 돌아서서 급히 장문을 연다.

'흥, 입을 옷이 없어서 망설거리는구나.'

나도 슬쩍 돌아서며 생각하였다. 우리는 서로 등지고 섰건만 그래도 아내가 거의 다 빈 장 안을 들여다보며 입을 만한 옷이 없어 눈살을 찌푸린 양이 눈앞에 선연하며 어찌할 수가 없었다.

"자아 가셔요."

무엇을 생각는지 모르게 정신을 잃고 섰다가 아내의 부르는 소리를 듣고 나는 기계적으로 고개를 돌리었다. 아내는 당목 옷[25]을 갈아입고 내 마음을 알았던지 나를 위로하는 듯이 방그레 웃는다. 나는 더욱 쓸쓸하였다.

우리 집은 천변 배다리 곁에 있고, 처가는 안국동에 있어 그 거리가 꽤 멀었다. 나는 천천히 가느라고 가고, 아내는 속히 오느라고 오건마는 그는 늘 뒤떨어졌었다. 내가 한참 가다가 뒤를 돌아보면 그는 꽤 멀리 떨어져 나를 따라오려고 애를 쓰며 주춤주춤 걸어온다. 길가에 다니는 어느 여자를 보아도 거의 다 비단

---

23 정지 딱한 사정에 있는 처지.
24 측연하다 보기에 가엾고 불쌍하다.
25 당목 옷 되게 드린 무명실로 폭이 넓고 발을 곱게 짠 피륙으로 만든 옷.

옷을 입고 고운 신을 신었는데 아내만 당목 옷을 허술하게 차리고 청목당혜[26]로 타박타박 걸어오는 양이 나에게 얼마나 애연한 생각을 일으켰는지!

한참 만에 나는 넓고 높은 처가 대문에 다다랐다. 내가 안으로 들어갈 적에 낯선 사람들이 나를 흘끔흘끔 본다. 그들의 눈에 '이 사람이 누구인가. 아마 이 집 차인[27]인가 보다.' 하는 경멸히 여기는 빛이 있는 것 같았다. 안대청 가까이 들어오니 모두 내게 분분히 인사를 한다. 그 인사하는 소리가 내 귀에는 어쩌 비소하는 것 같기도 하고 모욕하는 것 같기도 하여 공연히 가슴이 두근거리고 얼굴이 후끈거리었다.

그중에 제일 내게 친숙하게 인사하는 사람이 있다. 그는 아내보다 3년 맏이인 처형이었다. 내가 어려서 장가를 들었으므로 그때 그는 나를 못 견디게 시달렸다. 그때는 그가 싫기도 하고 밉기도 하더니 지금 와서는 그때 그러한 것이 도리어 우리를 무관(無關)하고[28] 정답게 만들었다. 그는 인천 사는데 자기 남편이 기미(期米)[29]를 하여 가지고 이번에 돈 10만 원이나 착실히 땄다 한다. 그는 자기의 잘사는 것을 자랑하고자 함인지 비단을 내리감고 치감고 얼굴에 부유한 태가 질질 흐른다. 그러나 분으로 숨기려고 애쓴 보람도 없이 눈 위에 퍼렇게 멍든 것이 내 눈에 띄었다.

"왜 마누라는 어쩌고 혼자 오셔요?"

그는 웃으며 이런 말을 하다가 중문 편을 바라보더니,

"그러면 그렇지! 동부인[30] 아니하고 오실라구!"

혼자 주고받고 한다. 나도 이 말을 듣고 슬쩍 돌아다보니 아내가 벌써 중문 안에 들어섰더라. 그 수척한 얼굴이 더욱 수척해 보이며 눈물 고인 듯한 눈이 하

---

26 청목당혜(靑目唐鞋) 가죽신의 하나로, 흰 바탕이나 붉은 바탕에 푸른 무늬를 놓은 신.
27 차인 남의 장사하는 일에 시중드는 사람. 또는 임시 심부름꾼으로 부리는 사람.
28 무관하다 서로 허물없이 가깝다.
29 기미 현물 없이 쌀을 사고파는 일을 말하는데, 쌀의 시세를 이용하여 약속만으로 거래하는 일종의 투기 행위로 '미두'라고 하기도 한다.
30 동부인 아내와 함께 동행함.

염없이 웃는다. 나는 유심히 그와 아내를 번갈아 보았다. 처음 보는 사람은 분간을 못 하리만큼 그들의 얼굴은 혹사하다[31]. 그런데 얼굴빛은 어쩌면 저렇게 틀리는지? 하나는 이글이글 만발한 꽃 같고 하나는 시들시들 마른 낙엽 같다. 아내를 형이라 하고, 처형을 아우라 하였으면 아무라도 속을 것이다. 또 한 번 아내를 보며 말할 수 없는 쓸쓸한 생각이 다시금 가슴을 누른다. 딴 음식은 별로 먹지도 아니하고 못 먹는 술을 넉 잔이나 마시었다. 그래도 바늘방석에 앉은 것처럼 앉아 견딜 수가 없다. 집에 가려고 나는 몸을 일으켰다. 골치가 띵하며 내가 선 방바닥이 마치 폭풍에 흉흉(洶洶)하는 파도같이 높았다 낮았다 어질어질해서 곧 쓰러질 것 같다. 이 거동을 보고 장모가 황망히 일어서며,

"술이 저렇게 취해 가지고 어데로 갈라구? 여기서 한잠 자고 가게."

나는 손을 내저으며,

"안 돼요. 안 돼요. 집에 가겠어요."

취한 소리로 중얼거리었다.

"저를 어쩌나!"

장모는 걱정을 하시더니,

"할멈! 어서 인력거 한 채 불러오게."

한다.

취중에도 인력거를 태워 주지 말고 그 인력거 찻삯을 나를 주었으면 책 한 권을 사 보련만 하는 생각이 있었다. 인력거를 타고 얼마 아니 가서 그만 잠이 들고 말았다.

한참 자다가 잠을 깨어 보니 방 안에 벌써 램프 불이 켜었는데, 아내는 어느 결에

---

31 혹사하다 아주 비슷하다.

 왔는지 외로이 앉아 바느질을 하고 화로에서는 무엇이 끓는 소리가 보글보글하였다. 아내가 나의 잠 깬 것을 보더니 급히 화로에 얹은 것을 만져 보며,

"인제 고만 일어나 진지를 잡수셔요."

하고 부리나케 일어나 구들목에 파묻어 둔 밥그릇을 꺼내어 미리 차려 둔 상에 얹어서 내 앞에 갖다 놓고 일변 화로를 당기어 더운 반찬을 집어 얹으며,

"자! 어서 일어나셔요."

나는 마지못하여 하는 듯이 부시시 일어났다. 머리가 오히려 아프며 목이 몹시 말라서 국과 물을 연해 들이켰다.

"물만 잡수셔 어째요? 진지를 좀 잡수셔야지."

아내는 이런 근심을 하며 밥상머리에 앉아서 고기도 뜯어 주고 생선 뼈도 추려 주었다. 이것은 다 오늘 처가에서 가져온 것이다. 나는 맛나게 밥 한 그릇을 다 먹었다. 내 밥상이 나매 아내가 밥을 먹기 시작한다. 그러면 지금껏 내 잠 깨기를 기다리고 밥을 먹지 아니하였구나 하고 오늘 처가에서 본 일을 생각하였다. 어제 일이 있은 후로 우리 사이에 무슨 벽이 생긴 듯하던 것이 그 벽이 점점 엷어져 가는 듯하며 가엾고 사랑스러운 생각이 일어났었다. 그래서 우리는 정답게 이런 이야기 저런 이야기를 하게 되었다. 우리의 이야기는 오늘 장인 생신 잔치로부터 처형 눈 위에 멍든 것에 옮겨 갔다.

처형의 남편이 이번 그 돈을 딴 뒤로는 주야로 요리점과 기생집에 돌아다니더니 일전에 어떤 기생을 얻어 가지고 미쳐 날뛰며 집에만 들면 집안사람을 들볶고 걸핏하면 처형을 친다 한다. 이번에도 별로 대단치 않은 일에 처형에게 밥상으로 냅다 갈겨 바로 눈 위에 그렇게 멍이 들었다 한다.

"그것 보아! 돈푼이나 있으면 다 그런 것이야."

"정말 그래요. 없으면 없는 대로 살아도 의좋게 지내는 것이 행복이야요."

아내는 충심(衷心)으로 공명해[32] 주었다. 이 말을 들으매 내 마음은 말할 수 없이 만족해지며 무슨 승리자나 된 듯이 득의양양하였다. 그리고 마음속으로,

'옳다, 그렇다. 이렇게 지내는 것이 행복이다.'

하였다.

4

이틀 뒤 해 어스름에 처형은 우리 집에 놀러 왔었다. 마침 내가 정신없이 무엇을 생각하고 있을 즈음에 쓸쓸하게 닫혀 있는 중문이 찌그덩하며 비단옷 소리가 사르륵사르륵 들리더니 아랫목은 내게 빼앗기고 윗목에서 바느질을 하고 있던 아내가 문을 열고 나간다.

"아이고, 형님 오셔요?"

아내의 인사하는 소리가 들리더니 처형이 계집 하인에게 무엇을 들리고 들어온다. 나도 반갑게 인사를 하였다.

"그날 매우 욕을 보셨지요? 못 먹는 술을 무슨 짝에 그렇게 잡수셔요?"

그는 이런 인사를 하다가 급작스럽게 계집 하인이 든 것을 앗더니 그 속에서 신문지로 싼 것을 끄집어내어 아내를 주며,

"내 신 사는데 네 신도 한 켤레 샀다. 그날 청목당혜를……."

말을 하려다가 나를 곁눈으로 흘끗 보고 그만 입을 닫친다.

"그것을 왜 또 사셨어요?"

해쓱한 얼굴에 꽃물을 들이며 아내가 치사하는[33] 것도 들은 체 만 체하고 또 이야기를 시작한다.

"올 적에 사랑양반[34]을 졸라서 돈 100원을 얻었겠지. 그래서 오늘 종로에 나

---

32 공명하다 남의 사상이나 감정, 행동 따위에 공감하여 자기도 그와 같이 따르려 하다.
33 치사하다 고맙고 감사하다는 뜻을 표시하다.
34 사랑양반 집안의 남자 주인을 스스럼없이 이르는 말. 바깥양반.

와서 옷감도 바꾸고 신도 사고⋯⋯."

그는 자랑과 기쁨의 빛이 얼굴에 퍼지며 싼 보를 끌러,

"이런 것이야!"

하고 우리 앞에 펼쳐 놓는다.

자세히는 모르나 여하간 값 많고 품 좋은 비단일 듯하다. 무늬 없는 것, 무늬 있는 것, 회색·옥색·초록색·분홍색이 갖가지로 윤이 흐르며 색색이 빛이 나서 나는 한참 황홀하였다. 무슨 칭찬을 해야 되겠다 싶어서,

"참 좋은 것인데요."

이런 말을 하다가 나는 또 쓸쓸한 생각이 일어난다. 저것을 보는 아내의 심중이 어떠할까? 하는 의문이 문득 일어남이라.

"모다 좋은 것만 골라 샀습니다그려."

아내는 인사를 차리느라고 이런 칭찬은 하나마 별로 부러워하는 기색이 없다. 나는 적이 의외의 감이 있었다.

처형은 자기 남편의 흉을 보기 시작하였다. 그 밉살스럽다는 둥, 그 추근추근하다는 둥, 말끝마다 자기 남편의 불미한[35] 점을 들다가 문득 이야기를 끊고 일어섰다.

"왜 벌써 가시려고 하셔요? 모처럼 오셨다가 반찬은 없어도 저녁이나 잡수셔요."

하고 아내가 만류를 하니,

"아니 곧 가야 돼. 오늘 저녁차로 떠날 것이니까 가서 짐을 매어야지, 아직 차 시간이 멀었어? 아니 그래도 정거장에 일찍 나가야지, 만일 기차를 놓치면 오죽 기다리실라구, 벌써 오늘 저녁차로 간다고 편지까지 하였는데⋯⋯."

재삼 만류함도 돌아보지 아니하고 그는 총총히 나간다. 우리는 그를 보내고

---

35 불미하다 아름답지 못하고 추잡하다.

방에 들어왔다. 나는 웃으며 아내더러,

"그까짓 것이 기다리는데 그다지 급급히 갈 것이 무엇이야!"

아내는 하염없이 웃을 뿐이었다.

"그래도 옷감 바꿀 돈을 주었으니 기다리는 것이 애처롭기는 하겠지!"

밉살스러우니, 추근추근하니 하여도 물질의 만족만 얻으면 그것으로 위로하고 기뻐하는 그의 생활이 참 가련하다 하였다.

"참 그런가 보아요."

아내도 웃으며 내 말을 받는다. 이때에 처형이 사 준 신이 그의 눈에 띄었는지 (혹은 나를 꺼려, 보고 싶은 것을 참았는지 모르나) 그것을 집어 들고 조심조심 펴 보려다가 말고 머뭇머뭇한다. 그 속에 그를 해(害)케 할 무슨 위험품이나 든 것 같이.

"어서 펴 보구려."

아내가 하도 머뭇머뭇하기로 보다 못하여 내가 최촉³⁶을 하였다.

아내는 이 말을 듣더니 '작히 좋으랴.' 하는 듯이 활발하게 싼 신문지를 헤친다.

"퍽 이쁜걸요."

그는 근일에 드문 기쁜 소리를 치며 방바닥 위에 사뿐 내려놓고 버선을 당기며 곱게 신어 본다.

"어쩌면 이렇게 맞어요!"

연해연방³⁷ 감탄사를 부르짖는 그의 얼굴에 흔연한 희색이 넘쳐흐른다.

"……."

묵묵히 아내의 기뻐하는 모양을 보고 있는 나는 또다시 '여자란 할 수 없어!' 하는 생각이 들며, '조심하였을 따름이다!' 하매 밤빛 같은 검은 그림자가 가슴

---

36 최촉(催促) 어떤 일을 빨리하도록 조름.
37 연해연방 끊임없이 잇따라 자주.

을 어둡게 하였다. 그러면 아까 처형의 옷감을 볼 적에도 물론 마음속으로는 부러워하였을 것이다. 다만 표면에 드러나지 아니하였을 따름이다. 겨우 "어서 펴보구려." 하는 한마디에 가슴에 숨겼던 생각을 속임 없이 나타내는구나 하였다.

내가 무엇을 생각하고 있는지 저는 모르고 새 신 신은 발을 조금 쳐들며,

"신 모양이 어때요?"

"매우 이뻐!"

겉으로는 좋은 듯이 대답을 하였으나 마음은 쓸쓸하였다. 내가 제게 신 한 켤레를 사 주지 못하여 남에게 얻은 것으로 만족하고 기뻐하는도다.

웬일인지 이번에는 그만 불쾌한 생각이 일어나지 아니하였다. 처형이 동서를 밉다거니 무엇이니 하면서도 기차를 놓치면 남편이 기다릴까 염려하여 급히 가던 것이 생각난다. 그것을 미루어 아내의 심사도 알 수가 있다. 부득이한 경우라 하릴없이³⁸ 정신적 행복에만 만족하려고 애를 쓰지마는 기실 부족한 것이다. 다만 참을 따름이다. 그것은 내가 생각해야 된다. 이런 생각을 하니 전날 아내에게 그런 말을 한 것이 후회가 난다.

'어느 때라도 제 은공을 갚아 줄 날이 있겠지!'

나는 마음을 좀 너그럽게 먹고 이런 생각을 하며 아내를 보았다.

"나도 어서 출세를 하여 비단신 한 켤레쯤은 사 주게 되었으면 좋으련만
……."

아내가 이런 말을 듣기는 참 처음이다.

"네에?"

아내는 제 귀를 못 믿어 하는 듯이 의아한 눈으로 나를 보더니 얼굴에 살짝 열기가 오르며,

"얼마 안 되어 그렇게 될 것이야요."

---

38 하릴없이 달리 어떻게 할 도리가 없이.

라고 힘 있게 말하였다.

"정말 그럴 것 같소?"

나는 약간 흥분하여 반문하였다.

"그러면요, 그렇고말고요."

아직 아무도 인정해 주지 않은 무명작가인 나를 다만 저 하나가 깊이깊이 인정해 준다! 그렇기에 그 강한 물질에 대한 본능적 요구도 참아 가며 오늘날까지 몹시 눈살을 찌푸리지 아니하고 나를 도와준 것이다.

'아아, 나에게 위안을 주고 원조를 주는 천사여!'

마음속으로 이렇게 부르짖으며 두 팔로 덥석 아내의 허리를 잡아 내 가슴에 바싹 안았다. 그다음 순간에는 뜨거운 두 입술이……. 그의 눈에도 나의 눈에도 그렁그렁한 눈물이 물 끓듯 넘쳐흐른다.

(1921년)

할머니의 죽음

현진건

현진건 (1900~1943)

〈할머니의 죽음〉은 '나'의 눈에 비친 가족들의 이기적이고 위선적인 모습을 묘사하는 한편, 화창한 봄날 전해 들은 할머니의 별세 소식을 통해 비극의 여운을 남기는 작품이다. 현진건은 김동인과 더불어 단편 소설의 선구자로 꼽히는 작가로, 객관적인 시각에서 현실의 문제를 있는 그대로 보여 주는 '사실주의' 소설의 기틀을 마련했다. 주로 '나'가 등장하여 자신의 이야기를 고백하는 일인칭 소설의 형식 및 반어적인 상황을 설정해 주제를 부각하는 기법 등을 즐겨 사용했다. 〈운수 좋은 날〉〈빈처〉〈무영탑〉〈B사감과 러브레터〉〈술 권하는 사회〉 등 많은 대표작들이 있다.

'조모주 병환 위독'

3월 그믐날, 나는 이런 전보를 받았다. 이는 ××에 있는 생가에서 놓은 것이니 물론 생가 할머니의 병환이 위독하단 말이다. 병환이 위독은 하다 해도 기실[1] 모나게 무슨 병이 있는 게 아니라, 벌써 여든을 둘이나 넘은 그 할머니는 작년 봄부터 시름시름 기운이 쇠진해서 가끔 가물가물하기 때문에 그동안 자손들로 하여금 한두 번 바쁜 걸음을 많이 치게 하였다.

그 할머니의 5년 맏이인 양조모[2]는 갑자기 울기 시작하였다.

"아이고…… 이승에서는 다시 못 보겠다. 동서라도 의로 말하면 친형제나 다름이 없었다……. 60년을 하로[3]같이 어데 뜻 한번 거슬려 보았을까……."

연해연방 이런 넋두리를 섞어 가며 양조모는 울었다. 운다 하여도 눈 가장자리가 붉어지고 목소리가 떨릴 뿐이었다. 워낙 연만한[4] 그는 제법 울음답게 울 근력조차 없었다.

"그래도 그 할머니는 팔자가 좋으시다. 자손이 늘은 듯하고…… 아이고."

끝으로 이런 말을 하며 울음이 한숨으로 변하였다. 자기가 너무 수(壽)한[5] 까닭으로 외동자[6]들을 앞세워, 원(怨)이 되고 한이 되어, 노상 자기의 생을 저주하는 그는 아들이 둘(본래 셋이더니 그중에 중부(仲父)[7]가 일찍이 돌아갔다.), 직손자가

---

1 기실(其實) 실제에 있어서.
2 양조모(養祖母) 양할머니. 양자로 간 집의 할머니.
3 하로 '하루'의 방언.
4 연만하다 나이가 아주 많다.
5 수하다 오래 살다. 장수하는 일을 이른다.
6 외동자 외자식. 외동자식.
7 중부 둘째아버지.

여덟이나 되는 그 할머니를 언제든지 부러워하였다.

"지금 돌아가시면 호상(好喪)[8]이지. 아드님이 백발이 허연데……."
라고, 양모[9]도 맞방망이를 치며 눈을 멍하게 뜬다. 나도 과연 그렇기도 하겠다 싶었다.

나는 그날 밤차로 ××를 향하고 떠났다.

새로 석 점[10]이 지나 기차를 내린 나는 벌써 돌아가시지나 않았나고, 염려를 마지않으며, 캄캄한 좁은 골목을 돌아들어 생가의 삽짝[11] 가까이 다다를 제, 곡성이 나는 듯 나는 듯하여 마음이 조마조마하였다. 하건만 다행히 그 불길한 소리가 들리지 않았다. 삽짝은 빠끔히 열려 있었다.

마당에 들어서니 추녀 끝에 달린 그름[12] 앉은 괘등[13]이 간 반밖에 아니 되는 마루와 좁직한 뜰을 쓸쓸하게 비쳐 있었다. 우물 둑과 장독간의 사이에, 위는 거적으로 덮고 양 가는 삿자리로 두른 움막을 보고 나는 가슴이 덜컥하고 내려앉았다. 상청(喪廳)[14]이 아닌가……?

그러나 나의 어림짐작은 틀리었다. 마루에 올라선 내가 안방, 아랫방에서 뛰어나온 잠 못 잔 피로한 얼굴들에게 이끌리어, 할머니의 거처하는 단칸 건넌방으로 들어가니, 할머니는 까라진[15] 듯이 아랫목에 누웠으되 오히려 숨은 붙어 있었다. 그 앞에 앉은 나를 생선의 그것 같은 흐릿한 눈자위로 의아롭게 바라본다.

"얘가 누구입니까? 어머니, 얘가 누구입니까?"

예안 이씨(禮安李氏)로 예절 알기와 효성 있기로 집안 중에 유명한 중모(仲母)[16]는 나를 가리키며 병자의 귀에 대고 부르짖었다.

---

8 호상 복을 누리고 오래 산 사람의 상사(喪事).
9 양모(養母) 양어머니.
10 점 시각을 세던 단위. 괘종시계의 종 치는 횟수로 세었다. 따라서 '석 점'은 3시를 일컫는다.
11 삽짝 나뭇가지를 엮어서 만든 문짝. 사립문.
12 그름 '그을음'의 방언.
13 괘등(掛燈) 누각이나 전각의 천장에 매다는 등.
14 상청 '궤연(죽은 사람의 영궤와 그에 딸린 모든 것을 차려 놓는 곳)'을 속되게 이르는 말.
15 까라지다 기운이 빠져 축 늘어지다.
16 중모 둘째아버지의 아내. 둘째어머니.

"몰라……."

환자는 담[17]이 그르렁그르렁하면서 귀찮은 듯이 대꾸하였다.

"제가 누구입니까? 할머니!"

나는 그 검버섯이 어룽어룽한[18] 뼈만 남은 손을 만지며 물어보았다. 나의 소리는 떨리었다.

"저를 모르시겠습니까? 제가 ○○이 아닙니까?"

"응, 네가 ○○이냐……."

우는 듯이 이런 말을 하고, 그윽하나마 내가 잡은 손에 힘을 주는 듯하였다. 그 개개풀린[19] 눈동자 가운데도 반기는 빛이 역력히[20] 움직였다.

할머니의 병환이 어젯밤에는 매우 위중해서 모두 밤새움을 한 일, 누구누구 자손을 찾던 일, 그중에 내 이름도 부르던 일, 지금은 팔결[21] 돌린 일……. 온갖 것을 중모는 나에게 가르쳐 주었다.

나는 그날 밤을 누울락 앉을락 깰락 졸락 할머니 곁에서 밝히었다. 모였던 자손들이 제각기 돌아간 뒤에도 중모만은 할머니 곁을 떠나지 않았다. 불교의 독신자인 그는 잠 오는 눈을 비비기도 하고 기침으로 목청을 가다듬기도 하면서 밤새도록 염불을 그치지 않았다. 그 소리는 적적한 새벽녘에 해가(薤歌)[22]와 같이 처량히 들리었다. 나는 새삼스럽게 그 효심의 지극함과 그 정서의 놀라움에 탄복하였다.

아침저녁으로 각지에 흩어져 있는 자손들이 모여들기 시작하였다. 방이라야 단지 셋밖에 없는데, 안방은 어머니, 형수들이 점령하고, 뜰아랫방 하나 있는 것

---

17 담 가래.
18 어룽어룽하다 큰 점이나 줄 따위가 고르고 촘촘하게 무늬를 이룬 데가 있다.
19 개개풀리다 졸리거나 술에 취해서 눈에 정기가 흐려지다.
20 역력히 환히 알 수 있을 정도로 또렷하게.
21 팔결 엄청나게 다른 모양.
22 해가 장송가(葬送歌). 죽은 이를 장사 지낼 때 부르는 노래.

은 아버지, 삼촌, 당숙들에게 빼앗긴 우리 젊은이 패—사륙촌 형제들은 밤이 되어도 단 한 시간을 눈 붙일 곳이 없었다. 이웃집과 누우이 교섭한 끝에 방 한 칸을 빌려서 번차례[23]로 조금씩 쉬기로

하였다. 이 짧은 휴식이나마 곰비임비[24] 교란되었나니 그것은 10분들이로 집에서 불러들이는 까닭이다. 아버지와 삼촌네들의 큰 심부름, 잔심부름도 적지 않았지만 할머니 곁에 혼자 앉은 중모의 꾸준한 명령일 때가 많았다. 더욱이 밤새 1시에나 2시에나 간신히 잠을 들어 꿀보다 더 단잠이 온몸에 나른하게 퍼진 새벽녘에, 우리는 끄들리어 일어나는 수밖에 없었다.

"할머니 병환이 이렇듯 위중하신데 너희는 태평 치고 잠을 잔단 말이냐?"

우리가 건넌방에 들어서면 그는 다짜고짜로 야단을 쳤다. 그중에도 가장 나이 어리고 만만한 내가 이 꾸중받이가 되었다. 인정사정없는 그의 태도가 불쾌는 하였지만 도덕적 우월을 아는 우리는 대꾸 한마디 할 수 없었다.

"다들 뭐란 말이냐. 나는 한 달이나 밤을 새웠다. 며칠들이나 된다고."

졸음 오는 눈을 비비는 우리를 보고 그는 자랑스럽게 또 이런 꾸중도 하였다.

'놀라운 효성을 부리는 게 도무지 우리 야단칠 밑천을 장만하는 게로구나.'

나는 속으로 꿀꺽꿀꺽하며 이런 생각을 하였다.

한번은 또 그의 명령으로 우리는 건넌방에 모여들었다. 그 방문은 열어젖히었는데 문지방 위에 할머니의 지팡이가 놓이고 그 밑에 또 신으시던 신이 놓여 있었다. 방 안 할머니의 머리맡벽에는 다라니(陀羅尼)[25]가 걸리었다.

'할머니가 운명을 하시나 부다!'

---

23 번차례 돌려 가며 갈마드는 차례.
24 곰비임비 물건이 거듭 쌓이거나 일이 계속 일어남을 나타내는 말.
25 다라니 재앙을 물리친다는 불교 문구.

우리는 번개같이 이런 생각을 하며 할머니 곁으로 다가들었다. 그는 담을 그르렁거리며 혼혼(昏昏)히[26] 누워 있었다. 중모는 흐르는 눈물을 걷잡지 못하며, 그의 귀에 들이대고 울음소리로 아미타불과 지장보살을 구슬프게 부르짖고 있었다.

한동안 엄숙한 긴장이 여기 있었다. 모두 같은 일을 기대하면서.

10분! 20분! 환자의 신상에는 아무 별증[27]이 나타나지 않았다.

"아마, 잠이 드신 모양입니다."

이윽고 아버지가 이 긴장한 침묵을 깨뜨렸다. 그리고 중모를 향하여,

"잠 주무시게스리 염불을 고만 외십시오."

하고 나가 버렸다. 그 뒤를 따라 빽빽하게 들어섰던 자손들이 하나씩 둘씩 헤어졌다.

그래도 눈물을 섞어 가며 염불을 마지않던 중모가 얼마 뒤에 제물에[28] 부처님 찾기를 그쳤다. 그리고 끝끝내 남아 있던 나에게, 할머니가 중부가 왔다고 하던 일, 자기를 데리러 교군[29]이 왔다던 일, 중모의 손을 잡아 비틀며 어서 가자고 야단을 치던 일을 이야기하였다. 그러다가 숨구멍에서 무엇이 꿀꺽하더니 그만 저렇게 정신을 잃으신 것을 설명해 들기었다.

그날 저녁때에 할머니는 여상히[30] 깨어났었다. 이런 일이 한두 번이 아니었다. 몇 번이나 신과 지팡이가 놓였다 치웠다, 다라니가 벽에 걸렸다 떼였다 하였다. 그러는 동안에 자손의 얼굴은 자꾸자꾸 축이 나갔다. 말하기는 안되었지만 모두 불언 중에 할머니가 하루바삐 끝장나기를 기다리고 있었다. 관조차 맞추어서 칠까지 먹여 놓았다. 내가 처음 오던 날 상청이 아닌가고 놀라던 그 움막도

---

26 혼혼히 정신이 가물가물하고 희미한 모양.
27 별증(別症) 어떤 병에 딸려 일어나는 다른 증세.
28 제물에 저 혼자 스스로의 바람에.
29 교군 가마꾼. 여기서는 할머니를 가마에 태워 저승길에 데려가려 하는 사자(使者)를 뜻함.
30 여상히 평소와 다름이 없이.

이 관을 놓아두려는 의지간[31]이었다.

그러하건만 할머니는 연해 한 모양으로 그물그물하다가 또 정신을 차리었다. 아니, 정신이 돌아오는 때가 도리어 많아 간다. 자기 앞에 들어서는 자손들을, 거의 틀림없이 알아맞히었다.

그리고 가끔 몸부림을 치면서 일으켜 달라고 야단을 쳤다. 이럴 때에 중모는 기벽스럽게도[32] 염불을 모시었다.

"어머니 어머니, 가만히 계셔요, 가만히 계셔요."

그는 몸부림하는 할머니를 제지하면서 이렇게 타일렀다.

"저를 따라 염불을 외셔요. 나무아미타불, 나무아미타불."

"나 일어날란다."

"에그, 왜 그러셔요? 가만히 계셔요, 제발 덕분에. 나무아미타불, 나무아미타불⋯⋯."

"나무아미타불, 나무아미타불."

할머니는 마지못하여 중모를 따라 두어 번 입술을 달싹달싹하더니, 또 얼굴을 찡그리며 애원하는 어조로,

"인제 고만 뫼시고 날 좀 일으켜다고. 내 인제 고만 가련다."

"인제 가세요! 가만히 누워 가시지요. 왜 일어나시긴. 나무아미타불⋯⋯ 왕생극락⋯⋯ 나무아미타불⋯⋯."

할머니는 귀찮아 못 견디겠다는 듯이 팔을 내저으며,

"듣기 싫다, 염불 소리 듣기 싫다! 인제 고만해라."

하며 몸을 일으키려고 애를 쓴다.

"그게 무슨 말씀입니까?"

중모는 질색을 하며 더욱 비장하게 부처님을 찾았다.

---

31 의지간(倚支間) 원래 있던 집채에 더 달아서 꾸민 칸.
32 기벽스럽다 고집스럽다.

"듣기 싫다! 듣기 싫어. 나는 고만 갈 테야."

할머니는 또 이렇게 재우쳤다[33].

나는 이 광경을 보고 적이 의외의 감이 있었다. ―할머니는 중모보다 못하잖은 불교의 독신자이다. 몇십 년을 하루같이 새벽마다 만수향[34]을 켜 놓고, 염불 모시기를 잊지 않은 어른이다. 정신이 혼혼된 뒤에도 염주 담은 상자와 만수향만은 일일이 아랑곳하던 어른이다.

"……하로도 만수향을 세 갑 네 갑 켜시겠지. 금방 사다 드리면 세 개씩 네 개씩 당장 다 켜 버리시고 또 안 사 온다고 꾸중이시구나……."

작년 가을, 내가 귀성하였을 제, 계모가 웃으며, 할머니의 노망 이야기를 하는 가운데 만수향 켜는 것을 그 하나로 헤아렸다.

그러하던 할머니가 왜 지금 와서 염불을 듣기 싫다는가? 그다지 할머니는 일어나고 싶으신가? 죽어 가면서도 일어나려는 이 본능 앞에는 모든 것이 권위를 잃는 것인가?

"저렇게 일어나시려 하니 좀 일으켜 드리지요."

나는 보다 못해 이런 말을 하였다.

"안 된다, 일으켜 드릴 수가 없다. 하도 저러시길래 한번 일으켜 드렸더니 어떻게 아파하시는지 차마 뵐 수가 없었다."

"어째 그래요?"

나는 이렇게 반문하였다. 이 반문에 대한 중모의 설명은 더욱 놀란 것이었다.

할머니가 작년 봄부터 맑은 정신을 잃은 결과에 늙은이가 어린애 된다고 뒤를 가리지 않게 되었다. 게다가 이 두어 달 전부터 무엇을 자꾸 청해 잡수시고 옷에고 요 바닥에 함부로 뒤를 보았다. 그것을 얼른 빨아 드리지 못한 때문에 제

---

33 재우치다 빨리 몰아치거나 재촉하다.
34 만수향(萬壽香) 부처 앞에 태우는 향.

물에 뭉커지고 말라붙은 데다가 뜨거운 불목[35]에 데어, 궁둥이 언저리가 모두 벗겨졌다. 그러므로 일어나려면 그곳이 땅기고 배기어 아파하는 것이라 한다.

이 말을 들은 나는 할머니를 모로 누이고 그 상처를 보았다. 그 자리는 손바닥 넓이만치나 빨갛게 단 쇠로 지진 듯이 시커멓게 벗겨졌는데 그 위에는 하얀 해가 징그럽게 끼었고 그 가장자리는 독기를 품고 아른아른히 부르터 올라 있다. 나는 차마 더 볼 수가 없었다!

이것이 무슨 일인가! 양조모, 양모가 부러워하던 늘은 듯한 자손은 다 무엇을 하고 우리 할머니를 이 지경이 되게 하였는가? 왜 자주 옷을 갈아입혀 드리며 빨아 드리지 못하였는가? 나는 이 직접 책임자인 계모가 더할 수 없이 괘씸하였다.

그러나 가만히 생각해 보면 그를 그르다고도 할 수 없다. 위에도 말하였거니와 할머니가 이리 된 지는 하루 이틀이 아니다. 벌써 몇 달이 되었다. 이 긴 시일에 제아무리 효부라 한들 하루에도 몇 번을 흘리는 뒤를 그때 족족 빨아 낼 수 없으리라. 더구나 밤에 그런 것이야 일일이 알 수도 없으리라. 하물며 계모는 시집오던 첫날부터 골머리를 앓으리만큼 큰 병객이다. 병명은 의원을 따라 혹은 변두머리[36]라고도 하고 혹은 뇌짐[37]이라고도 하고 혹은 선천 부족(先天不足)이라고도 하였지마는 하나도 고쳐 주지는 못하였다.

30이 될락 말락 하건만 60이나 70이 다 된 노인 모양으로 주야장천 자리보전하고 누워 있는 터이다. 제 몸이 괴로우니 모든 것이 싫은 것이다. 그리고 나까지 아우르면 아버지 슬하에 아들만 넷이나 되건마는 지금 60 노경에 받드는 어느 아들 어느 며느리 하나 없다. 집안이 넉넉지 못한 탓으로, 사방에 흩어져서 제 입 풀칠하기에 눈코를 못 뜨는 까닭이다.

---

35 불목 온돌방 아랫목의 가장 따뜻한 자리. 아궁이가 가까워서 불길이 많이 가는 곳이다.
36 변두머리 '편두통'의 방언.
37 뇌짐 '폐결핵'을 의미함.

이 책임을 누구에게 돌릴까? 나는 알 수가 없었다. 쓴 물만 입안에 돌 뿐이었다.

그 후에 또 이런 일이 있었다. 어느 때 내가 할머니 곁에 갔을 적이었다. 할머니는 그 뼈만 남은 손으로 나의 손을 만지고 있었다.

"○○아, ○○아!"

할머니는 문득 나를 불렀다.

"인제는 다시 못 보겠다, 인제는 다시 못 보겠다."

"왜 그런 말씀을 하십니까?"

"인제 내가 안 죽니? 그런데 너 내 청 하나 들어주겠니?"

"네? 무슨 말씀입니까?"

"나, 나 좀 일으켜다고."

나는 눈물이 날 듯이 감동하였다. 어찌 차마 이 청을 떼칠[38] 건가. 나는 다짜고짜로 두 손을 할머니 어깨 밑으로 넣으려 하였다. 이것을 본 중모는 깜짝 놀라며 나를 말리었다.

"얘, 네가 왜 또 그러니? 일으켜 드리면 아파하신대도 그 애가 그러네."

"그때 약을 사다 드렸으니 그 자리가 인제는 아물었겠지요."

나는 데었단 말을 듣던 그날, 약 사다 드린 것을 생각하고 이런 말을 하였다.

"아니야, 아직 다 낫지 않았어. 오늘 아침에도 일으켜 드렸더니 몹시 아파하시더라."

나는 주춤하였다. 할머니의 앓는 것이 애처로웠음이다.

"어머니! 어머니! 가만히 누워 계셔요. 네? 일어나시면 아프십니다."

중모는 또 자상히 타이르듯 말하였다. 할머니는 물끄러미 나와 중모를 번갈

---

38 떼치다 요구나 부탁 따위를 딱 잘라 거절하다.

아 보시더니 단념한 듯이 눈을 감았다. 한참 앉아 있다가 나는 몸을 일으켰다. 이때에 할머니가 눈을 번쩍 뜨며 문득,

"어데를 가?"

라고 물었다. 나는 주춤 발길을 멈추었다.

할머니는 퀭한 눈으로 이윽히[39] 나를 쳐다보더니 무엇을 잡을 듯이 손을 내어 저으며 우는 듯한 소리로,

"서방님! 제발 나를 좀 일으켜 주십시오. 서방님! 제발 나를 좀 일으켜 주십시오."

라고 부르짖었다.

"에그머니! 그게 무슨 말입니까? 그 애가 ○○이 아닙니까? 서방님이 무엇이야요?"

중모는 바싹 할머니에게 다가들며 애처롭게 가르쳐 드렸다. 이때 마침 할머니가 잡수실 배즙을 가지고 들어오던 둘째 형수가 무슨 구경거리나 생긴 듯이 안방을 향하고 외쳤다.

"에그, 할머니! 좀 보아요. 서울 아지버님더러 서방님! 서방님! 하십니다."

이 외침을 듣고 자부[40]와 손부[41]들은 모여들었다. 그들의 눈은 호기심에 번쩍이고 있었다.

나는 또 할머니의 청을 물리칠 수는 없었다. 그것이 어떠한 나쁜 영향을 초치(招致)할지라도[42] 아니 일으켜 드릴 수 없었다.

그러나 할머니는 요 바닥 위로 반 자를 떠나지 못하여,

"아야야……."

라고 외마디 소리를 쳤다. 나는 얼른 들어 올리던 손을 빼는 수밖에 없었다.

---

39 이윽히 '그윽하다'의 비표준어.
40 자부(子婦) 아들의 아내를 이르는 말. 며느리.
41 손부(孫婦) 손자의 아내. 손자며느리.
42 초치하다 불러서 안으로 들이다.

다시금 눕기 싫어하던 요 위에 누운 뒤에도 할머니는 앓기를 마지않았다. 나는 적지 아니한 꾸중을 모시었다.

이윽고 조금 진정이 되더니만 또 팔을 내저으며 기를 쓰고 가슴을 덮은 이불 자락을 자꾸자꾸 밀어 내리었다. 감기나 들까 염려하는 중모는 그것을 꾸준히 도로 집어 올리었다.

할머니는 또 손을 내어 밀더니 이번에는 내 조끼 단추를 붙잡아 당기었다.

"왜 이리 하십니까? 단추를 빼란 말씀입니까?"

할머니는 고개를 끄덕이었다. 끄덕였다 하여도 끄덕이려는 의사를 보였을 뿐이었다. 나는 단추 한 개를 빼었다. 그래도 할머니는 자꾸 조끼의 단추와 씨름을 마지아니하였다. 나는 단추를 낱낱이 빼는 수밖에 없었다. 그러고 나니 그는 또 옷고름과 실랑이를 시작하였다.

"옷고름을 끄를까요?"

"응."

나는 옷고름을 끌렀다. 끄른 뒤엔 할머니는 또 소매를 잡아당기었다.

"왜 이리 하셔요?"

"버, 벗어라……. 답답지 않니?"

여기저기서 물어 멈추려고 애쓰는 웃음이 키키 하였다.

나는 경멸과 모욕의 시선을 그들에게 던지었다. 자기가 얼마나 답답하고 갑갑하기에 나의 단추 끼운 것과 옷고름 맨 것과 저고리 입은 것조차 답답해 보일 것이랴! 여기는 쓰디쓴 눈물과 살을 저미는 슬픔이 있어야 하겠거늘 이 기막힌 광경을 조소로 맞아야 옳을까?

나는 곧 그들에게 침이라도 뱉고 싶었다. 하되 나의 마음을 냉정하게 살펴본즉 슬프다! 나에게는 그들을 모욕할 권리가 없었다. 형수들 앞에서 앞가슴을 풀어 젖히려는 할머니가 민망스럽기도 하고 딱하기도 하였다. 환자를 가엾다고 생각하면서도 나의 속 어디인지 웃음이 움직인 것은 부정할 수 없는 사실이었다. 더구나 내가 젊은이 패가 모인 이웃집 방에 들어갔을 때 무슨 재미스러운 일이나 보고 온 사람 모양으로 득의양양히 이 이야기를 하고서 허리를 분질렀다…….

거기에서는 할머니의 병세에 대하여 의논이 분분하였다. 그들은 하나도 한가한 이가 없었다. 혹은 변호사, 혹은 은행원, 혹은 회사원으로 다 무한년하고[43] 있을 수 없는 형편이었다.

"나는 암만해도 내일은 좀 가 보아야 되겠는데……. 나는 그 전보를 보고 벌써 돌아가신 줄 알았어. 올 때에 친구들이 북포(北布)[44]니 뭐니 부의(賻儀)[45]를 주길래, 아직 돌아가시지도 않았는데 이게 웬일이냐 하니까, 그 사람들 말이 돌아가셔도 자손들에겐 그렇게 전보를 놓으니, 하데그려. 그래 모두 받아 왔는데…… 허허허……."

그중에 제일 연장자로, 쾌활하고 말 잘하는 백형[46]은 웃음 섞어 이런 말을 하고 있었다.

"……암만해도 오늘내일 돌아가실 것 같지는 않는데……. 이거 큰일 났는걸, 가는 수도 없고……."

"딴은 곧 돌아가실 것 같지는 않아……."

은행원으로 있는 육촌은 이렇게 맞방망이를 쳤다.

"의사를 불러서 진단을 해 보는 것이 어떨까요?"

부산 방직 회사에 다니는 사촌이 이런 제의를 하였다.

"옳지, 참 그래 보아야 되겠군."

아버지께 이 사연을 아뢰었다.

"시방 그물그물하시지 않나? 그러면 하여간 의원을 좀 불러올까?"

---

43 무한년하다 햇수의 제한이 없다.
44 북포 조선 시대에, 함경북도에서 생산하던 올이 가늘고 고운 삼베. 상가(喪家)에서 입는 옷의 옷감.
45 부의 상가에 부조로 보내는 돈이나 물품.
46 백형(佰兄) 둘 이상의 형 가운데 맏형.

의원은 아버지와 절친한 김 주부를 청해 오기로 하였다.

갓을 쓴 그 의원은 얼마 아니 되어 미륵 같은 몸뚱어리를 환자 방에 나타내었다. 매우 정신을 모으는 듯이 눈을 내리감고 한나절이나 집맥을 하더니 고개를 절레절레 흔들며 물러앉는다.

"매우 말씀하기 안되었소마는 아마 오늘 밤이 아니면 내일은 못 넘길 것 같소."

매우 말하기 어려운 듯이, 기실 조금도 말하기 어렵지 않는 듯이 그 의원은 최후의 판결을 언도하였다.

"글쎄 그래. 워낙 노쇠하여서 오래 부지를 하실 수 없지……."

그러면 그렇지 하는 얼굴로 아버지는 맞방망이를 쳤다.

가려던 자손은 또 붙잡히었다. 그러나 할머니는 그날 저녁부터 한결 돌리었다. 가끔 잡수실 것을 찾기도 하였다. 잡숫는 건 쭉하여야 배즙, 국물에 만 한 술도 안 되는 진지였다. 죽과 미음은 입에 대기도 싫어하였다. 그리고 전일에 발라 드린 양약의 효험이 나서 상처가 아물었던지 자부와 손부에게 부축되어 꽤 오래 일어나 앉게도 되었다.

그 이튿날이 무사히 지나가자 한의의 무지를 비소하고, 다른 것은 몰라도 환자의 수명이 어느 때까지 계속될 시간 아는 데 들어서는 양의가 나으리란 우리 젊은 패의 주장에 의하여 ○○의원 원장으로 있는 천엽(千葉) 의학사를 불러오게 되었다.

그는 진찰한 결과에 다른 증세만 겹치지 않으면 이삼 주일은 무려(無慮)하리라[47] 하였다.

"그래, 그저 그럴 거야. 아직 괜찮으신데 백주에 서둘고 야단을 하였지."
하고 일이 바쁜 백형은 그날 밤으로 떠나갔다.

---

47 무려하다 믿음직스러워 아무 염려할 것이 없다.

그 이튿날 아침이었다.

우리가 집에 돌아오니까 할머니 곁을 떠난 적 없는 중모가 마당에서 한가롭게 할머니의 뒤 흘린 바지를 빨고 있다가 웃는 낯으로 우리를 맞으며,

"할머님이 오늘 아침에는 혼자 일어나셨다. 시방 진지를 잡수시고 계시다. 어서 들어가 보아라."

나는 뛰어 들어갔다. 자부와 손부의 신기해 여기는 시선을 받으면서 할머니는 정말 진지를 잡숫고 있었다.

나는 빙글빙글 웃으며,

"할머니, 어떻게 일어나셨습니까?"

할머니는 합죽한 입을 오물오물하여, 막 떠 넣은 밥 알맹이를 삼키고,

"내가 혼자 일어났지, 어떻게 일어나긴. 흉악한 놈들! 암만 일으켜 달라니 어데 일으켜 주어야지. 인제 나 혼자라도 일어난다."

하며 자랑스럽게 대답하였다.

"어제 의원이 왔지요. 인제 할머니가 곧 나으신대요."

"정말 낫겠다고 하던? 응?"

하고, 검버섯 핀 주름을 밀며, 흔연한[48] 웃음의 그림자가 오래간만에 그의 볼을 스치었다.

나의 눈엔 어쩐지 눈물이 핑 돌았다.

그날 밤차로 모였던 자손들은 제각기 흩어졌다. 나도 그날 밤에 서울로 올라왔다.

어느 아름다운 봄날이었다. 말갛게 개인 하늘은 구름 한 점도 없고 아른아른한 아지랑이가 그 하늘거리는 깁[49] 올로 봄 비단을 짜 내는 어느 아름다운 봄날

---

48 흔연하다 기쁘거나 반가워 기분이 좋다.
49 깁 명주실로 바탕을 조금 거칠게 짠 비단.

이었다. 나는 깨끗하게 춘복을 차리고 친구 몇몇과 우이동 앵화(櫻花)[50] 구경을 막 나가려던 때였다. 이때에 뜻 아니한 전보 한 장이 닥치었다.

오전 삼 시 조모주 별세.

(1923년)

---

50 앵화 **벚꽃.**

만세전

염상섭

염상섭 (1897~1963)

서울에서 출생한 염상섭은 보성전문학교 재학 중 일본으로 유학을 간다. 게이오대학 사학과에 입학 후 3·1 운동에 가담한 혐의로 투옥되었다. 이후 신문 기자가 되었다가 1920년 문학의 길에 들어선다. 염상섭은 〈만세전〉을 통해 식민지 치하의 조선이 얼마나 비참하고 암울하였는지를 사실적으로 보여 주고 있다. 그는 개성의 발견과 현실 인식이라는 소설의 근대적 특성을 그린 것으로 평가받는 작가이다. 또한 그는 주로 현실에 대한 인식을 사실주의적 기법을 통해 형상화한 리얼리즘 계열의 작품을 썼다.

(앞부분 줄거리)

조선에 만세 운동이 일어나기 전해 겨울, 동경 유학 중인 '나(이인화)'는 학기말 시험을 중도에 그만두고 귀국길에 오른다. 아내가 위독하다는 전보를 받았기 때문이다. 그러나 아내가 위독하다는 급전을 받고도 마음이 무사태평하고 아무 생각이 없다. '나'는 기차 시간까지 여유가 있었으므로, 단골 카페로 가서 '정자'를 찾았다. 그리고 기차를 타고 가던 도중 고베에서 내려 음악 학교 학생인 '을라'도 만났다. 그리고 하관¹에서 조선으로 떠나는 배에 오른다.

그날 밤은 역 앞의 조그만 여관에서 노독²을 풀고 이튿날 아침 차로 떠나서 저녁에는 연락선을 타게 되었다. 하관(下關)에 도착하니, 방죽이 터져 나오듯 일시에 꾸역꾸역 쏟아져 나오는 시꺼먼 사람 떼에 섞여서 나는 연락선 대합실 앞까지 왔다.

어디를 가나, 그 머릿살 아픈 형사 떼의 승강이를 받기가 싫어서 배로 바로 들어가고 싶었으나, 배에는 아직 들이지 않기에, 나는 하는 수 없이 대합실로 들어갔다. 벤또³나 살까 하고 매점 앞에 가서 섰으려니까 어느 틈에 벌써 알아차렸는지 인버네스⁴를 입은 낯 서툰 친구가 와서 모자를 벗으며 끄덕하고 국적이 어디냐고 묻는다. 나는 암말 아니하고 한참 치어다보다가, 명함을 꺼내서 주고 홀

---

1 하관 시모노세키. 일본의 야마구치현 서남쪽 끝에 있는 도시이다.
2 노독(路毒) 먼 길에 시달려 생긴 피로나 병.
3 벤또 일본 말로 '도시락'을 의미함.
4 인버네스(inverness) 소매 대신에 망토가 달린 남자용 외투.

쩍 가게로 돌아서 버렸다.

"본적은⋯⋯?"

내 명함을 받아 들고 내가 흥정을 다 하기까지 기다리고 있던 인버네스는 또 괴롭게 군다. 나는 그래도 역시 잠자코 그 명함을 도로 빼앗아서 주소를 써서 주고는, 사 놓았던 물건을 들고 짐 놓는 자리로 와서 앉았다. 그러나 궐자[5]는 또 쫓아와서,

"나이는? 학교는? 무슨 일로? 어디까지⋯⋯?"

하며 짓궂이 승강이를 부린다. 나는 실없이 화가 나서 그까짓 건 물어 무엇에 쓰려느냐고 소리를 지르고 싶었으나 꾹 참고 간단간단히 응대를 하여 주고 부리나케 짐을 들고 대합실 밖으로 나와 버렸다.

"미안합니다그려."

하며 좀 비웃는 듯이 인사를 하는 궐자의 흘겨 뜨는 눈은 부리부리하고 험상궂었으나, 내 뱃속에서도 제게 지지 않게 바지랑대[6] 같은 것이 치밀어 오르는 것을 참는 판이었다.

승객들은 북적거리며 배에 걸쳐 놓은 층층다리 앞에 일렬로 늘어섰다. 나도 틈을 비집고 그 속에 끼었다.

아스팔트 칠(漆)을 담았던 통에 썩은 생선을 담고 석탄산수[7]를 뿌려서 절이는 듯한 고약한 악취에 구역질이 날 듯한 것을 참으며, 제각기 앞을 서려고 우당퉁탕대는 틈을 빠져서 겨우 삼등실로 들어갔다. 참외 원두막으로서는 너무도 몰풍경하고 더러운 침대 위에다가 짐을 얹어 놓고 옷을 갈아입은 뒤에 나는 우선 목욕탕으로 재빨리 뛰어갔다.

내가 제일착이려니 하였더니 벌써 사오 인의 욕객이 목욕탕 속에 들어앉아서

---

5 궐자(厥者) '그'를 낮잡아 이르는 말.
6 바지랑대 빨랫줄을 받치는 긴 막대기.
7 석탄산수 페놀과 물을 혼합한 액체. 방부제, 소독제 따위로 쓴다.

떠들어 댄다.

"오늘은 제법 까불릴걸[8]!"

"뭘, 이게 해변가니까 그렇지, 그리 세찬 바람은 아니야."

시골서 갓 잡아 올라오는 농군인 듯한 자가 온유하여 보이는 커다란 눈이 쉴 새 없이 디굴디굴하는 검고 우악한 상을 이 사람 저 사람에게로 돌리면서 말을 꺼내니까, 상인인지 회사원 같은 앞의 사람이 이렇게 대꾸를 하는 것이었다.

"조선은 지금쯤 꽤 춥겠?"

"그렇지만 온돌이 있으니까, 방 안에만 들어엎디었으면[9] 십상이지."

조선 사정에 익은 듯한 상인 비슷한 위인이 받는다.

"응, 참 온돌이란 게 있다지."

촌뜨기가 이렇게 말을 하니까, 나하고 마주 앉았는 자가 암상스러운[10] 눈으로 그자를 말끔히 쳐다보더니,

"당신 처음이슈?"

하며 말참례[11]를 하기 시작한다. 남을 멸시하고 위압하려는 듯한 어투며 뾰족한 조동아리가 물어보지 않아도 빚놀이쟁이의 거간[12]이거나 그따위 종류라고 나는 생각하였다.

"이 추위에 어째 나섰소? 어딜 가슈?"

"대구에 형님이 계신데 어머님이 편치 않으셔서 가는 길이죠."

"마침 잘 되었소그려. 나도 대구까지 가는 길인데. 그래 백씨[13]께서는 무얼 하슈?"

"헌병대에 계시죠."

---

8 까불리다 위아래로 흔들리다.
9 들어엎디다 '들엎드리다(밖에서 활동하지 않고 틀어박혀 머물다.)'의 방언.
10 암상스럽다 보기에 남을 시기하고 샘을 잘 내는 데가 있다.
11 말참례 말참견.
12 거간(居間) 사고파는 사람 사이에 들어 흥정을 붙임. 또는 그런 일을 하는 사람.
13 백씨 남의 맏형을 높여 부르는 말.

"네? 바로 대구 분대(大邱分隊)에 계신가요? 네……. 그러면 실례입니다만, 백씨께서는 누구신지? 뭘로 계셔요?"

시골자의 형이 헌병대에 있다는 말에, 나하고 마주 앉은 자는 반색을 하면서 금시로 말씨가 달라진다. 나는 그자의 대추씨 같은 얼굴을 또 한 번 쳐다보지 않을 수 없었다.

"네, 우리 형님은 아직 군조[14]예요. 니시무라[西村] 군조, 혹 형공[15]도 아시는지? 그런데 형공은 조선에 오래 계신가요?"

"네, 난 10여 년래로 그저 내 집같이 드나드니까요."

하고 궐자는 시골자를 한참 멀뚱멀뚱 치어다보다가,

"암, 대구 헌병대의 그 양반이야 알구말구요, 그 양반은 나를 모르실지 모르지만……."

어째 그 말눈치가 안다는 것보다도 모른다는 말 같다.

"어쨌든 10년이라면 한밑천 잡으셨겠구려."

이번에는 상인 비슷한 자가 입을 벌렸다.

"웬걸요, 이젠 조선도 밝아져서 좀처럼 한밑천 잡기는 어렵지만……"

"그러나 조선 사람들은 어때요?"

"'요보[16]' 말씀요? 젊은 놈들은 그래도 제법들이지마는, 촌에 들어가면 대만(臺灣)의 생번[17]보다는 낫다면 나을까. 인제 가서 보슈……. 하하하."

'대만의 생번'이란 말에, 그 욕탕 속에 들어앉았던 사람들은 나만 빼놓고는 모두 껄껄 웃었다. 그러나 나는 기가 막혀 입술을 악물고 치어다보았으나 더운 김이 서리어서 궐자들에게는 분명히 보이지 않은 모양이었다. 욕객은 차차 꾸역꾸역 쏟아져 들어온다.

---

14 군조(軍曹) 일제 강점기의 일본군 하사관 계급의 하나.
15 형공(兄公) 상대방을 가리키는 '형씨'의 높임말.
16 요보 일제 강점기 때 일본인들이 조선인을 낮추어 이른 말.
17 생번(生蕃) 대만의 원주민 가운데 대륙 문화에 동화되지 않고 야생적인 생활을 하는 번족을 일본인이 부르던 말.

사실 말이지, 나는 그 소위 우국지사는 아니나 자기가 망국 백성이라는 것은 어느 때나 잊지 않고 있기는 하다. 학교나 하숙에서 지내는 데는 일본 사람과 오히려 서로 통사정을 하느니만큼 좀 낫다. 그러나 그 외의 경우의 고통은 참을 수 없는 때가 많다. 그러나 또 한편으로 생각하면 망국 백성이 된 지 벌써 근 10년 동안 인제는 무관심하도록 주위가 관대하게 내버려 두었었다. 도리어 소학교 시대에는 일본 교사와 충돌을 하여 퇴학을 하고 조선 역사를 가르치는 사립 학교로 전학을 한다는 둥, 솔직한 어린 마음에 애국심이 비교적 열렬하였지마는, 차차 지각이 나자마자 일본으로 건너간 뒤에는 간혹 심사 틀리는 일을 당하거나 1년에 한 번씩 귀국하는 길에 하관에서나 부산·경성에서 조사를 당하고, 성이 가시게 할 때에는 귀찮기도 하고 분하기도 하지마는 그때뿐이요, 그리 적개심이나 반항심을 일으킬 기회가 적었었다. 적개심이나 반항심이란 것은 압박과 학대에 정비례하는 것이나, 기실 그것은 민족적으로 활로를 얻는 유일한 수단이다. 그러나 7년이나 가까이 일본에 있는 동안에, 경찰관 이외에는 나에게 그다지 민족 관념을 굳게 의식케 하지 않았을 뿐 아니라, 원래 정치 문제에 흥미가 없는 나는 그런 문제로 머리를 썩여 본 일이 거의 없었다 하여도 가할 만큼 정신이 마비되었었다. 그러나 요새로 와서 나의 신경은 점점 흥분하여 가지 않을 수가 없다. 이것을 보면 적개심이라든지 반항심이라는 것은 보통 경우에 자동적·이지적이라는 것보다는 피동적·감정적으로 유발되는 것인 듯하다. 다시 말하면 일본 사람은 지나치는 말 한마디나 그 태도로 말미암아 조선 사람의 억제할 수 없는 반감을 끓어오르게 하는 모양이다. 그러나 그것은 결국에 조선 사람으로 하여금 민족적 타락에서 스스로를 구하여야 하겠다는 자각을 주는 가장 긴요한 원동력이 될 뿐이다.

　지금도 목욕탕 속에서 듣는 말마다 귀에 거슬리지 않는 것이 없지마는, 그것은 될 수 있으면 많은 조선 사람이 듣고, 오랜 몽유병에서 깨어날 기회를 주었으면 하는 생각을 자아낼 뿐이다.

그들은 여전히 이야기를 계속하고 있다.

"그래 촌에 들어가면 위험하진 않은 거요?"

조선에 처음 간다는 시골자가 또다시 입을 벌렸다.

"뭘요, 어델 가든지 조금도 염려 없쇠다. 생번이라 하여도 요보는 온순한 데다가 가는 곳마다 순사요 헌병인데 손 하나 꼼짝할 수 있나요. 그걸 보면 데라우치[寺內][18] 상이 참 손아귀 힘도 세지만 인물은 인물이야!"

매우 감격한 모양이다.

"그래 촌에 들어가서 할 게 뭐예요?"

"할 것이야 많지요. 어델 가기로 굶어 죽을 염려는 없지만, 요새 돈 몰 것이 똑 하나 있지요. 자본 없이 힘 안 들고……. 하하하."

표독한 위인이 충동이는 수작이다.

"그런 벌이가 어디 있어요?"

촌뜨기 선생은 그 큰 눈을 더 둥그렇게 뜨고 큰 기대와 호기심을 가지고 마주 치어다보는 모양이다.

"왜요, 한번 해 보시려우?"

그는 이렇게 한마디 충동이며, 무슨 의미나 있는 듯이 그 악독하여 보이는 얼굴에 교활한 웃음을 띠고 한참 마주 보다가,

"시골서 죽도록 땅이나 파먹다가 거꾸러지는 것보다는 편하고 재미있습넨다. 게다가 돈은 쓰고 싶은 대로 쓸 수 있고……."

여전히 뱅글뱅글 웃으면서 이 순실한, 어머니 배 속에서 나온 그대로 있는 듯한 촌뜨기를 꾄다.

"그런 선반에서 떨어지는 떡 같은 장사가 있으면 하다뿐이겠나요."

촌뜨기는 차차 침이 괴어 오는 수작이다.

---

18 데라우치 데라우치 마사타케. 일본의 군인·정치가로, 이완용 친일 내각으로부터 경찰권을 이양받아 헌병·경찰을 동원한 삼엄한 공포 분위기 속에서 한국의 국권을 탈취 후, 초대 조선 총독으로 무단 식민 정책을 폈다.

"그러나 밑천이 아주 안 드는 것은 아니지요. 우선 얼마 안 되지만 보증금을 들여놓아야 하고, 양복이나 한 벌 장만하여야 할 터이니까……. 그러나 당신이야 형님이 헌병대에 계시다니까 신분은 염려 없을 테니 보증금은 없어도 좋겠지."

제 딴은 누구를 큰 직업이나 얻어 주는 듯싶이, 더구나 보증금은 특별히 면제하여 주겠다는 듯이 오만한 태도로 어깨를 뒤틀며 호기만장[19]이다. 일편 촌뜨기는 양복 신사가 돼야 하는 직업이라는 데에 속으로 헤에 하는 기색이다. 그러나 정작 그 직업의 종류가 무엇인가는 좀처럼 가르쳐 주지 않는다. 실상 곁에서 엿듣고 앉았는 나 역시 궁금하지만, 이러한 소리를 듣는 시골 궐자는 더한층 호기의 눈을 번쩍이며 앉았는 모양이다. 그러나 그것을 토설치 않는 것은 나와 그 외의 두세 사람이 들을까 꺼리어서 그리하는 것 같기도 하고, 또는 그 시골뜨기가 좀 더 몸이 달아 덤비며 자기의 부하가 되겠다는 다짐까지 받고서야 이야기하려는 수단 같기도 하다.

"그래 그런 훌륭한 직업이 무엇인데, 어데 있단 말요?"

이번에는 그 시골자의 동행인 듯한 사람이 가만히 듣고 있다가 욕탕에서 시뻘겋게 단 몸뚱어리를 무거운 듯이 끌어내며 물었다. 그자도 물속에서 불쑥 일어서서 수건을 등 뒤로 넘겨서 가로잡고 문지르며 한 번 목욕탕 속을 휘 돌아다보고, 다른 사람들이 자기네의 이야기에는 무심히 이 구석 저 구석에서 먹을 감는 것을 살펴본 뒤에, 안심한 듯이 비로소 목소리를 낮추며 입을 벌린다.

"실상은 누워서 떡 먹기지. 나두 이번에 가서 해 오면 세 번째나 되오마는, 내지[20]의 각 회사와 연락해 가지고 요보들을 붙들어 오는 것인데……. 즉 조선 쿨리[苦力][21] 말씀요. 농촌 노동자를 빼내 오는 것이죠. 그런데 그것은 대개 경상 남

---

19 호기만장(豪氣萬丈) 꺼드럭거리며 뽐내는 기세가 매우 높음.
20 내지 식민지에서 본국을 일컫는 것으로, 여기서는 '일본'을 말함.
21 쿨리 육체노동에 종사하는 하층의 중국인·인도인 노동자. 19세기에 아프리카·인도·아시아의 식민지에서 혹사당하였다. 여기서는 '중노동에 종사하는 하층 노동자'의 의미로 사용됨.

북도나, 그렇지 않으면 함경, 강원, 그다음에는 평안도에서 모집을 해 오는 것인데, 그중에도 경상남도가 제일 쉽습넨다, 하하하."

그자는 여기 와서 말을 끊고, 교활한 웃음을 웃어 버렸다.

나는 여기까지 듣고 깜짝 놀랐다. 그 불쌍한 조선 노동자들이 속아서 지상의 지옥 같은 일본 각지의 공장과 광산으로 몸이 팔리어 가는 것이, 모두 이런 도적놈 같은 협잡[22] 부랑배의 술중(術中)에 빠져서 속아 넘어가는구나 하는 생각을 하며, 나는 다시 한번 그자의 상판대기를 치어다보지 않을 수 없었다.

'옳지! 그래서 이자의 형이 헌병 군조라는 것을 듣고 이용할 작정으로 반색을 한 게로군!'

나는 이런 생각도 하여 보며 가만히 귀를 기울이고 앉았었다.

궐자는 벙벙히 듣고 앉았는 그 두 사람의 얼굴을 이리저리 바라보고 빙긋 웃으며 또다시 말을 잇는다.

"왜 남선[23] 지방에 응모자가 많고 북으로 갈수록 적은고 하니, 이 남쪽은 내지인이 제일 많이 들어가서 모든 세력을 잡았기 때문에, 북으로 쫓겨서 만주로 기어들어 가거나 남으로 현해탄(玄海灘)을 건너서거나 두 가지 중에 한 가지 길밖에 없는데, 누구나 그늘보다는 양지가 좋으니까, 요보들 생각에도 1년 열두 달 죽도록 농사를 지어야 주린 배를 채우기는 고사하고 보릿고개[麥嶺]에는 시래기죽으로 부증[24]이 나서 뒈질 지경인 바에야, 번화한 동경·대판[25]에 가서 흥청망청 살아 보겠다는 요량이거든. 그러니 촌의 젊은 애들은 말할 것도 없고 계집애들까지 나두 나두 하고 나서거든. 뭐 모집이야 쉽지!"

"흥……. 그럴 거야!"

"아직 북선[26] 지방은 우리 내지인이 덜 들어갔기 때문에 비교적 편안히 사니까

---

22 협잡 옳지 아니한 방법으로 남을 속임.
23 남선 조선의 남쪽 지방.
24 부증 몸이 붓는 증상.
25 대판(大阪) 일본 '오사카'를 우리 한자음으로 읽은 이름.
26 북선 조선의 북쪽 지방.

응모자가 적지만, 그것도 미구불원[27]에 쪽박을 차고 나설 거라, 허허허……."

이자는 자기 설명에 만족한 듯이 대단히 득의만면[28]이다.

"그래 그렇게 모집을 해 가면 얼마나 생기나요?"

촌뜨기는 구수하다는 듯이 침을 흘리며 묻는다.

"얼마가 뭐요. 여비가 또 있지, 일당(日當)이 또 있지, 게다가 한 사람 모집하는 데에 1원서부터 2원이니까. ― 그건 회사의 일의 종류에 따라서 다르지만, 가령 방적 회사의 여직공 같은 것은 임금도 싼 데다가 모집원의 수수료도 헐하고, 광부 같은 것은 지금 시세로도 1원 50전으로 2원 50전까지라우. 가령 1,000명만 맡아 가지고 와서 보구려. 이삼 삭 동안 여비나 일당에서 남는 것은 그까짓 건 다 그만두고라도 1천 오륙백 원, 근 2,000원은 간데없는 것일 게니, 그런 벌이가 어디 있소? 하하하. 나도 맨 처음에 ―그건 제주도에서 모집하여 갔지만― 그때에 500명 모아다 주고 실살고[29]로 남긴 것이 1,000원이었고, 둘째 번에는 올가을 800명이나 북해도 족미 탄광(足尾炭鑛)에 보내고 2,000원 돈이 들어왔다우."

노동자 모집원이라는 자는 입의 침이 없이 1,000원, 2,000원을 신이 나서 뇌며 목욕탕 속에서 나왔다.

"예에, 예에, 그럴 거예요!"

하며, 일평생에 들어 보지도 못하던 천(千) 자가 붙은 돈 액수에 눈을 휘둥그렇게 뜨고 귀를 기울이고 앉았던 시골자는, 때를 다 밀었는지 그 장대한 구릿빛 나는 유착한[30] 몸을 벌떡 일으키어 다시 욕탕 속에 출렁 집어넣으면서 만족한 듯이 또다시 말을 붙이었다.

"그래 조선 농군들이 가서 그런 공사일을 잘들 하나요?"

"잘하구 못하는 것은 내가 아랑곳 있겠소마는, 하여간 요보는 말을 잘 들

---

27 미구불원(未久不遠) 앞으로 얼마 오래지 아니하고 가득함.
28 득의만면(得意滿面) 뜻을 이루어 기쁜 표정이 얼굴에 꽉 참.
29 실살고 겉으로 드러나지 않은 실제 이익.
30 유착하다 몹시 투박스럽고 크다.

고 쿨리만은 못해도 힘드는 일을 잘하는 데다가 삯전이 헐하니까 안성맞춤이지……. 그야 처음 데려갈 때에는 품삯도 많고 일은 드러누워서 떡 먹기라고 푹 삶아야 하긴 하지만, 그래도 갈 노자며 처자까지 데리고 가게 하고, 게다가 빚까지 갚아 주는 데야 제 아무런 놈이기로 아니 따라나설 놈이 있겠소. 한번 따라나서기만 하면야 전차(前借)[31]가 있는데 그야말로 독 안에 든 쥐지. 일이 고되거나 품이 헐하긴 고사하고 굶어 뒈진다기루 하는 수 있나, 하하하.”

벌써 부하가 되었다는 듯이 득의만면하여 모집 방법의 비책까지 도도히 설명을 하여 주고 앉았다.

나는 좀 더 들으려고 일부러 머뭇머뭇하며 앉았으려니까, 승객이 다 올라탔는지 별안간에 욕객의 한 떼가 또 와자하고 들이밀려 오기에 나는 그만 듣고 몸을 훔치기 시작하였다.

스물두셋쯤 된 책상 도련님인 나로서는 이러한 이야기를 듣고 놀라지 않을 수 없었다. 인생이 어떠하니, 인간성이 어떠하니, 사회가 어떠하니 하여야 다만 심심파적[32]으로 하는 탁상의 공론[33]에 불과한 것은 물론이다. 아버지나 조상의 덕택으로 글자나 얻어 배웠거나 소설 권이나 들춰 보았다고, 인생이니 자연이니 시(詩)니 소설이니 한대야 결국은 배가 불러서 투정질 하는 수작이요, 실인생·실사회의 이면의 이면, 진상의 진상과는 얼마만한 관련이 있다는 것인가? 하고 보면 내가 지금 하는 것, 이로부터 하려는 일이 결국 무엇인가 하는 의문과 불안을 느끼지 않을 수가 없었다. 1년 열두 달 죽도록 농사를 지어야 반년짝은 시래기로 목숨을 이어 나가지 않으면 안 되겠으니까…… 하는 말을 들을 제, 그것이 과연 사실일까 하는 의심이 날 만큼 나의 귀가 번쩍하리만큼 조선의 현실을 몰랐다. 나도 열 살 전까지는 부모의 고향인 충청도 촌 속에서 자라났고, 그 후

---

31 전차 어떤 조건 아래 갚기로 하고 빚으로 씀. 또는 그 빚.
32 심심파적 심심함을 잊고 시간을 보내기 위하여 어떤 일을 함. 또는 그런 일.
33 탁상의 공론 탁상공론(卓上空論). 현실성이 없는 허황한 이론이나 논의.

에도 1년에 한두 번씩은 촌락에 발을 들여놓아 보았지만, 설마 그렇게까지 소작인의 생활이 참혹하리라고는 꿈에도 생각해 본 일이 없었다.

> 시를 짓는 것보다는 밭을 갈라고 한다, 그러나 밭을 가는[耕] 그것이 벌써 시가 아니냐…… 사람은 흙에서 나와서 흙에 돌아간다. 흙의 향기로운 냄새에 취할 수 있는 자의 행복이여! 흙의 북돋아 오르는 생기야말로 너 인간의 끊임없는 새 생명이니라……

언젠가 이 따위의 산문시 줄이나 쓰던, 자기의 공상과 값싼 로맨티시즘이 도리어 부끄러웠다. 흙의 냄새가 향기롭지 않다는 것도 아니다. 그 향기에 취할 수 있는 자가 행복스럽지 않다는 것도 아니다. 조반 후의 낮잠은 위약(胃弱)³⁴이라는 고등유민³⁵의 유행병에나 걸릴까 보아서 대팻밥모자에 연경이나 쓰고 아침저녁으로 호미 자루를 잡는 것이 행복스럽지 않고 시적(詩的)이 아니라는 것이 아니다. 그러나저러나, 1년 열두 달, 소나 말보다도 죽을 고역을 다 하고도 시래기죽에 얼굴이 붓는 것도 시일까? 그들이 삼복의 끓는 햇볕에 손등을 데면서 호미 자루를 놀릴 때, 그들은 행복을 느끼는가?…… 그들은 흙의 노예다. 자기 자신의 생명의 노예다. 그들에게 있는 것은 다만 땀과 피뿐이다. 그리고 주림뿐이다. 그들이 어머니의 배 속에서 뛰어나오기 전에, 벌써 확정된 단 하나의 사실은 그들의 모공이 막히고 혈청이 마르기까지, 흙에 그 땀과 피를 쏟으라는 것이다. 그리하여 열 방울의 땀과 백 방울의 피는 한 톨[一粒]의 나락³⁶을 기른다. 그러나 그 한 톨의 나락은 누구의 입으로 들어가는가? 그들에게 지불되는 보수는 무엇인가.— 주림만이 무엇보다도 확실한 그의 받을 품삯이다……

---

34 위약 소화력이 약해지는 여러 가지 위장병.
35 고등유민 고등 교육을 받고도 일정한 직업이 없이 놀며 지내는 사람.
36 나락 '벼'를 이르는 말.

나는 몸을 다 훔치고 옷 입는 터전으로 나왔다.

나는 사람, 드는 사람, 한참 복작대는 틈에서 부리나케 양복바지를 꿰며 섰으려니까, 어떤 보지 못하던 친구가 문을 반쯤 열고 중절모자를 쓴 대가리를 불쑥 디밀며, 황당한 안색으로 방 안을 휘휘 둘러보더니,

"실례올시다만, 여기 이인화란 이가 계십니까?"

하고 묻는다.

"네에, 나요. 왜 그러우?"

나는 궐자의 앞으로 두어 발짝 나서며 이렇게 대답을 하였다. 궐자는 한참 찾아다니다가 겨우 만난 것이 반갑다는 듯이 빙글빙글 웃으며, 문을 활짝 열어젖히고 서서 이리 좀 나오라고 명령하듯이 소리를 친다. 학생복에 망토를 두른 체격이며, 제 딴은 유창하게 한답시는 일어의 어조가 묻지 않아도 조선 사람이 분명하다. 그래도 짓궂이 일어를 사용하고 도리어 자기의 본색이 탄로될까 보아 염려하는 듯한, 침착치 못한 행색이 나의 눈에는 더욱 수상쩍기도 하고 마음이 근질근질하기도 하였다. 나의 성명과 그 사람의 어조를 듣고, 우리가 조선 사람인 것을 짐작한 여러 일인의 시선은, 나에게서 그자에게, 그자에게서 나에게로 올지 갈지 하는 모양이었다. 말하자면 우리 두 사람은 일본 사람 앞에서 희극을 연작하는[37] 앵무새 모양이었다.

"무슨 이야긴지 할 말 있건 예서 하구려."

그래도 나는 기연가미연가하여[38] 역시 일어로 대답하였다.

"하여간 이리 좀 나오슈."

말씨가 벌써 그러한 종류의 위인인 것을 의심할 여지가 없다고 생각한 나는, 그 언사의 교만한 것이 첫째 귀에 거슬리어서 다소 불쾌한 어조로,

"그럼 문을 닫고 나가서 기다류."

---

37 연작하다 문맥상 '연기하다'의 의미로 쓰임.
38 기연가미연가하다 '긴가민가하다'의 본말. 그런지 그렇지 아니한지 분명하게 알지 못하다.

하며 소리를 지르고 다시 내 자리로 와서 주섬주섬 옷을 마저 입기 시작하였다. 여러 사람의 경멸하는 듯한 시선은 여전히 내 얼굴에 어리는 것을 깨달았다. 더구나 아까 노동자를 모집할 의논을 하던 세 사람은, 힐끔힐끔 곁눈질을 하는 것이 분명하였으나, 나는 도리어 그 시선을 피하였다. 불쾌한 생각이 목구멍 밑까지 치밀어 오르는 것 같을 뿐 아니라, 어쩐지 기운이 줄고 어깨가 처지는 것 같았다. 옷을 다 입고 문밖에 나오니까, 궐자는 맞은편에 기대어 웅숭그리고 서서 기다리는 모양이다.

"미안합니다만, 나하고 짐을 가지고 저리 좀 나갑시다."

뒤를 쫓아오면서 애원하듯이 말을 붙이는 양이, 아까와는 태도가 일변하였다.

"댁이 누구길래, 어델 가잔 말요?"

"네에, 참 나는 서(署)에서 왔는데 잠깐 파출소로 가십시다."

자기의 직무도 명언하지 아니하고 덮어놓고 가자고 한 것이 잘못되었다는 듯도 하고, 한편으로는 자기가 일인 행세를 하는 것이 내심으로 부끄럽고, 또한 나에게 '노형[39]이 조선 사람이 아니오?' 하고, 탄로나 되지 않을까 하는 염려가 있어서 앞이 굽힌다는 듯이, 언사와 태도는 점점 풀이 죽고 공손하여졌다. 이것을 본 나는 도리어 불쌍하고 가엾은 생각이 나서, 층계를 느런히 서서 내려가다가, 궐자의 얼굴을 치어다보았다. 아무 의미 없이 빙글빙글 웃는 그 얼굴에는 어색해 하는 빛이 역력히 보였다. 나는 잠자코 자기 자리로 가서 순탄한 말로,

"나는 나갈 새도 없고 짐이라곤 이것밖에 없으니, 혼자 가지고 가서 조사할 게 있건 조사하고 갖다 주슈."

하고 가방 두 개를 들어 내어 주었다.

"안 돼요, 그건. 입회를 해 줘야 이걸 열죠. 그러지 마시고 잠깐만 나가 주세요. 이건 내가 들고 갈 테니."

---

39 노형 처음 만났거나 그다지 가깝지 않은 남자 어른들 사이에서, 상대편을 높여 이르는 이인칭 대명사.

선실 안의 수백의 눈은 모두 나에게로 모여들었다. 여기저기서 수군거리는 소리도 들리었다. 나는 얼굴이 화끈화끈하여 더 섰을 수가 없었다.

"내가 도적질이나 한 혐의가 있단 말이오? 가지고 가서 마음대로 하라는데야 또 어쩌란 말이오. 정 그럴 테면 이리로 들어와서 조사를 하라고 하구려. 배는 떠나게 되었는데 나가자는 사람도 염치가 있지……."

나는 분이 치밀어 올라와서 이렇게 볼멘소리를 질렀다.

"그러지 마시고 오늘 이 배로 꼭 떠나시게 할 테니, 제발 잠깐만 나가 주세요. 자꾸 시간만 갑니다……. 여기선 창피하실까 봐 그러는 것 아닙니까?"

"창피하다? 흥, 창피? 얼마나 창피하면 예서 더 창피할꾸. 그런 사패[40] 볼 것 없이 마음대로 하슈!"

홧김에 이렇게 소리는 질렀으나, 그 애걸하는 양이 밉살스러운 중에도 가엾어 보이지 않는 것도 아니요, 어느 때까지 승강이만 하다가는 궐자 말마따나 이로울 것도 없고 시간만 바락바락 가겠기에 나가기로 결심하고 웃저고리[41]를 집어 입고서, 어떻게 될지 사람의 일을 몰라서 아까 사 가지고 들어온 벤또 그릇까지 가지고 가방을 들고 앞서 나가는 형사의 뒤를 따라섰다. 형사가 큰 성공이나 한 듯이 득의만면하여,

"진작 그러시지요. 별일은 없을 거예요."

하며 웃는 그 얼굴에는 달래는 듯하기도 하고 빈정대는 듯한 빛이 보였다. 나는 무심중에 주먹이 부르르 떨리는 것을 깨달았다.

갑판으로 나와서 승강구까지 불러다가 조사를 하게 하라 하여 보았으나, 그것도 들어주지 않아서 화가 나는 것을 참고 결국 잔교(棧橋)로 내려섰다.

대합실 앞까지 오니까, 아까 내 명함을 빼앗아 간 인버네스가 양복에 외투를 입은 또 한 사람과 무시무시하게 경계를 하고 섰다가, 우리를 보더니 아무 말 아

---

40 사패 '사폐(개인의 사사로운 정)'의 잘못.
41 웃저고리 '겉저고리'의 잘못.

니하고 기선 화물을 집 더미같이 쌓아 놓은 뒤로 앞서 들어갔다. 가방을 가진 자도 아무 말 아니하고 따라섰다. 나는 가슴이 선뜩하는 것을 참고, 아무 반항할 힘도 없이, 관에 들어가는 소처럼 뒤를 대어 섰다. 네 사람이 예정한 행동을 취하는 것처럼, 묵묵하고 침중한 가운데에 모든 행동을 경쾌하게 하는 것이, 마치 활동사진에서 보는 강도단이나 그것을 추격하는 탐정 같았다. 네 사람은 화물에 가리어 행인에게 보이지 않을 만한 곳에 와서 우뚝우뚝 섰다. 대합실의 유리창에서 흘러나오는 전광만은, 양복쟁이의 안경테에 소리 없이 반짝 비치었다.

"오늘 하루 예서 묵지 못하겠소?"

양복쟁이가 우선 입을 벌리며 가방을 빼앗아 든다. 좁은 골짜기에서 나직하게 내는 거세고도 굵은 목소리는 이 세상에서 들어 본 목소리 같지 않았다. 나는 얼빠진 놈 모양으로 아무 생각 없이 안경알이 하얗게 어룽어룽하는 그자의 두툼하고 둥근 상을 치어다보며 섰었다. 그자도 나의 표정을 하나라도 놓치지 않으려는 듯이 입술을 악물고 위협하는 태도로 노려보다가 별안간에 은근한 어조로,

"하루 쉬어서 가시구려."

하는 양이, 마치 정다운 진객[42]을 만류하는 것 같았다. 무슨 죄가 있는 것은 아니나, 이같이 으슥한 골짜기에서 을러 보았다 달래 보았다 하는 것을 당하는 것은 나의 수명이 줄어들어 가는 것 같았다. 만일 내가 부호[43]로서 이런 꼴을 당하였더면, 위불위없이[44] 강도나 맞았다고 생각하였을 것이다. 나는 정신을 바짝 차리고 대답을 하려 하였으나, 참 정말 귓구멍이 막혀서 입을 벌릴 기운이 없었다.

"묵긴 어데서 묵으란 말이오? 유치장에나 가잔 말씀이오? 이 배에 떠나게 한다는 약조를 하였기 때문에 나왔으니까 약조대로 합시다."

이렇게 강경히 주장은 하면서도, 마음은 차차 두근거려지고 신경은 극도로

---

42 진객(珍客) 귀한 손님.
43 부호 재산이 넉넉하고 세력이 있는 사람.
44 위불위없이 틀림이나 의심이 없이.

긴장하여졌다. 대체 나 같은 위인은 경찰서의 신세를 지기에는 너무도 평범하지만, 그래도 이 배만 놓치면 참 정말 유치장에서 욕을 볼 것은 뻔한 일, 하늘이 두 쪽이 되는 한이 있더라도 이 배를 놓쳐서는 큰일이라고 결심을 단단히 하고서도 웬일인지 가슴은 여전히 두근두근하지 않을 수가 없었다.

"그럼 예서 잠깐 할까?"

양복쟁이가 나와 인버네스를 반반씩 보며 저희끼리 의논을 한다. 나는 우선 마음을 놓았다.

"네, 그러지요."

인버네스가 찬성을 하니까, 양복쟁이는 나에게로 향하여,

"이것 좀 열어 보아도 상관없겠소?"

하고 열쇠를 내라고 한다. 나는 급히 열쇠를 내어 주었다……. 가방은 양복쟁이의 손에서 덜컥 열리었다.

어린아이 관(棺) 같은 긴 모양의 트렁크를 유리창 그림자가 환히 비치는 화물 쌓인 밑에다가 열어 놓고 들쑤시는 동안에, 그 옆에서 인버네스는 조그만 손가방을 조사하고 앉았다. 나는 이편에 느런히 섰는 학생복 입은 자와 함께 두 사람의 네 손길만 내려다보고 섰었다. 큰 트렁크를 맡은 자는 잠깐 쑤석쑤석하여 보더니, 그 위에 얹어 놓은 양복이며 화복[45]들을 손에 잡히는 대로 획획 집어서 내 옆에 선 형사에게 주섬주섬 던져 주고 나서, 그 밑에 깔리었던 서류 뭉텅이와 서적 몇 권을 분주히 들척거리고 앉았다. 조그만 트렁크 속에서 소득이 없었던지 그대로 뚜껑을 닫아서 옆에 놓고 인버네스도 다시 큰 가방으

---

45 화복 일본 옷.

로 달려들어서 들여다보고 앉았다가 양복쟁이의 분부대로 서적을 한 권씩 들어 보아 가며 일일이 책명을 수첩에 기입하며 앉았다. 가방 속에서 갈팡질팡하는 형사의 네 손은 1분, 2분 시간이 갈수록 가속도로 움직인다. 나는 이놈들이 또 무슨 망령이나 부리지 않을까 하는 불안과 의혹을 가지고 전광에 벌겋게 번쩍이는 양복쟁이의 곁뺨을 노려보고 섰었다.

여덟 눈과 네 손길은 앞에 뉘어 놓은 트렁크 한 개에 모든 정력을 집중하고, 1분의 빈틈없이 극도로 긴장하였으면서도 여덟 입술은 풀로 붙인 듯이, 아무도 입을 벌리려는 사람이 없었다. 절대 침묵이 한 칸통쯤 되는 컴컴한 골짜기에 숨이 막힐 듯이 가득히 찼다. 비릿한 해기(海氣)를 품은 차디찬 저녁 바람이 귓가로 솔솔 지날 때마다 바삭바삭하는 종잇장 구기는 소리밖에 나에게는 들리지 않았다. 그보다 큰 배에 짐 싣는 인부의 소리도, 잔교 밑에 와서 부딪는 출렁출렁하는 파도 소리도, 아마 이 네 사람의 귀에는 들리지 않았을 것이다. 무겁고 찌뿌드드한 침묵 속에 흐릿한 불빛에 싸여서 서고 앉고 하여 꾸물꾸물하는 양이, 마치 바다에 빠진 시체를 건져 놓고 검시(檢屍)나 하는 것같이 처량하고 비장하며 엄숙히 보였다. 그러나 1분, 2분, 3분, 5분, 10분……. 시간이 갈수록 나의 머릿속은 귀와 반비례로 욱신욱신하여졌다. 그 세 사람들이 일부러 느럭느럭하는 것은 아니건마는 뺏어 가지고 내 손으로 하고 싶으리만큼 초조하였다. 나는 참다 못하여 시계를 꺼내 들고,

"이제 2분밖에 안 남았소. 난 갈 테요."

하고 재촉을 하였다. 그제야 양복쟁이는 눈에 불이 나게 놀리던 손을 쉬고 서류 뭉텅이를 들어 뵈면서,

"이것만은 잠깐 내가 갖다가 보고, 댁으로 보내 드려도 관계없겠지요?"

하고 일어선다. 서두른 분수 보아서는 아무 소득이 없어 섭섭하고 열쩍으니[46], 서

---

46 열쩍다 '열없다(좀 겸연쩍고 부끄럽다.)'의 잘못.

류 뭉치나 뺏어 두자는 눈치 같다. 나는 두말없이 쾌락[47]하였다. 사실 그 속에는 집에서 온 최근의 편지 몇 장과 소설 초고와 몇 가지 원고 외에는 아무것도 없었다. 애를 써서 기록한 서적이라야 원래 나에게는 사회주의라는 '사' 자나 레닌이라는 '레' 자는 물론이려니와, 독립이라는 '독' 자도 없을 것은 나의 전공하는 학과만 보아도 알 것이었다. 아니, 설령 내가 볼셰비키[48]에 관한 서적을 몇백 권 가졌거나 사회주의를 연구하거나, 그것은 학문의 연구라 물론 자유일 것이요, 비록 독립사상을 가진 나의 뇌 속을 X 광선 같은 것으로나 심사법(心寫法)으로 알았다 할지라도, 행동이 없는 다음에야 조사하기로 소용이 무엇인가. — 이러한 생각은 나중에 한 것이지만 그 당장에는 하여간 무사히 방면되어 배에 오르게 된 것만 다행히 여겨 궐자들과 같이 허둥지둥 행구[49]를 수습하여 가지고 나섰다.

짐을 가볍게 하여 준 트렁크를 두 손에 들고, 어서 올라오라는 선원의 꾸지람을 들어 가며 겨우 갑판 위에 올라서자, 기를 쓰는 듯한 경적과 말 울음[馬嘶] 소리 같은 기적 소리가 나며 신경이 자릿자릿한 징[鉦] 소리가 교향적으로 호젓이 암흑에 싸인 부두 일판에 처량하고도 요란하게 울리었다. 배는 소리 없이 미끄러져 벌써 두어 칸통이나 잔교에서 떨어졌다. 전송하러 온 여관 하인들이며 인부들의 그림자가 쓸쓸한 벌판에 성기성기 차차 조그맣게 눈에 띄고 선창 위에서 휘두르며 가는 등불이 쓸쓸한 바람에 불리어 길어졌다 짧아졌다 한다.

나는 선실로 들어갈 생각도 없이 으스름한 갑판 위에 찬바람을 쐬어 가며 웅숭그리고 섰었다. 격심한 노역과 추위에 피곤하여 깊은 잠에 들어가는 항구는, 소리 없이 암흑 속에 누웠을 뿐이요, 전시의 안식을 지키는 야광주[50]는 벌써부터 졸린 듯이 점점 불빛이 적어 가고 수효가 줄어 가면서 깜박깜박 졸고 있다. 나는 인간계를 떠나서 방랑의 몸이 된 자와 같이 그 불빛의 낱낱이 어떠한 평화로운

---

47 쾌락 남의 부탁이나 요청 따위를 기꺼이 들어줌.
48 볼셰비키(Bol'sheviki) '다수파'라는 뜻으로 1903년 러시아 사회 민주 노동당에서 레닌을 지지한 급진파를 이르던 말.
49 행구 여행할 때 쓰는 물건과 차림.
50 야광주 어두운 데서 빛을 내는 구슬.

가정의 대문을 지키고 있으려니 하는 생각을 할 제, 선뜩선뜩하게 반짝이는 별보다도 점점 멀리 흐려 가는 불빛이 따뜻이 보였다. 나의 머릿속은 단지 혼돈하였을 뿐이요, 눈은 화끈화끈 단다.

외투 포켓에다가 두 손을 찌르고 어느 때까지 우두커니 섰는 내 눈에는 어느덧 뜨끈뜨끈한 눈물이 비어져 나와서, 상기가 된 좌우 뺨으로 흘러내렸다. 찬바람에 산뜩산뜩 스며들어 가는 것을 나는 씻으려고도 아니하고 여전히 섰었다.

(중략 줄거리)

배를 타고 일본을 떠난 '나'는 부산에 도착한다. 부산에서 본 풍경은 일본식 건물들로 가득한 조선의 모습이었다. 부산에서 김천으로 간 '나'는 형을 만난다. 형은 총독부 법에 의해서 공동묘지밖에 쓸 수 없게 된 데에 대해 묏자리 걱정을 하고 있고, '나'는 그런 형이 한심하다고 생각한다. 그리고 서울로 가는 기차에 오른다.

두 사람이 잠자코 앉았으려니까 차는 심천(深川) 정거장엔지 도착한 모양이다. 새로운 승객도 별로 없이 조용한 속에 순사가 두리번두리번하고 뚜벅 소리를 내며 들어와서 저편 찻간으로 지나간 뒤에 조금 있으려니까, 누런 양복바지를 옹구바지[51]로 입고 작달막한 키에 구두 끝까지 철철 내려오는 기다란 환도[52]를 끌면서 조선 사람의 헌병 보조원이 또 들어왔다. 여러 사람의 눈은 또 긴장해지며 일시에 구랄[53]만 한 누렁 저고리를 입은 조그마한 사람에게로 모이었다. 이 사람은 조그만 눈을 똥그랗게 뜨고 저편서부터 차츰차츰 한 사람씩 얼굴을 들여다보며 이리로 온다. 누구를 찾는 것이 분명하다. 나는 공연히 가슴이 선뜩하였으나, 이 찻간에는 나를 미행하는 사람이 있으리라는 생각을 하니까 안심이

---

51 옹구바지 대님을 맨 윗부분의 바지통이 옹구의 불처럼 축 처진 한복 바지.
52 환도(環刀) 예전에, 군복에 갖추어 차던 군도.
53 구랄 '구람(굴밤이나 도토리를 뜻하는 방언)'의 잘못.

되었다. 찻간 속은 괴괴하고[54] 헌병 보조원의 유착한 구두 소리만 뚜벅뚜벅 난다. 그러나 여러 사람의 가슴은 컴컴한 남포의 심짓불이 떨리듯이 떨리었다. 한 사람, 두 사람 낱낱이 얼굴을 들여다보고 지나친 뒤의 사람은 자기는 아니로구나, 살았구나! 하는 가벼운 안심이 가슴에 내려앉는 동시에 깊은 한숨을 내쉬는 모양이 얼굴에 완연히 나타났다. 헌병 보조원의 발자취는 점점 내 앞으로 가까워 왔다. 나는 등을 지고 돌아앉았고, 내 앞의 갓 장수는 담뱃대를 든 채 헌병의 얼굴을 똑바로 치어다보고 앉았다. 헌병 보조원은 내 곁에 와서 우뚝 선다. 나는 가슴이 뜨끔하여 무심코 치어다보았다. 그러나 헌병 보조원은 나를 본체만체하고 내 앞에 앉았는 갓 장수를 한참 내려다보고 섰더니 손에 들었던 종잇조각을 펴 본다. 내 가슴에서는 목이 메게 꿀떡 삼키었던 토란만 한 것이 쑥 내려앉는 것 같았다. 찻간은 고작 헌병 보조원― 어린 조선 청년 하나의 한마디로 괴괴하여졌다.

"당신, 이름이 뭐요?"

헌병 보조원은 갓 장수더러 물었다.

"나요? 김××예요."

하며 허둥지둥 일어선다.

"당신이 영동(永同)서 갓을 부쳤소?"

"네. 네."

"그럼 잠깐 내립시다."

찻간 속은 쥐 죽은 듯한 공포에서 겨우 벗어났다. 여기저기서 수군수군하는 소리가 난다.

나의 앞에 앉아서 이때까지 노닥거리던 말동무는 헌병 보조원의 앞을 서서 허둥지둥 차에서 내렸다.

그러나 문밖으로 나간 뒤에 정신을 차리고 보니까, 내 앞에는 수건으로 질끈

---

54 괴괴하다 쓸쓸할 정도로 아주 고요하다.

동인 헌 우산 한 개가 의자의 구석에 기대어 섰다. 나는 유리창을 올리고, 캄캄한 밖을 내다보며 소리를 쳤으나 벌써 간 곳이 없었다……. 난로에 석탄을 넣으러 들어온 역부에게 그 우산을 내주면서 물어보니, 주는 우산은 받으면서도 이편 말은 못 알아들은 듯이,

"나니(무엇이야)? 나니?"

하며 여전히 못 알아들은 체하고 일본 말로 묻는 데에는 어이가 없었다. 발길로 지르고 싶었다.

자정이나 넘은 뒤에 차는 대전(大田)에 와서 닿았다. 김 의관 같은 금테 안경 채비의 하이칼라 신사는 커다란 가죽 가방에 담요를 비끄러매어서 옆에 놓았던 것을 앞에 앉았던 사람에게 들려 가지고 내려갔다. 그러나 기생은 내리지 않는다.

얼마나 정거하느냐고 소제하는 역부더러 물어보니까, 30분 동안이라고 먹따는 소리를 꽥 지르고 달아난다. 나는 하도 심심하기에 모자를 집어 쓰고 차에서 내려서 플랫폼으로 어슬렁어슬렁 걸어 나갔다. 그동안에 눈이 서너 치나 쌓인 모양이다. 지금은 뜸하나 뼈에 저린 밤바람이 모가지를 자라목처럼 오그라뜨리었다. 맨 끝에 달린 찻간 앞까지 오니까 불을 환하게 켠 차장실 속에 얼굴이 해끄무레한 두 청년이 검정 방한모에 소매통이 좁은 옥색 두루마기를 입고, 누런 양복을 입은 헌병과 마주 서서 웃으며 이야기를 하는 것이 환히 보이었다. 얼굴 모습이 같은 것을 보면 두 청년은 형제 같고, 헌병 가슴에 권총을 단 줄이 늘어진 것을 보면 보조원은 아니요 이것이 분명하다. 나는 창 밑으로 가까이 가 보니까 세 사람은 여전히 웃으며 무어라고 속살거린다. 그러나 그 청년들의 어설프게 웃는 낯빛과 입술이 경련적으로 위로 뒤틀린 것은 공포 그것 같았다.

'스파이는 아니군!'

하는 가벼운 생각으로 나는 발길을 돌이켜 목책으로 막은 입구 앞으로 가서 내 손으로 열고 나갔다. 아무도 막지 않고 좌우편으로 눈발이 쳐들어오는 휑뎅그렁

한 속에는 한가운데에 난로랍시고 놓고 그 가에 옹기종기 사람들이 모여 섰다.

'대합실도 없이 이런 벌판에 세워 둘 지경이면 어서 찻간으로 들여보낼 일이지!'

나는 이런 생각을 하며 난로 옆을 흘끗 보려니까 결박을 지은 범인이 댓 사람이나 오르르 떨며 나무 의자에 걸터앉고, 그 옆에는 순사가 셋이서 지키고 있는 것이 눈에 띄었다. 나는 무심코 외면을 하였다. 그중에는 머리를 파발[55]을 하고 땟덩이가 된 치마저고리의 매무시[56]까지 흘러내린 젊은 여편네도 역시 포승을 지어서 앉아 있다. 부끄럽지도 않은지 나를 부러워하는 듯한 눈으로 물끄러미 치어다보다가 고개를 숙인다. 자세히 보니 등 뒤에는 쌕쌕 자는 아이가 매달렸다. 여자의 이런 꼴을 처음 보는 나는 가슴이 선뜩하며 멀거니 얼이 빠져 섰었다. 나는 흉악한 꿈을 꾸며 가위에 눌린 것 같은 어리둥절한 눈으로 한참 바라보다가 발길을 돌쳤다[57].

정거장 문밖으로 나서서 눈을 바삭바삭 밟으며 큰길 거리로 나가니까 7년 전에 일본으로 달아날 제, 오정[58] 때 대전에 내려서 점심을 사 먹던 그 집이 어디인지 방면도 알 수 없이 시가(市街)가 변하였다. 길 맞은편으로 쭉 늘어선 것은 빈지[59]를 들였으나 모두가 신축한 일본 사람 상점이다. 우동을 파는 구루마[60]가 쩔렁쩔렁 흔드는 요령 소리만이 괴괴한 거리에 처량하다. 열네다섯쯤에 말도 모르고 단신 일본으로 공부 간다는 데에 호기심이 있었던지 친절히 대접을 해 주던, 그때의 그 주막집 주인 내외가 그립다.

다시 돌쳐 들어오며 보니, 찻간에서 무슨 대수색을 하는지 승객들은 아직도 아니 들여보내고, 결박을 지은 여자는 업은 아이가 깨어서 보채니까 일어서서

---

55 파발 머리카락을 헝클어뜨림.
56 매무시 옷을 입을 때 매고 여미는 뒷단속.
57 돌치다 '되돌다(향하던 곳에서 반대쪽으로 방향을 바꾸다.)'의 잘못.
58 오정 낮 12시. 정오.
59 빈지 한 짝씩 끼웠다 떼었다 하게 만들어진 문인 '널빈지'를 이름.
60 구루마 수레, 달구지.

서성거린다.

'젖이나 먹이라고 좀 풀어 줄 일이지.'

하는 생각을 하니 곁에 시퍼렇게 얼어서 앉은 순사가 불쌍하다가도 밉살맞다. 목책 안으로 들어오며 건너다보니까 차장실 속에 있던 두 청년과 헌병도 여전히 이야기를 하고 섰다. 나는 까닭 없이 처량한 생각이 가슴에 복받쳐 오르면서 한편으로는 무시무시한 공기에 몸이 떨린다.

젊은 사람들의 얼굴까지 시든 배춧잎 같고 주눅에 들어서 멀거니 앉았거나, 그렇지 않으면 빌붙는 듯한 천한 웃음이나 '헤에' 하고 싱겁게 웃는 그 표정을 보면 가엾기도 하고, 분이 치밀어 올라와서 소리라도 버럭 질렀으면 시원할 것 같다.

'이게 산다는 꼴인가? 모두 뒈져 버려라!'

찻간 안으로 들어오며 나는 혼자 속으로 외쳤다.

'무덤이다! 구더기가 끓는 무덤이다!'

나는 모자를 벗어서 앉았던 자리 위에 던지고 난로 앞으로 가서 몸을 녹이며 섰었다. 난로는 꽤 달았다. 뱀의 혀 같은 빨간 불길이 난로 문틈으로 날름날름 내다보인다. 찻간 안의 공기는 담배 연기와 석탄재의 먼지로 흐릿하면서도 쌀쌀하다. 우중충한 남폿불은 웅크리고 자는 사람들의 머리 위를 지키는 것 같으나 묵직하고도 고요한 압력으로 지그시 내리누르는 것 같다. 나는 한번 휘 돌려다보며,

'공동묘지다! 공동묘지 속에서 살면서 죽어서 공동묘지에 갈까 봐 애가 말라 하는 갸륵한 백성들이다!'

하고 혼자 코웃음을 쳤다.

'공동묘지 속에서 사니까 죽어서나 시원스러운 데 가서 파묻히겠다는 것인가? 그러나 하여간에 구더기가 득시글득시글하는 무덤 속이다. 모두가 구더기다. 너도 구더기, 나도 구더기다. 그 속에서도 진화론적 모든 조건은 한 초 동안

도 거르지 않고 진행되겠지! 생존 경쟁이 있고 자연 도태가 있고 네가 잘났느니 내가 잘났느니 하고 으르렁댈 것이다. 그러나 조만간 구더기의 낱낱이 해체가 되어서 원소가 되고 흙이 되어서 내 입으로 들어가고 네 코로 들어갔다가, 네나 내나 거꾸러지면 미구에 또 구더기가 되어서 원소가 되거나 흙이 될 것이다. 에 잇! 뒈져라! 움도 싹도 없이 스러져 버려라! 망할 대로 망해 버려라! 사태가 나든지 망해 버리든지 양단간에 끝장이 나고 보면 그중에서 혹은 조금이라도 쓸모 있는 나은 놈이 생길지도 모를 것이다⋯⋯.'

— 나는 차가 떠나기 전에 자기 자리로 와서 드러누웠다. 어느덧 난로 옆으로 등 너머에 와서 누운 기생의 머리에서 가끔가끔 끼쳐 오는 머릿내와 향긋한 기름내, 분내를 코로 은은히 맡아 가며 눈을 감고 누웠었다.

'이것이 구더기 썩는 냄새이기는 일반이다!'

나는 이런 생각을 하여 보면서도 코를 막으려고는 아니하였다. 차가 움직이기 시작하였다⋯⋯. 어느덧 잠이 소르르 왔다.

몇 번이나 눈을 떴다 감았다 하며 편치 못한 잠을 잔 둥 만 둥하고 눈을 떠 보니까 긴긴밤도 흐지부지 훤히 밝았다. 으스스하기에 난로 앞으로 가서, 불을 쬐며 옆 사람더러 물어보니 시흥(始興)에서 떠났다 한다.

인제는 서울도 다 왔구나! 하고 생각하니, 그래도 반갑지 않을 수 없다. 영등포를 지나서 한강 철교를 건널 때에는 대리석으로 은구⁶¹를 놓은 듯한, 사람 그림자라고는 없는 빙판을 바라보고 무심코 기지개를 켜며 두 다리를 쭉 뻗었다. 용산역에까지 오니까 뒤의 기생이 일어나서 매무시를 만적거리고 곧 내릴 사람같이 나를 유심히 바라보며 머뭇거리다가, 차가 떠나려고 호각을 부는 소리를 듣고서 그대로 앉아 버렸다. 서울이 처음 길이라 마음이 불안해서 무엇을 물어보려고 그리하는지 수상하다. 내가 자기 자리로 와서 선반에서 짐을 내려놓고

---

61 은구 땅속에 묻어 놓은 수채.

내릴 채비를 차리는 동안에도 일거일동을 눈으로 좇으면서 무슨 말을 붙일 듯 붙일 듯하다가 입을 벌리지 못하고 마는 모양이다. 서울에 내려서 찾아갈 길을 묻자든지 무슨 까닭이 있는 것 같아서 이편에서 먼저 입을 벌리고 싶었으나, 대학 제복 제모에 경의를 표하기 위하여 모른 척해 버렸다.

기차는 남대문에 도착하였다. 집에서 나온 큰집 종형님과 짐을 나누어 들고 나와서 인력거를 타다가 보니, 그 기생은 길 잃은 아이처럼 길체로 비켜서서 우두커니 이쪽을 바라보고 있다. 걱정 아니하여도 저 찾아갈 데로 찾아가겠지마는, 어떤 사정인지 이 추운 아침에 가엾어 보였다.

(뒷부분 줄거리)

서울 집에 도착했을 때, 아내는 양약을 거부하는 아버지의 고집으로 방치되고 있었다. 결국 아내는 세상을 떠난다. 집 안에는 과부가 되어 돌아온 누이, 종손인 종형, 그 밖의 사람들로 득실거려 안정을 얻을 수 없다. 그러던 중 재혼을 권하는 형의 말을 듣고는, 겨우 무덤을 빠져나왔다면서 다시 동경으로 떠난다.

(1924년)

※ 원래 '묘지'라는 제목으로 1922년 <신생활>에 연재되다가 3회 만에 중단된 뒤, 1924년 <시대일보>에 제목을 '만세전'으로 바꾸어 게재하였다.

박돌의 죽음

최서해

최서해 (1901~1932)

함경북도 성진에서 태어났으며 본명은 '학송'이다. 〈박돌의 죽음〉에서 죽음과 직결된 가난을 형상화한 최서해는 자신의 밑바닥 생활의 경험을 소설 작품으로 형상화한 작가이다. 그는 〈탈출기〉와 〈기아와 살육〉 등의 작품을 발표하면서 신경향파 문학을 개척했다. 그의 작품의 주인공들은 대부분 간도 이민자, 유랑자 등 하층민들이다. 그리고 극심한 가난을 겪고 있다. 또한 결말 부분에서 살인이나 방화 등 충동적인 행위로 끝난다. 이러한 것을 통해 최서해는 일제 강점기 우리 민중들의 궁핍한 현실과 저항의 모습을 사실적으로 보여 준다고 평가받는다.

1

밤은 자정이 훨씬 넘었다.

이웃의 닭 소리는 검푸른 새벽빛 속에 맑게 흐른다. 높고 푸른 하늘에 야광주를 뿌려 놓은 듯이 반짝이는 별들은 고요한 대지를 향하여 무슨 묵시(黙示)를 주고 있다. 나뭇잎에서는 이슬 듣는 소리가 고요하다. 여름밤이건만 새벽녘이 되니 부드럽고도 쌀쌀한 기운이 추근하게[1] 만상(萬象)[2]을 소리 없이 싸고 돈다.

남자인지 여자인지, 어둠 속에 잘 분간할 수 없는 히슥한[3] 그림자가 동계 사무소(洞契事務所) 앞 좁은 골목으로 허둥허둥 뛰어나온다.

고요한 새벽이슬에 추근한 땅을 울리면서 나오는 발자취는 퍽 산란하다. 쿵쿵 하는 음은 여러 집 울타리를 넘고 지붕을 건너서 어둠 속으로 규칙 없이 퍼져 나갔다.

어느 집 개가 몹시 짖는다. 또 다른 집 개도 컹컹 짖는다. 캥캥한 발바리 소리도 난다.

뛰어나오는 그림자는 정직상점(正直商店) 뒷골목으로 휙 돌아서 내려간다. 쿵쿵쿵…….

서너 집 내려와서 어둠 속에 잿빛같이 보이는 커다란 대문 앞에 딱 섰다. 헐떡이는 숨소리는 고요한 공기를 미미히 울린다. 그 그림자는 대문에 탁 실린다.

---

1 추근하다 물기가 조금 있어 축축하다.
2 만상 온갖 사물의 형상.
3 히슥하다 색깔이 조금 허옇다는 뜻의 방언.

빗장과 대문이 맞찍혀서 삐걱 하고는 열리지 않았다.

"문으 좀 벗겨 주오!"

무엇에 쫓긴 듯이 황겁한 소리는 대문 안마당의 어둠을 뚫고 저편 푸른 하늘 아래 용마루⁴ 선이 죽 그인 기와집에 부딪혔다.

"문으 좀 열어 주오!"

이번에는 대문을 두드리고 밀면서 고함을 친다. 소리는 퍽 황겁하나 가늘고 쟁쟁한 것이 여자다 하는 것을 직각케 한다.

"에구 어찌겠는구? 이 집에서 자음메? 문으 빨리 벗겨 주오!"

절망한 듯이 애처로운 소리를 치면서 문을 쿵쿵 치다가는 삐걱삐걱 밀기도 하고, 땅에다가 배를 붙이고 대문 밑으로 기어들어 가려고도 애를 쓴다. 대문 울리는 소리는 주위의 공기를 흔들었다.

이웃집 개들은 그저 몹시 짖는다.

닭은 홰를 치고 꼬끼요- 한다.

"그게 뉘기요?"

안에서 선잠 깬 여편네 소리가 들린다.

"에구 깼구먼!"

엎드려서 배밀이하던 여인은 벌떡 일어나면서,

"내요, 문으 좀 벗겨 주오!"

한다. 그 소리는 아까보다 좀 나직하다.

"내라는 게 뉘기요? 어째 왔소?"

안에서는 문을 벌컥 열었다. 열린 문이 벽에 부딪히는 소리가 탁 하고 울타리에 반향하였다.

"초시 있소? 급한 병이 있어 그럽메."

---

4 용마루 지붕 가운데 있는 가장 높은 수평 마루.

컴컴하던 집 안에 성냥 불빛이 가물가물하다가 힘없이 스러지는 것이 대문 틈으로 보였다. 다시 성냥 불빛이 번득하더니 당그랑 잴랑 하는 램프 유리의 부딪치는 소리와 같이 환한 불빛이 문으로 흘러나와 검은 땅을 스쳐 대문에 비치었다. "에헴." 하는 사내의 기침 소리가 들렸다. 칙칙거리는 어린애 울음소리가 난다. 불빛이 번뜩하면서 문으로 여인이 선잠 깬 하품 소리를 "으앙." 하며 맨발로 저벅저벅 나와서 대문 빗장을 뽑았다.

"뉘기요?"

들어오는 사람을 기웃이 본다.

"내요."

밖에 섰던 여인은 대문 안으로 들어섰다.

"나는 또 뉘기라구? 어째서 남 자는 밤에 이 야단이오?"

안에서 나온 여인은 입을 씰룩하였다.

"에구 박돌(朴乭)이 앓아서 그럽메! 초시 있소?"

밖에서 들어온 여인은 떨리는 목소리로 아첨 비슷하게, 불빛에 오른쪽 볼이 붉은 주인 여편네를 건너다본다.

"있기는 있소."

주인 여편네는 휙 돌아서서 안으로 들어가더니,

"저두에 파충댁이로구마! 의원이구 약국이구 걷어치우오! 잠두 못 자게 하구!"

소리를 지른다. 캥캥한 소리는 몹시 쌀쌀하였다. 지금 온 여인은 툇마루 아래에 서서 머리를 숙였다 들면서 한숨을 휴- 쉬었다.

정주(鼎廚)[5]에서 한참 동안이나 부시럭부시럭 하는 소리가 나더니 사잇문 소리가 덜컥하면서 툇마루 놓인 방문 창에 불빛이 가득 찼다.

---

5 정주 부엌과 안방 사이에 벽이 없이 부뚜막에 방바닥을 잇달아 꾸민 부엌.

"에헴, 들오!"

다 쉬어 빠진 호박통을 두드리는 듯한 사내의 소리가 들린다. 밖에 섰던 여인은 툇마루에 올라섰다. 문을 열었다. 방에서 흘러나오는 불빛은 마루에 떨어졌다. 약 냄새는 코를 쿡 찌른다.

2

"하, 그거 안됐군. 그러나 나는 갈 수 없는데……."

몸집이 뚱뚱하고 얼굴에 기름이 번질번질한 의사(김 초시)는 창문 정면에 놓인 약장에 기대 앉았다.

"에구 초시사, 그래 쓰겠소? 어서 가 봐 주오."

문 앞에 황공스럽게 쭈그리고 앉은 여인의 사들사들한[6] 낯에는 어색한 웃음이 떠올랐다.

"글쎄 웬만하문사 그럴 리 있겠소마는, 어제부터 아파서 출입이라군 못 하고 있소. 에헴, 에헴, 악……."

의사는 입에 물었던 담뱃대를 뽑아 들더니 안 나오는 기침을 억지로 끄집어내어 가래를 타구[7]에 뱉는다.

"그게(박돌) 애비 없이 불쌍히 자란 게 죽어서 쓰겠소? 거저 초시께 목숨이 달렸으니 살려 주오."

의사는 땟국이 꾀죄한 여인을 힐끗 보더니,

"별말을 다 하오. 내 염라대왕이니 목숨을 쥐고 있겠소. 글쎄 하늘이 무너진대도 못 가겠소."

하며 담배 연기를 획 내뿜고 이마를 찡기면서 천장을 쳐다본다. 흰 연기는 구름발같이 휘휘 돌아서 까맣게 그을은 약봉지를 데룽데룽 달아 놓은 천장으로 기

---

6 사들사들하다 조금씩 시들어 가거나 시든 듯하다.
7 타구(唾具) 가래나 침을 뱉는 그릇.

어올라서는 다시 죽 퍼져서 방 안에 찼다. 오줌 냄새, 약 냄새에 여지없는 방 안의 공기는 캐-한 연기와 어울려서 코가 저리도록 불쾌하였다.

"제발 살려 줍시오, 네? 그 은혜는 뼈를 갈아서라도 갚아 드리오리! 네? 어서 가 봐 주오."

"글쎄 못 가겠는 거 어찌겠소? 이제 바람을 쏘이고 걷고 나면 죽게 않겠으니, 남을 살리자다가 제 죽겠소."

"가기는 어디로 간단 말이오? 어제해르, 그래, 또 밤새끔 알쿠서리."

의사의 말 뒤를 이어 정주에서 주인 여편네가 캥캥거린다.

여인은 머리를 푹 숙이고 앉았더니,

"그러문 약이라도 멧 첩 지어 주오."

한다.

"약종[8]이 부족해서 약을 못 짓는데."

의사는 몸을 비틀면서 유들유들한 목을 천천히 돌려서 약장을 슬그머니 돌아본다.

"약값 염려는 조금도 말고 좀 지어 주오."

"아, 글쎄 약종이 없는 것을 어떻게 짓는단 말이오? 자, 이거 보오!"

하더니 빈 약서랍 하나를 뽑아서 땅바닥에 덜컥 놓는다.

"집에 돼지 새끼 하나 있으니 그거 모레 장에 팔아 드릴게 좀 지어 주오."

"하, 이 앞집 김 주사도 어제 약 지러 왔다가 못 지어 갔소."

의사는 어이없다는 듯이 입을 벌린다.

"그래 못 지어 주겠소?"

푹 꺼진 여인의 눈은 이상스럽게 의사의 낯을 쏘았다.

의사는,

---

8 약종(藥種) 약의 재료.

"글쎄 어떻게 짓겠소?"

하면서 여인이 보내는 시선을 피하려는 듯이 미닫이 두껍집에 붙인 산수화를 본다.

"에구, 내 박돌이는 죽는구나! 한심한 세상두 있는게?"

여인의 소리는 애참하게[9] 울음에 젖었다. 때가 지덕지덕한 뺨을 스쳐 흐르는 눈물은 누더기 같은 치마에 떨어졌다.

"에, 곤하군. 아ー함, 어서 가 보오."

의사는 하품과 기지개를 치면서 일어섰다. 여인은 눈물을 쑥쑥 씻더니 벌떡 일어섰다.

"너무 한심하구먼! 돈이 없다구 너무 업시비 보지 마오. 죽는 사람을 살려 주문 어떠오? 혼자 잘 사오."

여인의 눈에는 이상한 불빛이 섬뜩하였다. 그 목소리는 싹 에는 듯이 아츠럽게[10] 들렸다. 의사는 가슴이 꿈틀하였다.

3

여인은 갔다.

한 집 건너 두 집 건너 닭 우는 소리가 요란하다. 이웃에서 개 짖는 소리도 들렸다.

포플러 잎에서는 이슬 듣는 소리가 은은하다.

"별게 다 와서 성화를 시키네!"

여인이 간 뒤에 의사는 대문을 채우고 안으로 들어오면서 중얼거렸다.

"그까짓 거렁뱅들께 약을 주구 언제 돈을 받겠소? 아예 주지 마오."

주인 여편네는 뾰로통해서 양양거린다.

---

9 애참하다 슬프고 비참하다.
10 아츠럽다 소리가 신경을 몹시 자극하여 듣기 싫고 날카롭다.

"흥, 그리게 뉘기 주나!"

의사는 방문을 닫으면서 승리나 한 듯이 콧소리를 친다.

"약만 주어 보오? 그놈의 약장, 도끼로 바사 놓게."

의사 내외는 다시 불을 끄고 자리에 누웠으나 두루 뒤숭숭하여 졸음이 오지 않았다.

4

"에구, 제마(어머니)! 에구 배야!"

박돌이는 이를 갈고 두 손으로 배를 웅크려 잡으면서 몸을 비비 틀기도 하고 벌떡 일어났다가는 다시 눕고, 누웠다가는 엎드리고 하며 몸 거접할[11] 곳을 모른다.

"에구, 내 죽겠소! 왝, 왝."

시큼하고 넌들넌들한 검푸른 액을 코와 입으로 토한다. 토할 때마다 그는 소름을 치고 가슴을 뜯는다. 배 속에서는 꾸르르꿀 꾸르르꿀하는 물소리가 쉬일 새 없다. 물소리가 몹시 나다가 좀 멎는다 할 때면 쏴– 뿌드득 뿌드득 쏴– 하고 설사를 한다. 마대 조각으로 되는 대로 기워서 입은 누덕바지는 벌써 똥물에 죽이 되었다.

"에구, 어찌겠니? 이원 놈도 안 봐주니…… 글쎄 이게 무슨 갑작병인구?"

어머니는 토하는 박돌의 이마를 잡고 등을 친다.

"에구, 이거 어찌겠는구? 배 아프냐?"

어머니는 핏발이 울울한 박돌의 눈을 들여다보았다. 눈이 휘둥그레서 급한 호흡을 치는 박돌이는 턱 드러누우면서 머리만 끄덕인다. 어머니는 박돌의 배를 이리저리 누르면서,

---

11 **거접하다** 잠시 몸을 의탁하여 거주하다.

"여기냐? 어디 여기는 아니 아프냐? 응, 여기두 아프냐?"

두서없이 거듭거듭 묻는다.

"골은 아니 아프냐? 골두 아프지?"

그는 빤한 기름불 속에 열이 끓어서 검붉게 보이는 박돌의 이마를 짚었다. 박돌이는 으흐 으흐 하면서 머리를 꼬드기려다가 또 왝 하면서 모로 누웠다. 입과 코에서는 넌들넌들한 건물[12]이 울컥 주르룩 흘렀다.

"에구! 제마! 에구 내 죽겠소! 헤구!"

박돌이는 또 쏜다. 그의 바지를 벗겼다. 꺼끌꺼끌한 거적자리 위에 누운 그의 배는 등에 착 달라붙었다. 그는 가슴을 치고 쥐어뜯고, 목을 늘였다 쪼그리면서 신음한다.

"니 죽겠구나, 응! 박돌아, 박돌아! 야, 정신을 차려라. 에구, 약 한 첩 못 써 보고 마는구나! 침이래도 맞혀 봤으면 좋겠구나!"

박돌이는 낯빛이 검푸르면서 도끼눈을 떴다. 목에서는 담 끓는 소리가 퍽 괴롭게 들렸다.

"에구, 뒷집 생원(서방님)은 어쩨 아니 오는지, 박돌아!"

박돌이는 눈을 떴다. 호흡은 급하고 높았다.

"제마! 주[13]를 먹었으문!"

"줄으? 에구, 줄이 어디 있니?"

어머니는 한숨을 쉬면서 등불을 쳐다본다. 그 눈에는 눈물이 괴었다.

"그러문 냉쉬를 좀 주오!"

"에구, 찬물을 자꾸 먹구 어찌겠니?"

"애고고고……."

박돌이는 외마디 소리를 치더니 도끼눈을 뜨면서 이를 빡 간다.

---

12 건물 몸이 허약하거나 병이 들어서 공연히 나오는 액체.
13 주 '귤'의 방언.

뒷집에 있는 젊은 주인이 나왔다. 어둑 충충한 등불 속에서 무겁게 흐르는 께저분한[14] 공기는 새로 들어온 사람에게 몰려들었다. 젊은 주인은 부엌에 선 대로 구들을 올려다보면서 이마를 찡그렸다.

찢기고 뚫어지고 흙투성이 된 거적자리 위에서 신음하는 박돌이 모자의 그림자는 혼탁한 공기와 빤한 불빛 속에 유령같이 보였다.

"어째 이원은 아니 보입메?"

젊은 주인은 책망 비슷하게 내뿜었다.

"김 초시더러 봐 달라니 안 옵데. 돈 없는 사람이라구 봐 주겠소? 약두 아니 져 주던데!"

박돌 어미의 소리는 소박을 맞아 가는 젊은 여자의 한탄같이 무엇을 저주하는 듯 떨렸다.

"뜸[15]이나 떠 보지비?"

"그래 볼까? 어디를 어떻게 뜨믄 좋은지? 생원이 좀 떠 주겠소? 떠 주오. 쑥은 얻어 올게."

"아, 그것두 뜰 줄 모릅네? 숫구녕에 쑥을 비벼 놓고 불을 달믄 되지! 그런 것두 모르구 어떻게 사오?"

"떠 봤을세 알지, 내 어떻게 알겠소!"

박돌 어미는 어색한 웃음을 지으면서 젊은 주인을 쳐다보았다.

"체하잖았소?"

"글쎄 어쨌는둥?"

박돌 어미는 박돌이를 본다.

"어젯밤에 무스거 먹었소?"

---

14 께저분하다 너절하고 지저분하다. '게저분하다'보다 센 느낌을 준다.
15 뜸 병을 치료하는 방법의 하나. 약쑥을 비벼서 쌀알 크기로 빚어 살 위의 혈(穴)에 놓고 불을 붙여서 열기가 살 속으로 퍼지게 한다.

"갱게(감자)를 삶아 먹구…… 그리구 너무두
먹구 싶어 하기에 뒷집에서 버린 고등어
대가리를 삶아 먹구서는 먹은 게 없는데."

"응, 그게루군. 문[16] 고등어 대가리를 먹
으문 죽는대두! 그거는 무에라구 축축스럽게
줏어 먹소?"

젊은 주인은 입을 실룩하였다.

"에구, 그게(고등어) 그런가? 나는 몰랐지! 에구, 너무두 먹구 싶어서 먹었더니
그렇구마. 그래서 나도 골과 배가 아팠던 게로군! 그러나 나는 이내 겨워 버렸
더니 일없구먼."

박돌 어미는 매를 든 노한 상전 앞에 선 어린 종같이 젊은 주인을 쳐다본다.

"우리 집에 쑥이 있으니 갖다 뜸이나 떠 주오. 에익, 축축하게 썩은 고기 대가
리를 먹다니?"

젊은 주인은 뒤도 안 돌아보고 나가 버린다.

"에구, 한심한 세상도 있는 게! 이원만 그런 줄 알았더니 모두 그렇구나!"

박돌 어미의 눈에는 또 눈물이 괴었다. 가슴은 빠지지하다. 어쩌면 좋을지 앞
뒤가 캄캄할 뿐이다. 온 세상의 불행은 혼자 안고 옴짝달싹할 수 없이 밑도 끝도
없는 어둑한 함정으로 점점 밀려 들어가는 듯하였다.

쫑그리고 무릎 위에 손을 꽂고 불을 빤히 쳐다보는 그의 눈은 유리를 박은 듯
이 까딱하지 않는다. 때가 까만 코 아래 파랗게 질린 입술은 뜨거운 불기운을 받
은 가지[茄子]처럼 초들초들 하다. 그의 눈에는 등불이 큰 물 항아리같이 보였다
가는 작은 술잔같이도 보이고 두셋이나 되었다가는 햇발같이 아래위 좌우로 씰
룩씰룩 퍼지기도 한다.

---

16 문 '상한'을 뜻한다.

"응, 내 이제 잊었구나! ……쑥을 가져와야지."

박돌의 괴로운 고함 소리에 비로소 자기를 의식한 박돌 어미는 번쩍 일어섰다.

5

이웃집 닭은 세 홰나 운 지 이슥하다. 먼지와 그을음에 거뭇한 창문은 푸름하더니 훤하여졌다. 벽에 걸어 놓은 등불 빛은 있는가 없는가 하리만치 희미하여지고, 새벽빛이 어둑하던 방 안을 점점 점령한다.

박돌의 호흡은 점점 미미하여진다. 느른하던 수족은 점점 꿋꿋하며 차다. 피부를 들먹거리던 맥박은 식어 가는 열과 같이 점점 사라져 버렸다. 이제는 구토도 멎고 설사도 멎었다. 몹시 붉던 낯은 창백하여졌다.

"으응 끽!"

숫구멍에 놓은 뜸쑥이 타들어서 머리카락과 살 타는 소리가 뿌지직뿌지직할 때마다 꼼짝 않고 늘어졌던 박돌이는 힘없이 감았던 눈을 떠서 애원스럽게 어머니를 쳐다보면서 괴로운 신음 소리를 친다. 그때마다 목에서 몹시 끓던 담 소리는 잠깐 그쳤다가 다시 그르렁그르렁한다.

박돌의 호흡은 각일각 미미하다. 따라서 목에서 끓는 담 소리도 점점 가늘어진다.

"꺽."

박돌이는 폐기[17] 한 번을 하였다. 따라서 목에서 뚝 하는 소리가 났다. 박돌이는 소리 없이 눈을 획 홉떴다. 두 눈의 검은자위는 곤줄을 서고 흰자위만 보였다. 그의 낯빛은 햇끔하고 푸르다.

"바 바…… 박돌아! 야 - 박돌아! 에구, 박돌아!"

어머니는 박돌의 낯을 들여다보면서 싸늘한 박돌의 가슴을 흔들었다.

---

17 폐기 딸꾹질.

"야 박돌아, 박돌아, 박돌아! 이게 어쩐 일이냐, 으응? 흑흑, 꺽꺽."

박돌 어미는 울면서 박돌의 가슴에 쓰러졌다.

밖에서 가고 오는 사람의 자취가 들린다. 개 짖는 소리, 닭 우는 소리, 새의 지절거리는 소리가 요란하다.

6

붉은 아침 별은 뚫어지고 찢기고 그을은 창문에 따뜻이 비치었다.

서까래가 보이는 천장에는 까맣게 그을은 거미줄이 얼키설키 서리고 넌들넌들 달렸다. 떨어지고, 오리고, 손가락 자리, 빈대 피에 장식된 벽에는 누더기가 힘없이 축 걸렸다. 앵앵하는 파리 떼는 그 누더기에 몰려들어서 무엇을 부지런히 빨고 있다. 문으로 들어서서 바로 보이는 벽에는 노끈으로 얽어 달아 매 놓은 시렁이 있다. 시렁 위에는 금 간 사기 사발과 이 빠진 질대접 몇 개가 놓였다. 거기도 파리 떼가 웅성거린다. 부엌에는 마른 쇠똥, 짚 부스러기, 흙구덩이에서 주워 온 듯한 나뭇가지가 지저분하다.

뚜껑 없는 솥에는 국인지 죽인지 끓어서 누릿한 위에 파리 떼가 어찌 욱실거리는지 물 담아 놓은 파리통 같다.

먼지가 풀썩풀썩 이는 구들, 거적자리 위에 박돌이는 고요히 누웠다. 쥐마당[18] 같이 때가 지덕지덕한 그 낯은 무쇠빛같이 검푸르다. 감은 두 눈은 푹 꺼졌다. 삐쭉하게 벌어진 입술 속에 꼭 아문 누릿한 이빨이 보인다. 그의 몸에는 누더기가 걸치었다. 곁에 앉은 그 어머니는 가슴을 치면서 큰 소리 없이 꺽꺽 흑흑 느껴 울다가도 박돌의 낯에 뺨을 대고는 울고, 가슴에 손을 넣어 보고 한다. 그러나 박돌이는 고요히 누워 있다.

"흑흑 바⋯⋯ 바⋯⋯ 박돌아! 애고 내 박돌아! 너는 죽었구나! 약 한 첩 침

---

18 쥐마당 쥐가 모여들어 깝신거리며 여기저기 돌아다니는 곳.

한 대 못 맞아 보고 너는 죽었구나! 에구 하누님도 무정하지. 원통해서…… 껙 껙 흑흑…… 글쎄 무슨 명이 그리두 짜르냐? 에구!"

그는 박돌의 가슴에 푹 엎드렸다. 박돌의 몸과 그의 머리에 모여 앉았던 파리 떼는 우아 하고 날아가다가 다시 모여 앉는다.

"애비 없이 온갖 설움을 다 맡아 가지고 자라다가 열두 살이나 먹구서…… 에 구!"

머리를 들고 박돌의 푸른 낯을 들여다보며,

"박돌아, 야 박돌아!"

부르다가 다시 쓰러지면서,

"먹고 싶은 것도 못 먹고 입고 싶은 것도 못 입고 항상 배를 곯다가……. 좋은 세상 못 보고 죽다니? 휴! 제마! 제마! 나도 핵교를 갔으문 하는 것도 이놈의 입 이 원쉬 돼서 못 보내고! 흑흑."

그는 벌떡 일어나 앉았다.

"에구 하누님도 무정하지! 내 박돌이를, 내 외독자를 왜 벌써 잡아갔누? 나는 남에게 못할 짓 한 일도 없건마는."

그는 또 박돌이를 본다.

"박돌아! 에구 줄을 먹었으면 하는 것도 못 멕였구나. 이렇게 될 줄 알았으면 돼지 새끼 하나 있는 거라도 주고 먹고 싶다는 거나 갖다줄걸. 공연히 부들부들 떨었구나! 애비 어미를 잘못 만나서 그렇게 됐구나!"

어제까지 눈앞에 서물거리던 아들이 죽다니! 거짓말 같기도 하고 꿈속 같기 도 하다. "제마!" 부르면서 툭툭 털고 일어나는 듯하다. 그는 기다리던 사람의 발 자취를 들은 듯이 머리를 번쩍 들었다. 그러나 그 눈앞에는 아무도 없고 다만 애 석히 죽어 누운 박돌이가 보일 뿐이다.

"박돌아!"

그는 자는 애를 부르듯이 소리쳤다. 박돌이는 고요하다. 아아 참말이다. 죽었다. 저것을 흙 속에 넣어? —이렇게 다시 생각할 때 또 눈물이 쏟아지고 천지가 아득하였다. 자기가 발붙이고 잡았던 모든 희망의 줄은 툭 끊어졌다. 더 바랄 것 없다 하였다.

그는 박돌의 뺨에 뺨을 비비면서 박돌의 가슴을 안고 쓰러졌다. 그의 가슴에는 엉클겅클한 연 덩어리[19]가 꾹꾹 쑤심질하는 듯하고 목구멍에서는 겻불내[20]가 팽팽 돈다. 소리를 버럭버럭 가슴이 툭 터지도록 지르면서 물이든지 불이든지 헤아리지 않고 엄벙덤벙 날뛰었으면 속이 시원할 것 같다. 목구멍을 먼지가 풀썩풀썩하는 흙덩어리로 콱콱 틀어막아서 숨 쉴 틈 없는 통 속에다가 온몸을 집어넣고 꽉 누르는 듯이 안타깝고 갑갑하여 울래야 소리가 나지 않는다.

가슴이 뭉클하고 뿌지지하더니 목구멍에서 비린 냄새가 왈칵 코를 찌를 때, 그는 왝 하면서 어깨를 으쓱하였다. 그의 입에서는 검붉은 선지피가 울컥 나왔다. 그는 쇠말뚝을 꽉 겯는[21] 듯한 가슴을 부둥키고 까무라쳤다.

문구멍으로 흘러드는 붉은 볕은 두 사람의 몸 위에 동그란 인을 쳤다. 뿌연 먼지가 누런 햇발 속에 서리서리 떠오른다. 파리 떼는 더욱 웅성거린다.

7

"제마! 애고 – 아야! 내 제마!"

하는 소리에 박돌 어머니는 머리를 번쩍 들었다. 문을 내다보는 그의 두 눈은 유난히 번득였다.

이때 그의 눈 속에는 보이는 것이 있었다.

낮인가? 밤인가? 밤 같기는 한데 어둡지는 않고 낮 같기는 한데 볕이 없는 음침한 곳이다. 바람은 분다 하나 나뭇가지는 떨리지 않고 비는 온다 하나 빗소리

---

19 연 덩어리 '납덩이'의 방언.
20 겻불내 겨가 탈 때 나는 매캐한 냄새.
21 겯다 풀어지거나 자빠지지 않도록 서로 어긋매끼게 끼거나 걸치다.

느커녕 빗발도 보이지 않는 흐리머리한 빗속이다. 살이 피둥피둥하고 얼굴이 검붉은 자가 박돌의 목을 매어 끌고 험한 가시밭 속으로 달아난다.

"애고! 애고— 제…… 제마! 제마!"

박돌의 몸은 돌에 부딪히고 가시에 찢겨서 온몸이 피투성이되었다. 피투성이 속으로 울려 나오는 박돌의 신음 소리는 째릿째릿하게 들렸다.

"으응."

박돌 어미는 몸을 부르르 떨었다. 그는 머리를 번쩍 들었다. 모들뜬[22] 두 눈에서는 이상스러운 빛이 창문을 냅다 쏜다. 그는 돼지를 보고 으르는 개처럼 이를 악물고 벌떡 일어서더니 창문을 냅다 차고 밖으로 뛰어나갔다.

먼지가 뿌연 그의 머리카락은 터부룩하여 머리를 흔드는 대로 산산이 흩날린다. 입과 코에는 피 흘린 흔적이 임리하고[23] 저고리와 치마 앞은 피투성이가 되었다.

"야 이놈아, 내 박돌이를 내놔라! 에구 박돌아! 박돌아! 야 이느므 새끼야, 우리 박돌이를 내놔라!"

그는 무엇을 뚫어지도록 눈이 퀭해지면서 허둥지둥 뛰어간다.

"야 이놈아! 저놈이 저기를 가는구나!"

그는 동계 사무소 앞 골목으로 내뛰더니 바른편으로 휙 돌아 정직상점 뒷골목으로 내리뛰면서 손뼉을 짝짝 친다. 산산한 머리카락은 휘휘 날린다.

"에구 저게 웬일이야?"

"박돌 어미가 미쳤네!"

"저게 웬 에미넨구!"

길에 있던 사람들은 눈이 둥그레 피하면서 한마디씩 뇌인다[24]. 웬 개 한 마리

---

22 모들뜨다 두 눈동자를 안쪽으로 몰아 뜨다.
23 임리하다 피, 땀, 물 따위의 액체가 흘러 흥건하다.
24 뇌이다 '뇌다(한 번 한 말을 여러 번 거듭 말하다.)'의 잘못.

는 짖으면서 박돌 어미 뒤를 쫓아간다.

"이놈아! 저놈이 내 박돌이를 끌고 어디를 가니? 응, 이놈아!"

뛰어가는 박돌 어미는 소리를 치면서 이를 간다. 도끼눈을 뜨는 두 눈에는 이상스러운 빛이 허공을 쏘았다. 그 모양을 보는 사람은 누구나 소름을 치고 물러선다.

"이놈아! 이놈아! 거기 놔라! 저놈이 내 박돌이를 불 속에 집어넣네…… 에구 구…… 끔찍도 해라. 에구 박돌아!"

"응 박돌아, 그 돌을 줴라! 꼭 붙들어라!"

박돌 어미는 이를 빡빡 갈면서 서너 집 지나 내려오다가 커단 대문 단 기와 집으로 쑥 들이뛴다. 그 대문에는 김병원 진찰소(金丙元診察所)라는 팔분(八分)[25]으로 쓴 간판이 붙었다.

"저놈이……저 방으로 들어가지? 이놈! 네 죽어 봐라, 가문 어디로 가겠니! 이놈아, 내 박돌이를 어쨌니? 내놔라! 내 박돌이를 내놔라! 글쎄 내 박돌이를 어쨌니?"

두 눈에 불이 휑한 박돌 어미는 툇마루 놓인 방 미닫이를 차고 뛰어들어 가서 그 집주인 김 초시의 멱살을 잡았다.

멱살을 잡힌 김 초시는 눈이 둥그레서,

"이…… 이…… 이게…… 무슨 일이야?"

하며 황겁하여 윗방으로 들이뛰려고 한다.

"이놈아! 네가 시방 우리 박돌이를 끌어다가 불 속에 넣었지? 박돌이를 내놔라! 박돌아!"

날카롭고 처량한 그 소리에 주위의 공기는 싹싹 에어지는 듯하였다.

"아…… 아…… 박돌이를 내 가졌느냐? 웬일이냐?"

---

25 팔분 십체의 하나. 예서(隸書) 이분(二分)과 전서(篆書) 팔분(八分)을 섞어서 장식적인 효과를 낸 글씨체로, 중국 한(漢) 때 채옹이 만들었다고 한다.

박돌이란 소리에 김 초시 가슴은 뜨끔하였다. 김 초시는 벌벌 떨면서 박돌 어미 손에서 몸을 빼려고 애를 쓴다. 두 몸은 이리 밀리며 저리 쓰러져서 서투른 씨름꾼의 씨름 같다.

약장은 넘어지고 요강은 엎질러졌다. 우시시한 초약과 넌들넌들한 가래며 오줌이 한데 범벅이 되어서 돗자리에 흘어졌다.

"야 이년아! 이 더러운 년아! 남의 집에 왜 와서 이 야단이냐?"

얼굴에 독살이 잔뜩 나서 박돌 어미에게로 달려들던 주인 여편네는 피 흔적이 임리한 박돌 어미의 입과 퀭한 그 눈을 보더니,

"에구, 저 에미네 미쳤는가?"

하면서 뒤로 주춤한다.

김 초시의 멱살을 잔뜩 부여잡은 박돌 어미는 이를 야금야금하면서 주인 여편네를 노려본다.

주인 여편네는 뛰어다니면서 구원을 청하였다.

김 초시 집 마당에는 어린애 어른 할 것 없이 모여들었다. 그러나 모두 박돌 어미의 꼴을 보고는 얼른 대들지 못한다.

"응 이놈아!"

박돌 어미는 김 초시의 상투를 휘어잡으며 그의 낯에 입을 대었다.

"에구! 사람이 죽소!"

방바닥에 덜컥 자빠지면서 부르짖는 김 초시의 소리는 처량히 울렸다.

사내 몇 사람은 방으로 뛰어들어 간다.

"이놈아! 내 박돌이를 불에 넣었으니 네 고기를 내가 씹겠다."

박돌 어미는 김 초시의 가슴을 타고 앉아서 그의 낯을 물어뜯는다. 코, 입, 귀 …… 검붉은 피는 두 사람의 온몸에 발리었다.

"어째 저럽메?"

"모르겠소!"

밖에 선 사람들은 서로 의아해서 묻는다. 모든 사람은 일종 엷은 공포에 떨었다.

"그까짓 놈(김 초시), 죽어도 싸지! 못할 짓도 하더니……."

이렇게 혼잣말처럼 뇌는 사람도 있다.

(1925년)

화수분*

전영택

전영택 (1894~1968)

평양에서 태어난 전영택은 일본과 미국에서 신학을 공부하여 목사이자 소설가로 활동하였다. 전영택의 〈화수분〉은 식민지 치하를 살았던 가난한 하층민의 삶을 비극적으로 다룬 작품이다. 그는 사실주의적 기법을 통해 인간성의 회복을 위한 인도주의적인 작품을 쓴 작가이다. 언제나 인간의 존엄성에 대한 관심을 놓지 않았던 그의 시선은 〈천치? 천재?〉〈흰닭〉〈생명의 봄〉등에서도 나타나 있다.

---

* 재물이 계속 나오는 보물단지. 그 안에 온갖 물건을 담아 두면 끝없이 새끼를 쳐 그 내용물이 줄어들지 않는다는 설화상의 '화수분 단지'를 이른다.

1

첫겨울 추운 밤은 고요히 깊어 간다. 뒤뜰 창 바깥에 지나가는 사람 소리도 끊어지고, 이따금씩 찬바람 부는 소리가 '휘- 우수수' 하고 바깥의 춥고 쓸쓸한 것을 알리면서 사람을 위협하는 듯하다.

"만주노 호야 호오야.[1]"

길게 그리고도 힘없이 외치는 소리가 보지 않아도 추워서 수그리고 웅크리고 가는 듯한 사람이 몹시 처량하고 가엾어 보인다. 어린애들은 모두 잠들고 학교 다니는 아이들은 눈에 졸음이 잔뜩 몰려서 입으로만 소리를 내어 글을 읽는다. 나는 누워서 손만 내놓아 신문을 들고 소설을 보고, 아내는 이불을 들쓰고 어린 애 저고리를 짓고 있다.

"누가 우나?"

일하던 아내가 말하였다.

"아니야요. 그 절름발이가 지나가며 무슨 소리를 지껄이면서 그러나 보아요."

공부하던 애가 말한다. 우리들은 잠시 그 소리를 들으려고 귀를 기울였으나, 다시 각각 그 하던 일을 계속하여 다시 주의도 하지 아니하였다. 그러다가 우리는 모두 잠이 들어 버렸다.

나는 자다가 꿈결같이 '으으으으으으' 하는 소리를 들었다. 잠깐 잠이 반쯤 깨었으나 다시 잠들었다. 잠이 들려고 하다가 또 깜짝 놀라서 깨었다. 그리고 아

---

1 만주노 호야 호오야 '만두가 갓 만들어져서 따끈따끈합니다.'라는 뜻의 일본 말로, 만두를 사라고 외치는 소리.

내에게 물었다.

"저게 누가 울지 않소?"

"아범이구려."

나는 벌떡 일어나서 귀를 기울였다. 과연 아범의 우는 소리다. 행랑[2]에 있는 아범의 우는 소리다.

'어찌하여 우는가, 사나이가 어찌하여 우는가. 자기 시골서 무슨 슬픈 상사의 기별을 받았나? 무슨 원통한 일을 당하였나?'

나는 생각하였다. '어이어이' 느껴 우는 소리를 들으면서 아내에게 물었다.

"아범이 왜 울까?"

"글쎄요, 왜 울까요?"

2

아범은 금년 9월에 그 아내와 어린 계집애 둘을 데리고 우리 집 행랑방에 들었다. 나이는 한 서른 살쯤 먹어 보이고, 머리에 상투가 그냥 달라붙어 있고, 키가 늘씬하고 얼굴은 기름하고[3] 누르퉁퉁하고[4] 눈은 좀 큰데 사람이 퍽 순하고 착해 보였다. 주인을 보면 어느 때든지 그 방에서 고달픈 몸으로 밥을 먹다가도 얼른 일어나서 허리를 굽혀 절한다. 나는 그것이 너무 미안해서 그러지 말라고 이르려고 하면서 늘 그냥 지내었다. 그 아내는 키가 자그마하고 몸이 뚱뚱하고, 이마가 좁고, 항상 입을 다물고 아무 말이 없다. 적은 돈은 회계할 줄 알아도 '원'이나 '100냥' 넘는 돈은 회계할 줄 모른다.

그리고 어멈은 날짜 회계할 줄을 모른다. 그러기에 저 낳은 아이들의 생일을 아범이 그 전날 내일이 생일이라고 일러 주지 않으면 모른다고 한다. 그러나 결

---

2 행랑(行廊) 대문간에 붙어 있는 방으로, 과거에는 주로 하인들이 사용했다.
3 기름하다 좀 긴 듯하다.
4 누르퉁퉁하다 살이 부어서 핏기가 없이 누르다.

코 속일 줄을 모르고, 무슨 일이든지 하라는 대로 하기는 하나 얼른 대답을 시원히 하지 않고, 꾸물꾸물 오래 하는 것이 흠이다. 그래도 아침에는 일찍이 일어나서 기름을 발라 머리를 곱게 빗고, 빨간 댕기를 드려 쪽을 찌고 나온다.

그들에게는 지금 입고 있는 단벌 홑옷과 조그만 냄비 하나밖에 아무것도 없다. 세간도 없고, 물론 입을 옷도 없고 덮을 이부자리도 없고, 밥 담아 먹을 그릇도 없고 밥 먹을 숟가락 한 개가 없다. 있는 것이라고는 보기 싫게 생긴 딸 둘과 작은애를 업는 홑누더기와 띠, 아범이 벌이하는 지게가 하나, 이것뿐이다. 밥은 우선 주인집에서 내어 간 사발과 숟가락으로 먹고, 물은 역시 주인집 어린애가 먹고 비운 가루우유 통을 갖다가 떠먹는다.

아홉 살 먹은 큰 계집애는 몸이 좀 뚱뚱하고 얼굴은 컴컴한데, 이마는 어미 닮아서 좁고, 볼은 아비 닮아서 축 늘어졌다. 그리고 이르는 말은 하나도 듣는 법이 없다. 그 어미가 아무리 욕하고 때리고 하여도 볼만 부어서 까딱없다. 도리어 어미를 욕한다. 꼭 서서 어미보고 눈을 부르대고 "조 깍쟁이가 왜 야단이야." 하고 욕을 한다. 먹을 것이 생기면 자식 먹이고 남편 대접하고, 자기는 늘 굶는 어미가 헛입노릇[5]이라도 하는 것을 보게 되면 "저 망할 계집년이 무얼 혼자만 처먹어?" 하고 욕을 한다. 다만 자기 어미나 아비의 말을 아니 들을 뿐 아니라, 주인마누라나 주인 나리가 무슨 말을 일러도 아니 듣는다. 먼 데 있는 것을 가까이 오게 하려면 손수 붙들어 와야 하고, 가까이 있는 것을 비키게 하려면 붙들어다 치워야 한다.

다음에 작은 계집애는 돌을 지나 세 살을 먹은 것인데, 눈이 커다랗고 입술이 삐죽 나오고, 걸음은 겨우 빼뚤빼뚤 걷는다. 그러나 여태 말도 도무지 못 하고, 새벽부터 하루 종일 붙들어 매여 끌려가는 돼지 소리 같은 크고 흉한 소리를 내어 울어서 해를 보낸다.

---

5 헛입노릇 입속에 아무것도 없으면서 마치 무엇을 씹는 것처럼 입을 오물거리는 짓.

울지 않는 때라고는 먹는 때와 자는 때뿐이다. 그러나 먹기는 썩 잘 먹는다. 먹을 것이라고 눈앞에 보이기만 하면 죄다 빼앗아다가 두 다리 사이에 넣고, 다리와 팔로 웅크리고 '옹옹' 소리를 내면서 혼자서 먹는다. 그렇게 심술 사나운 큰 계집애도 다 빼앗기고 졸연해서[6] 얻어먹지 못한다. 이렇기 때문에 작은 것은 늘 어미 뒷잔등[7]에 업혀 있다. 만일 내려놓아 버려두면 그냥 땅바닥을 벗은 몸으로 두 다리를 턱 내뻗치고 묶여 가는 돼지 소리로 동리가 요란하도록 냅다 지른다.

그래서 어멈은 밤낮 작은 것을 업고 큰 것과 싸움을 하면서 얻어먹지도 못하고, 물 긷고 걸레질 치고 빨래하고 서서 돌아간다. 작은 것에게는 젖을 먹이고, 큰 것의 욕을 먹고 성화 받고, 사나이에게 '웅얼웅얼' 하는 잔말을 듣는다. 밥 지을 쌀도 없는데, 밥 안 짓는다고 욕을 한다. 그리고 아범은 밝기도 전에 지게를 지고 나갔다가 밤이 어두워서 들어오지만, 하루에 두 끼를 못 끓여 먹고, 대개는 벌이가 없어서 새벽에 나갔다가도 오정 때나 되면 일찍 들어온다. 들어와서는 흔히 잔다. 이런 때는 온종일 그 이튿날 아침까지 굶는다. 그때마다 말 없던 어멈이 '옹알옹알' 바가지 긁는 소리가 들린다. 어멈이 그 애들 때문에 그렇게 애쓰고, 그들의 살림이 그렇게 어려운 것을 보고, 나는 이따금 이렇게 생각하였다.

아내에게 말도 한다.

"저 애들을 누구를 주기나 하지."

위에 말한 것은 아범과 그 식구의 대강한 정형이다. 그러나 밤중에 그렇게 섧게[8] 운 까닭은 무엇인가?

3

그 이튿날 아침이다. 마침 일요일이기 때문에 내게는 한가한 틈이 있어서 어

---

6 졸연하다 어떤 일의 상태가 갑작스럽다.
7 뒷잔등 '등'의 방언.
8 섧다 원통하고 슬프다.

멈에게서 그 내용을 들을 기회가 있었다.

"지난밤에 아범이 왜 그렇게 울었나?"

하는 아내의 말에 어멈의 대답은 대강 이러하였다.

"어멈이 늘 쌀을 팔러 댕겨서 저 뒤의 쌀가게 마누라를 알지요. 그 마누라가 퍽 고맙게 굴어서 이따금 앉아서 이야기도 했어요. 때때로 '그 애들을 데리고 어떻게나 지내나.' 하고 물어요. 그럴 적마다 '죽지 못해 살지요.' 하고 아무 말도 아니했어요. 그러는데 한번은 가니까, 큰애를 누구를 주면 어떠냐고 그래요. 그래서 '제가 데리고 있다가 먹이면 먹이고 죽이면 죽이고 하지, 제 새끼를 어떻게 남을 줍니까? 그리고 워낙 못생기고 아무 철이 없어서 에미 애비나 기르다가 죽이더라도 남은 못 주어요. 남이 가져갈 게 못 됩니다. 그것을 데려가시는 댁에서는 길러 무엇합니까. 돼지면 잡아나 먹지요.' 하고 저는 줄 생각도 아니했어요. 그래도 그 마누라는 '어린것이 다 그렇지 어떤가. 어서 좋은 댁에서 달라니 보내게. 잘 길러 시집보내 주신다네. 그리고 젊은이들이 벌어먹고 살아야지. 애들을 다 데리고 있다가 인제 차차 날도 추워 오는데 모두 한꺼번에 굶어 죽지 말고……' 하시면서 여러 말로 대구[9] 권하셔요. 말을 들으니까 그랬으면 좋을 듯도 하기에 '그럼 저희 아범보고 말을 해 보지요.' 했지요. 그랬더니 그 마누라가 부쩍 달라붙어서 '내일 그 댁 마누라가 우리 집으로 오실 터이니 그 애를 데리고 오게 하셔요.' 해서 저는 '글쎄요.' 하고 돌아왔지요. 돌아와서 그날 밤에, 그제 밤이올시다. 그제 밤 아니라 어제 아침이올시다. 요새 저는 정신이 하나 없어요. 그래 밤에는 들어와서 반찬 없다고 밥도 안 먹고, 곤해서 쓰러져 자길래 그런 말을 못 하고, 어제 아침에야 그 이야기를 했지요. 그랬더니 '내가 아나, 임자 마음대로 하게그려.' 그러고 일어서서 지게를 지고 나가 버리겠지요. 그러고는 저 혼자서 온종일 이리저리 생각을 해 보았지요. 아무려면 제 자

---

9 대구 '대고'의 잘못. 무리하게 자꾸. 또는 계속하여 자꾸.

식을 남을 주고 싶지는 않지만 어떻게 합니까. 아씨 아시듯이 이제 새끼 또 하나 생깁니다그려. 지금도 어려운데 어떻게 둘씩 셋씩 기릅니까. 그래서 차마 발길이 안 나가는 것을 오정 때가 되어서 데리고 갔지요. 짐승 같은 계집애는 아무런 것도 모르고 따라나서요. 앞서가는 것을 뒤로 보면서 생각을 하니까 어째 마음이 안되었어요."

하면서 어멈은 울먹울먹한다. 눈물이 핑 돈다.

"그런 것을 데리고 갔더니 참말 알지 못하는 마누라님이 앉아 계셔요. 그 마누라가 이걸 호떡이라 군밤이라 감이라 먹을 것을 사다 주면서 '나하고 우리 집에 가 살자. 이쁜 옷도 해 주고 맛난 밥도 먹고 좋지, 나하고 가자, 가자.' 하시니까 이것은 먹기에 미쳐서 대답도 아니하고 앉았어요."

이 말을 들을 때에 나는 그 계집애가 우리 마루 끝에 서서 우리 집 어린애가 감 먹는 것을 바라보다가, 내버린 감꼭지를 쳐다보면서 집어 가지고 나가던 것이 생각났다.

어멈은 다시 이야기를 이어,

"그래, 제가 어쩌나 보려고 '그럼 너 저 마님 따라가 살련? 나는 집에 갈 터이니.' 했더니 저는 본체만체하고 머리를 끄덕끄덕해요. 그래도 미심해서[10] '정말 갈 테야. 가서 울지 않을 테야?' 하니까, 저를 한 번 흘끗 노려보더니 '그래, 걱정 말고 가요.' 하겠지요. 하도 어이가 없어서 내버리고 집으로 돌아왔지요. 그러고 돌아와서 저 혼자 가만히 생각하니까, 아범이 또 무어라고 할런지 몰라 어째 안되었어요. 그래, 바삐 아범이 일하러 댕기는 데를 찾아갔지요. 한번 보기나 하려고, 염천교 다리로 남대문 통으로 아무리 찾아야 있어야지요. 몇 시간을 애써 찾아댕기다가 할 수 없이 그 댁으로 도루 갔지요. 갔더니 계집애도 그 마누라도 벌써 떠나가 버렸겠지요. 그 댁 마님 말씀이 저녁 6시 차에 광핸지 광한지로 떠났

---

10 미심하다 일이 확실하지 않아 늘 마음이 놓이지 않다.

다고 하셔요. 가시면서 보고 싶으면 설 때에나 와 보고 와 살려면 농사짓고 살라고 하셨대요. 그래 하는 수가 있습니까. 그냥 돌아왔지요. 와서 아무 생각이 없어서 아범 저녁 지어 줄 생각도 아니하고 공연히 밖에 나가서 왔다 갔다 돌아댕기다가 들어왔지요. 저는 눈물도 안 나요. 그러다가 밤에 아범이 들어왔기에 그 말을 했더니, 아무 말도 하지 아니하고 그렇게 통곡을 했답니다. 여북하면[11] 제 자식을 꿈에도 보두 못하던 사람에게 주겠어요. 할 수가 없어서 그렇지요. 집에 두고 굶기는 것보다 나을까 해서 그랬지요. 아범이 본래는 저렇게는 못살지는 않았답니다. 저희 아버지 살았을 때에는 벼 100석이나 하고, 삼 형제가 양평 시골서 남부럽지 않게 살았답니다. 이름들도 모두 좋지요. 맏형은 '장자'요, 둘째는 '거부'요, 아범이 셋쨈데 '화수분'이랍니다. 그런 것이 제가 간 후부터 시아버님이 돌아가시고, 그리고 맏아들이 죽고 농사 밑천인 소 한 마리를 도적맞고 하더니, 차차 못살게 되기 시작해서 종내 저렇게 거지가 되었답니다. 지금도 시골 큰댁엘 가면 굶지나 아니할 것을 부끄럽다고 저러고 있지요. 사내 못생긴 건 할 수 없어요."

우리는 이제야 비로소 아범이 어제 울던 까닭을 알았고, 이때에 나는 비로소 아범의 이름이 '화수분'인 것을 알았고, 양평 사람인 줄도 알았다.

4

그런 지 며칠이 지난 어느 날 아침이다. 화수분은 새 옷을 입고 갓을 쓰고, 길 떠날 행장을 차리고 안으로 들어온다. 그것을 보니까, 지난밤에 아내에게서 들은 말이 생각난다. 시골 있는 형 거부가 일하다가 발을 다쳐서 일을 못 하고 누워 있기 때문에, 가뜩이나 흉년인 데다가 일을 못 해서 모두 굶어 죽을 지경이니, 아범을 오라고 하니 가 보아야 하겠다는 말을 듣고, 나는 "가 보아야겠군." 하

---

11 여북하다 정도가 매우 심하거나 상황이 좋지 않다.

니까, 아내는 "김장이나 해 주고 가야 할 터인데." 하기에 "글쎄, 그럼 그렇게 이르지." 한 일이 있었다. 아범은 뜰에서 허리를 한번 굽히고 말한다.

"나리, 댕겨오겠습니다. 제 형이 일하다가 도끼로 발을 찍어서 일을 못 하고 누웠다니까 가 보아야겠습니다. 가서 추수나 해 주고는 곧 오겠습니다. 그저 나리 댁만 믿고 갑니다."

나는 어떻게 대답을 했으면 좋을지 몰라서,

"잘 댕겨오게."

하였다.

아범은 다시 한번 절을 하고,

"안녕히 계십시오."

하면서 돌아서 나갔다.

"저렇게 내버리고 가면 어떡합니까? 우리도 살기 어려운데 어떻게 불 때 주고 먹이고 입히고 할 테요? 그렇게 곧 오겠소?"

이렇게 걱정하는 아내의 말을 듣고 나는 바삐 나가서 화수분을 불러서,

"곧 댕겨오게, 겨울을 나서는 안 되네."

하였다.

"암, 곧 댕겨옵지요."

화수분은 뒤를 돌아보고 이렇게 대답을 하고 달아난다.

5

화수분은 간 지 일주일이 되고 열흘이 되고 보름이 지나도 아니 온다. 어멈은 아범이 추수해서 쌀말이나 가지고 돌아오기를 밤낮 기다려도 종내 오지 아니하였다. 김장 때가 다 지나고 입동이 지나고 정말 추운 겨울이 되었다. 하루 저녁은 바람이 몹시 불고 그 이튿날 새벽에는 하얀 눈이 펑펑 내려 쌓였다.

아침에 어멈이 들어와서 화수분의 동네 이름과 번지 쓴 종잇조각을 내어놓

으면서, 오지 않으면 제가 가겠다고, 편지를 써 달라고 하기에 곧 써서 부쳐까지 주었다.

그다음 날부터는 며칠 동안 날이 풀려서 꽤 따뜻하였다. 그래도 화수분의 소식은 없다. 어멈은 본래 어린애가 딸려서 일을 잘 못하는 데다가, 다릿병이 있어 다리를 잘 못 쓰고, 더구나 며칠 전에 손가락을 다쳐서 일을 하지 못하는 것을 퍽 미안하게 생각한다.

그리고 추운 겨울에 혼자 살아갈 길이 막연하여, 종내 아범을 따라 시골로 가기로 결심을 한 모양이다.

"그만, 아씨, 시골로 가겠습니다."

"몇 리나 되나?"

"몇 린지 사나이들은 일찍 떠나면 하루에 간다고 해두, 저는 이틀에나 겨우 갈걸요."

"혼자 가겠나?"

"물어 가면 가기야 가지요."

아내와 이런 문답이 있은 다음 날, 아침 바람이 몹시 불고 추운 날 아침에 어멈은 어린것을 업고 돌아볼 것도 없는 행랑방을 한 번 돌아보면서 아창아창[12] 떠나갔다.

그날 밤에도 몹시 추웠다. 우리는 문을 꼭꼭 닫고 문틈을 헝겊으로 막고 이불을 둘씩 덮고 꼭꼭 붙어서 일찍 잤다.

나는 자면서, 잘 갔나, 얼어 죽지나 않았나 하는 생각이 났다.

화수분도 가고, 어멈도 하나 남은 어린것을 업고 간 뒤에는 대문간은 깨끗해지고 시꺼먼 행랑방 방문은 닫혀 있었다. 그리고 우리 집에는 다시 행랑 사람도 안 들이고 식모도 아니 두었다. 그래서 몹시 추운 날, 아내는 손수 어린것을 등

---

12 아창아창 키가 작은 사람이나 짐승이 이리저리 찬찬히 걷는 모양. '아장아장'보다 거센 느낌을 준다.

에 지고 이웃집의 우물에 가서 배추와 무를 씻어서 김장을 대강 하였다. 아내는 혼자서 김장을 하면서 눈물을 흘리고 어멈 생각을 하였다.

6

김장을 다 마친 어느 날, 추위가 풀려서 따뜻한 날 오후에, 동대문 밖에 출가 해 사는 동생 S가 오래간만에 놀러 왔다. S에게 비로소 화수분의 소식을 듣고 우리는 놀랐다. 그들은 본래 S의 시댁에서 천거해[13] 보낸 것이다. 그 소식은 대강 이렇다.

화수분이 시골 간 후에, 형 거부는 꼼짝 못 하고 누워 있기 때문에, 형 대신 겸두 사람의 일을 하다가 몸이 지쳐 몸살이 나서 넘어졌다. 열이 몹시 나서 정신없이 앓으면서도 귀동이(서울서 강화 사람에게 준 큰 계집애)를 부르고 늘 울었다.

"귀동아, 귀동아, 어델 갔니? 잘 있니……."

그러다가는 흐득흐득 느끼면서,

"그렇게 먹고 싶어 하는 사탕 한 알 못 사 주고 연시 한 개 못 사 주고……." 하고 소리를 내어 어이어이 운다.

그럴 때에 어멈의 편지가 왔다. 뒷집 기와집 진사댁 서방님이 읽어 주는 편지 사연을 듣고,

"아이구, 옥분아(작은 계집애 이름), 옥분이 에미!"

하고 또 어이어이 운다. 울다가 펄떡 일어나서 서울서 넝마전에서 사 입고 간 새 옷을 입고 갓을 썼다. 집안사람들이 굳이 말리는 것을 뿌리치고 화수분은 서울을 향하여 어멈을 데리러 떠났다. 싸리문 밖에를 나가 화수분은 나는 듯이 달아났다.

화수분은 양평서 오정이 거의 되어서 떠나서, 해 져 갈 즈음에서 100리를 거

---

13 천거하다 어떤 일을 맡아 할 수 있는 사람을 그 자리에 쓰도록 소개하거나 추천하다.

의 와서 어떤 높은 고개에 올라섰다. 칼날 같은 바람이 뺨을 친다. 그는 고개를 숙여 앞을 내려다보다가, 소나무 밑에 희끄무레한 사람의 모양을 보았다. 그것을 곧 달려가 보았다. 가 본즉 그것은 옥분과 그의 어머니다. 나무 밑 눈 위에 나뭇가지를 깔고, 어린것 업는 헌 누더기를 쓰고 한끝으로 어린것을 꼭 안아 가지고 웅크리고 떨고 있다. 화수분은 왁 달려들어 안았다. 어멈은 눈은 떴으나 말은 못 한다. 화수분도 말을 못 한다. 어린것을 가운데 두고 그냥 껴안고 밤을 지낸 모양이다.

이튿날 아침에 나무장수가 지나다가, 그 고개에 젊은 남녀의 껴안은 시체와, 그 가운데 아직 막 자다 깬 어린애가 등에 따뜻한 햇볕을 받고 앉아서, 시체를 툭툭 치고 있는 것을 발견하여 어린것만 소에 싣고 갔다.

(1925년)

달밤

이태준

이태준 (1904~?)

이태준은 1904년 강원도 철원에서 태어나, 1925년에 단편 소설 〈오몽녀〉를 발표하며 문단에 나왔다. 그의 작품은 간결하고 치밀한 문장으로 일제 강점기 아래 하층민의 삶과 지식인의 고뇌를 빼어나게 그려 낸 것으로 평가받는다. 소설과 동화, 수필 등을 두루 발표했다. 그러나 월북한 뒤의 정확한 행적은 알려진 바 없다. 대표작으로 소설집 《달밤》 《해방 전후》 《까마귀》 《돌다리》, 수필집 《무서록》, 문장론 《문장강화》 등이 있다.

•

　•

　　성북동(城北洞)으로 이사 나와서 한 대엿새 되었을까, 그날 밤 나는 보던 신문을 머리맡에 밀어 던지고 누워 새삼스럽게,

　　"여기도 정말 시골이로군!"

하였다.

　　무어 바깥이 컴컴한 걸 처음 보고 시냇물 소리와 쏴- 하는 솔바람 소리를 처음 들어서가 아니라 황수건이라는 사람을 이날 저녁에 처음 보았기 때문이다.

　　그는 말 몇 마디 사귀지 않아서 곧 못난이란 것이 드러났다. 이 못난이는 성북동의 산들보다 물들보다, 조그만 지름길들보다, 더 나에게 성북동이 시골이란 느낌을 풍겨 주었다.

　　서울이라고 못난이가 없을 리야 없겠지만 대처[1]에서는 못난이들이 거리에 나와 행세를 하지 못하고, 시골에선 아무리 못난이라도 마음 놓고 나와 다니는 때문인지, 못난이는 시골에만 있는 것처럼 흔히 시골에서 잘 눈에 뜨인다. 그리고 또 흔히 그는 태고 때 사람처럼 그 우둔하면서도 천진스러운 눈을 가지고, 자기 동리에 처음 들어서는 손[2]에게 가장 순박한 시골의 정취를 돋워 주는 것이다.

　　그런데 그날 밤 황수건이는 10시나 되어서 우리 집을 찾아왔다.

　　그는 어두운 마당에서 꽥 지르는 소리로,

　　"아, 이 댁이 문안[3]서……."

1　대처(大處) 사람이 많이 살고 상공업이 발달한 번잡한 지역.
2　손　다른 곳에서 찾아온 사람. '손님'의 예사말.
3　문안　사대문 안. 구 서울의 중심지.

하면서 들어섰다. 잡담 제하고 큰일이나 난 사람처럼 건넌방 문 앞으로 달려들더니,

"저, 저 문안 서대문 거리라나요, 어디선가 나오신 댁입쇼?"

한다.

보니 '합비"'는 안 입었으되 신문을 들고 온 것이 신문 배달부다.

"그렇소, 신문이오?"

"아, 그런 걸 사흘이나 저, 저 건너 쪽에만 가 찾았습죠. 제기……"

하더니 신문을 방에 들여뜨리며,

"그런뎁쇼, 왜 이렇게 죄꼬만 집을 사구 와 곕쇼. 아, 내가 알았더면 이 아래 큰 개와집도 많은걸입쇼……"

한다. 하 말이 황당스러 유심히 그의 생김을 내다보니 눈에 얼른 두드러지는 것이 빡빡 깎은 머리로되 보통 크다는 정도 이상으로 골이 크다. 그런 데다 옆으로 보니 장구대가리다.

"그렇소? 아무튼 집 찾노라고 수고했소."

하니 그는 큰 눈과 큰 입이 일시에 히죽거리며,

"뭘입쇼, 이게 제 업인뎁쇼."

하고 날래 물러서지 않고 목을 길게 빼어 방 안을 살핀다. 그러더니 묻지도 않는데,

"저는입쇼, 이 동네 사는 황수건이라 합니다……"

하고 인사를 붙인다. 나도 깍듯이 내 성명을 대었다. 그는 또 싱글벙글하면서,

"댁엔 개가 없구먼입쇼."

한다.

"아직 없소."

하니,

---

4 합비 인력거꾼이나 신문 배달부 등이 입던 옷옷. 등판이나 깃에 상호가 찍혀 있으며, 앞이 터져 있다.

"개 그까짓 거 두지 마십쇼."

한다.

"왜 그렇소?"

물으니 그는 얼른 대답하는 말이,

"신문 보는 집엔입쇼, 개를 두지 말아야 합니다."

한다. 이것 재미있는 말이다 하고 나는,

"왜 그렇소?"

하고 또 물었다.

"아, 이 뒷동네 은행소에 댕기는 집엔입쇼, 망아지만 한 개가 있는뎁쇼, 아, 신
문을 배달할 수가 있어얍죠."

"왜?"

"막 깨물랴고 덤비는걸입쇼."

한다. 말 같지 않아서 나는 웃기만 하니 그는 더욱 신을 낸다.

"그눔의 개, 그저 한번, 양떡[5]을 멕여 대야 할 텐데……."

하면서 주먹을 부르대는데 보니, 손과 팔목은 머리에 비기어 반비례로 작고 가
느다랗다.

"어서 곤할 텐데 가 자시오."

하니 그는 마지못해 물러서며,

"선생님, 참 이 선생님 편안히 주뭅쇼. 저희 집은 여기서 얼마 안 되는걸
입쇼."

하더니 돌아갔다.

그는 이튿날 저녁, 집을 알고 오는데도 9시가 지나서야,

"신문 배달해 왔습니다."

---

5 양떡 '남에게 뺨을 얻어맞는 것'을 이르는 말.

하고 소리를 치며 들어섰다.

"오늘은 왜 늦었소?"

물으니

"자연 그럽죠."

하고 다른 이야기를 꺼냈다.

자기는 워낙 이 아래 있는 삼산학교에서 일을 보다 어떤 선생하고 뜻이 덜 맞아 나왔다는 것, 지금은 신문 배달을 하나 원배달이 아니라 보조 배달이라는 것, 저의 집엔 양친과 형님 내외와 조카 하나와 저의 내외까지 식구가 일곱이란 것, 저의 아버지와 저의 형님의 이름은 무엇 무엇이며, 자기 이름은 황가인 데다가 목숨 수 자하고 세울 건 자로 황수건이기 때문에 아이들이 노랑 수건이라고 놀리어서 성북동에서는 가가호호[6]에서 노랑 수건 하면, 다 자긴 줄 알리라고 자랑스럽게 이야기하다가 이날도,

"어서 그만 다른 집에도 신문을 갖다줘야 하지 않소?"

하니까 그때서야[7] 마지못해 나갔다.

우리 집에서는 그까짓 반편[8]과 무얼 대꾸를 해 가지고 그러느냐 하되, 나는 그와 지껄이기가 좋았다.

그는 아무것도 아닌 것을 가지고 열심스럽게 이야기하는 것이 좋았고, 그와는 아무리 오래 지껄이어도 힘이 들지 않고, 또 아무리 오래 지껄이고 나도 웃음 밖에는 남는 것이 없어 기분이 거든해지는 것도 좋았다. 그래서 나는 무슨 일을 하는 중만 아니면 한참씩 그의 말을 받아 주었다.

어떤 날은 서로 말이 막히기도 했다. 대답이 막히는 것이 아니라 무슨 말을 해야 할까 하고 막히었다. 그러나 그는 늘 나보다 빠르게 이야깃거리를 잘 찾아

---

6 가가호호(家家戸戸) 한 집 한 집마다.
7 그때서야 '그제야'의 잘못.
8 반편(半偏) 지능이 보통 사람보다 모자라는 사람을 낮잡아 이르는 말.

냈다. 오뉴월인데도 "꿩고기를 잘 먹느냐?"고도 묻고 "양복은 저고리를 먼저 입느냐, 바지를 먼저 입느냐?"고도 묻고 "소와 말과 싸움을 붙이면 어느 것이 이기겠느냐?"는 등, 아무튼 그가 얘깃거리를 취재하는 방면은 기상천외로 여간 범위가 넓지 않은 데는 도저히 당할 수가 없었다. 하루는 내가 "평생소원이 무엇이냐?"고 그에게 물어보았다. 그는 "그까짓 것쯤 얼른 대답하기는 누워서 떡 먹기."라고 하면서 평생소원은 자기도 원배달이 한번 되었으면 좋겠다는 것이었다.

남이 혼자 배달하기 힘들어서 한 20부 떼어 주는 것을 배달하고, 월급이라고 원배달에게서 한 3원 받는 터이라 월급을 20여 원을 받고, 신문사 옷을 입고, 방울을 차고 다니는 원배달이 제일 부럽노라 하였다. 그리고 방울만 차면 자기도 뛰어다니며 빨리 돌 뿐 아니라 그 은행소에 다니는 집 개도 조금도 무서울 것이 없겠노라 하였다.

그래서 나는 "그럴 것 없이 아주 신문사 사장쯤 되었으면 원배달도 바랄 것 없고 그 은행소에 다니는 집 개도 상관할 배 없지 않겠느냐?" 한즉 그는 뚱그레지는 눈알을 한참 굴리며 생각하더니 "딴은 그렇겠다."고 하면서, 자기는 경난[9]이 없어 거기까지는 바랄 생각도 못하였다고 무릎을 치듯 가슴을 쳤다.

그러나 신문 사장은 이내 잊어버리고 원배달만 마음에 박혔던 듯, 하루는 바깥마당에서부터 무어라고 떠들어 대며 들어왔다.

"이 선생님? 이 선생님 곕쇼? 아, 저도 내일부턴 원배달이올시다. 오늘 밤만 자면입쇼……."

한다. 자세히 물어보니 성북동이 따로 한 구역이 되었는데, 자기가 맡게 되었으니까 내일은 배달복을 입고 방울을 막 떨렁거리면서 올 테니 보라고 한다. 그리고 "사람이란 게 그리게 무어든지 끝을 바라고 붙들어야 한다."고 나에게 일러주면서 신이 나서 돌아갔다. 우리도 그가 원배달이 된 것이 좋은 친구가 큰 출세

---

9 경난 '경황(정신적·시간적인 여유나 형편)'의 잘못.

나 하는 것처럼 마음속으로 진실로 즐거웠다. 어서 내일 저녁에 그가 배달복을
입고 방울을 차고 와서 쭐럭거리는 것을 보리라 하였다.

　　그러나 이튿날 그는 오지 않았다. 밤이 늦도록 신문도 그도 오지 않았다. 그다
음 날도 신문도 그도 오지 않다가 사흘째 되는 날에야, 이날은 해도 지기 전인데
방울 소리가 요란스럽게 우리 집으로 뛰어들었다.

　　'어디 보자!'

하고 나는 방에서 뛰어나갔다.

　　그러나 웬일일까 정말 배달복에 방울을 차고 신문을 들고 들어서는 사람은
황수건이가 아니라 처음 보는 사람이다.

　　"왜 전엣사람은 어디 가고 당신이오?"

물으니 그는,

　　"제가 성북동을 맡았습니다."

한다.

　　"그럼, 전엣사람은 어디를 맡았소?"

하니 그는 픽 웃으며,

　　"그까짓 반편을 어디 맡깁니까? 배달부로 쓸랴다가 똑똑치가 못하니까 안 쓰
고 말았나 봅니다."

한다.

　　"그럼 보조 배달도 떨어졌소?"

하니,

　　"그럼요, 여기가 따루 한 구역이 된걸이오."

하면서 방울을 울리며 나갔다.

　　이렇게 되었으니 황수건이가 우리 집에 올 길은 없어지고 말았다. 나도 가끔
문안엔 다니지만 그의 집은 내가 다니는 길 옆은 아닌 듯 길가에서도 잘 보이지

않았다.

나는 가까운 친구를 먼 곳에 보낸 것처럼, 아니 친구가 큰 사업에나 실패하는 것을 보는 것처럼, 못 만나는 섭섭뿐이 아니라 마음이 아프기도 하였다. 그 당자[10]와 함께 세상의 야박함이 원망스럽기도 하였다.

한데 황수건은 그의 말대로 노랑 수건이라면 온 동네에서 유명은 하였다. 노랑 수건 하면 누구나 성북동에서 오래 산 사람이면 먼저 웃고 대답하는 것을 나는 차츰 알았다.

내가 잠깐씩 며칠 보기에도 그랬거니와 그에겐 우스운 일화도 한두 가지가 아니었다.

삼산학교에 급사로 있을 시대에 삼산학교에다 남겨 놓고 나온 일화도 여러 가지라는데, 그중에 두어 가지를 동네 사람들의 말대로 옮겨 보면, 역시 그때부터도 이야기하기를 대단 즐기어 선생들이 교실에 들어간 새, 손님이 오면 으레 손님을 앉히고는 자기도 걸상을 갖다 떡 마주 놓고 앉는 것은 무론, 마주 앉아서는 곧 자기류의 만담 삼매[11]로 빠지는 것인데 한번은 도 학무국에서 시학관[12]이 나온 것을 이따위로 대접하였다. 일본 말은 못하니까 만담은 할 수 없고 마주 앉아서 자꾸 일본 말을 연습하였다.

"센세이 히, 오하요고자이마쓰까?[13]…… 히히 아메가 후리마쓰.[14] 유끼가 후리마쓰까?[15] 히히……."

시학관도 인정이라 처음엔 웃었다. 그러나 열 번 스무 번을 되풀이하는 데는 성이 나고 말았다. 선생들은 아무리 기다려도 종소리가 나지 않으니까, 한 선생

---

10 당자(當者) 바로 그 사람.
11 삼매(三昧) 잡념을 떠나서 오직 하나의 대상에만 정신을 집중하는 경지.
12 시학관(視學官) 일제 강점기에, 학무국에 속하여 관내(管內)의 학사 시찰을 맡아보던 고등관.
13 센세이 히, 오하요고자이마쓰까? 일본 말로 '선생님, 안녕하십니까?'라는 뜻이다.
14 아메가 후리마쓰 일본 말로 '비가 옵니다.'라는 뜻이다.
15 유끼가 후리마쓰까? 일본 말로 '눈이 옵니까?'라는 뜻이다.

이 나와 보니 종 칠 것도 잊어버리고 손님과 마주 앉아서 "오하요, 유끼가 후리마쓰까……." 하는 판이다.

그날 수건이는 선생들에게 단단히 몰리고 다시는 안 그러겠노라고 했으나, 그 버릇을 고치지 못해서 그예 쫓겨 나오고 만 것이다.

그는,

"너의 색시 달아난다."

하는 말을 제일 무서워했다 한다. 한번은 어느 선생이 장난엣말로,

"요즘 같은 따뜻한 봄날엔 옛날부터 색시들이 달아나기를 좋아하는데 어제도 저 아랫말에서 둘이나 달아났다니까 오늘은 이 동네에서 꼭 달아나는 색시가 있을걸……."

했더니 수건이는 점심을 먹다 말고 눈이 휘둥그레졌다 한다. 그리고 그날 오후에는 어서 바삐 하학[16]을 시키고 집으로 갈 양으로 50분 만에 치는 종을 20분 만에, 30분 만에 함부로 다가서 쳤다는 이야기도 있다.

하루는 나는 거의 그를 잊어버리고 있을 때,

"이 선생님 곕쇼?"

하고 수건이가 찾아왔다. 반가웠다.

"선생님, 요즘 신문이 걸르지 않고 잘 옵쇼?"

하고 그는 배달 감독이나 되어 온 듯이 묻는다.

"잘 오, 왜 그류?"

한즉 또,

"늦지도 않굽쇼, 일즉이 제때마다 꼭꼭 옵죠?"

한다.

"당신이 돌릴 때보다 세 시간은 일즉이 오고 날마다 꼭꼭 잘 오."

---

16 하학(下學) 학교에서 그날의 수업을 마침.

하니 그는 머리를 벅적벅적 긁으면서,

"하루라도 걸르기만 해라, 신문사에 가서 대뜸 일러바치지……."

하고 그 빈약한 주먹을 부르댄다.

"그런뎁쇼, 선생님?"

"왜 그류?"

"삼산학교에 말씀예요. 그 제 대신 들어온 급사가 저보다 근력이 세게 생겼습죠?"

"나는 그 사람을 보지 못해서 모르겠소."

하니 그는 은근한 말소리로 히죽거리며,

"제가 거길 또 들어가 볼랴굽쇼, 운동을 합죠."

한다.

"어떻게 운동을 하오?"

"그까짓 거 날마다 사무실로 갑죠. 다시 써 달라고 졸라 댑죠. 아 그랬더니 새 급사란 녀석이 저보다 크기도 무척 큰뎁쇼, 이 녀석이 막 불근댑니다그려. 그래 한번 쌈을 해야 할 턴뎁쇼, 그 녀석이 근력이 얼마나 센지 알아야 댐벼들 턴뎁쇼……. 허."

"그렇지, 멋모르고 대들었다 매만 맞지."

하니 그는 한 걸음 다가서며 또 은근한 말을 한다.

"그래섭죠, 엊저녁엔 큰 돌멩이 하나를 굴려다 삼산학교 대문에다 났습죠. 그리구 오늘 아침에 가 보니깐 없어졌는뎁쇼. 이 녀석이 나처럼 억지루 굴려다 버렸는지, 뻔쩍 들어다 버렸는지 그만 못 봤거든입쇼, 제-길……."

하고 머리를 긁는다. 그러더니 갑자기 무얼 생각한 듯 손뼉을 탁 치더니,

"그런뎁쇼, 제가 온 건입쇼, 댁에선 우두[17]를 넣지 마시라구 왔습죠."

---

17 우두(牛痘) 천연두를 예방하기 위하여 소에서 뽑은 면역 물질.

한다.

"우두를 왜 넣지 말란 말이오?"

한즉,

"요즘 마마[18]가 다닌다구 모두 우두들을 넣는뎁쇼, 우두를 넣으면 사람이 근력이 없어지는 법인뎁쇼."

하고 자기 팔을 걷어 올려 우두 자리를 보이면서,

"이걸 봅쇼. 저두 우두를 이렇게 넣었기 때문에 근력이 줄었습죠."

한다.

"우두를 넣으면 근력이 준다고 누가 그럽디까?"

물으니 그는 싱글거리며,

"아, 제가 생각해 냈습죠."

한다.

"왜 그렇소?"

하고 캐니,

"뭘…… 저 아래 윤금보라고 있는데 기운이 장산뎁쇼. 아 삼산학교 그 녀석두 우두만 넣었다면 그까짓 것 무서울 것 없는뎁쇼, 그걸 모르겠거든입쇼……."

한다. 나는,

"그렇게 용한 생각을 하고 일러 주러 왔으니 아주 고맙소."

하였다. 그는 좋아서 벙긋거리며 머리를 긁었다.

"그래 삼산학교에 다시 들기만 기다리고 있소?"

물으니 그는,

"돈만 있으면 그까짓 거 누가 '고쓰까이'[19] 노릇을 합쇼. 밑천만 있으면 삼산학

---

18 마마 '천연두'를 일상적으로 이르는 말.
19 고쓰까이(こづかい) 원래 일본어 발음은 '고즈까이'이다. 관청이나 회사, 학교, 가게 따위에서 잔심부름을 시키기 위하여 고용한 소사로, 여기서는 학교에서 잔심부름을 하는 사환을 말함.

교 앞에 가서 뻐젓이 장사를 할 턴뎁쇼."

한다.

"무슨 장사?"

"아, 방학 될 때까지 차미[20] 장사도 하굽쇼, 가을부턴 군밤 장사, 왜떡[21] 장사, 습자지, 도화지 장사 막 합죠. 삼산학교 학생들이 저를 어떻게 좋아하겝쇼. 저를 선생들보다 낫게 치는뎁쇼."

한다.

나는 그날 그에게 돈 3원을 주었다. 그의 말대로 삼산학교 앞에 가서 뻐젓이 참외 장사라도 해 보라고. 그리고 돈은 남지 못하면 돌려 오지 않아도 좋다 하였다.

그는 3원 돈에 덩실덩실 춤을 추다시피 뛰어나갔다. 그리고 그 이튿날,

"선생님 잡수시라굽쇼."

하고 나 없는 때 참외 세 개를 갖다 두고 갔다.

그러고는 온 여름 동안 그는 우리 집에 얼른하지[22] 않았다.

들으니 참외 장사를 해 보긴 했는데 이내 장마가 들어 밑천만 까먹었고, 또 그까짓 것보다 한 가지 놀라운 소식은 그의 아내가 달아났단 것이다. 저희끼리 금슬은 괜찮았건만 동세[23]가 못 견디게 굴어 달아난 것이라 한다. 남편만 남 같으면 따로 살림 나는 날이나 기다리고 살 것이나 평생 동세 밑에 살아야 할 신세를 생각하고 달아난 것이라 한다.

그런데 요 며칠 전이었다. 밤인데 달포[24] 만에 수건이가 우리 집을 찾아왔다. 웬 포도를 큰 것으로 대여섯 송이를 종이에 싸지도 않고 맨손에 들고 들어왔다. 그는 벙긋거리며,

---

20 차미 '참외'의 방언.
21 왜떡 밀가루나 쌀가루를 반죽하여 얇게 늘여서 구운 과자.
22 얼른하다 얼씬하다. 눈앞에 잠깐 나타났다 없어지다.
23 동세 '동서'의 방언.
24 달포 한 달이 조금 넘는 기간.

"선생님 잡수라고 사 왔습죠."

하는 때였다. 웬 사람 하나가 날쌔게 그의 뒤를 따라 들어오더니 다짜고짜로 수건이의 멱살을 움켜쥐고 끌고 나갔다. 수건이는 그 우둔한 얼굴이 새하얗게 질리며 꼼짝 못 하고 끌려 나갔다.

나는 수건이가 포도원에서 포도를 훔쳐 온 것을 직각하였다[25]. 쫓아 나가 매를 말리고 포도값을 물어 주었다. 포도값을 물어 주고 보니 수건이는 어느 틈에 사라지고 보이지 않았다.

나는 그 다섯 송이의 포도를 탁자 위에 얹어 놓고 오래 바라보며 아껴 먹었다. 그의 은근한 순정의 열매를 먹듯 한 알을 가지고도 오래 입안에 굴려 보며 먹었다.

어제다. 문안에 들어갔다 늦어서 나오는데 불빛 없는 성북동 길 위에는 밝은 달빛이 깁을 깐 듯하였다.

그런데 포도원께를 올라오노라니까 누가 맑지도 못한 목청으로,

"사……게……와 나……미다까 다메이……끼……까[26]……."

를 부르며 큰길이 좁다는 듯이 휘적거리며 내려왔다. 보니까 수건이 같았다. 나는,

"수건인가?"

하고 아는 체하려다 그가 나를 보면 무안해할 일이 있는 것을 생각하고, 휙 길 아래로 내려서 나무 그늘에 몸을 감추었다.

그는 길은 보지도 않고 달만 쳐다보며, 노래는 이 이상은 외우지도 못하는 듯 첫 줄 한 줄만 되풀이하면서 전에는 본 적이 없었는데 담배를 다 픽픽 빨면서

---

25 직각하다 보거나 듣는 즉시 곧바로 깨닫다.
26 사게와 나미다까 다메이끼까 일본 말로 '술은 눈물이런가 한숨이런가.'라는 뜻이다.

지나갔다.

달밤은 그에게도 유감한 듯하였다.

(1933년)

광화사

김동인

김동인 (1900~1951)

평안남도 평양에서 태어났다. 김동인은 간결한 문장으로 1920~1930년대 소설 문장을 혁신한 소설가로서, 부유한 환경에서 여유롭게 생활하며 해외의 선진 문물을 두루 접한 덕분에 동시대 다른 작가들에 비해 예술과 미에 대한 관심을 꾸준히 키워 갈 수 있었다. 완벽한 미인의 그림에 집착하는 화공의 이야기를 담은 〈광화사〉는 김동인의 미와 예술에 대한 열망을 표현한 작품으로 알려져 있다. 이 작품 외에도 천재적이고 광기 어린 작곡가의 이야기를 그린 〈광염 소나타〉, 가난으로 인한 순수성의 타락을 그린 〈감자〉, 의심과 오해의 이야기를 담은 〈배따라기〉 등 예술 및 인간의 본질을 그려 내는 작품을 다수 썼다.

인왕(仁王).

바위 위에 잔솔이 서고 아래는 이끼가 빛을 자랑한다.

굽어보니 바위 아래는 몇 포기 난초가 노란 꽃을 벌리고 있다. 바위에 부딪치는 잔바람에 너울거리는 난초 잎.

여(余)[1]는 허리를 굽히고 스틱으로 아래를 휘저어 보았다. 그러나 아직 난초에서는 사오 척의 거리가 있다. 눈을 옮기면 계곡.

전면이 소나무의 잎으로 덮인 계곡이다. 틈틈이는 철색(鐵色)의 바위도 보이기도 하나 나무 밑의 땅은 볼 길이 없다. 만약 그 자리에 한번 넘어지면 소나무의 잎 위로 굴러서 저편 어디인지 모를 골짜기까지 떨어질 듯하다.

여의 등 뒤에도 23장(丈)이 넘는 바위다. 그 바위에 올라서면 무학(舞鶴)재로 통한 커다란 골짜기가 나타날 것이다. 여의 발 아래도 장여(丈餘)[2]의 바위다.

아래는 몇 포기 난초, 또 그 아래는 두세 그루의 잔솔[3], 잔솔 넘어서는 또 바위, 바위 위에는 도라지꽃. 그 바위 아래로부터는 가파른 계곡이다.

그 계곡이 끝나는 곳에는 소나무 위로 비로소 경성 시가의 한편 모퉁이가 보인다. 길에는 자동차의 왕래도 가막하게 보이기는 한다. 여전한 분요(紛擾)[4]와 소란의 세계는 그곳에 역시 전개되어 있기는 할 것이다.

그러나 여가 지금 서 있는 곳은 심산이다. 심산이 가져야 할 온갖 조건을 구

---

1 여 '나'를 문어적으로 이르는 말.
2 장여 한 길 남짓한 길이. '길'은 길이의 단위로, 약 2.4미터 또는 3미터에 해당한다.
3 잔솔 어린 소나무. 치송(稚松).
4 분요 어수선하고 소란스러움.

비하였다.

바람이 있고 암굴이 있고 산초 산화가 있고 계곡이 있고 생물이 있고 절벽이 있고 난송(亂松)이 있고— 말하자면 심산이 가져야 할 유수미(幽邃味)[5]를 다 구비하였다.

본시는 이 도회는 심산 중의 한 계곡이었다. 그것을 500년간을 닦고 갈고 지어서 오늘날의 경성부를 이룬 것이다.

이러한 협곡에 국도(國都)[6]를 창건한 이태조의 본의가 어디 있었는지는 알 길이 없다. 그러나 오늘날의 한 산보객의 자리에서 보자면 서울은 세계에 유례가 없는 미도(美都)일 것이다.

도회에 거주하며 식후의 산보로서 풀대님[7] 채로 이러한 유수한 심산에 들어갈 수 있다는 점으로 보아서 서울에 비길 도회가 세계에 어디 다시 있으랴.

회흑색(灰黑色)의 지붕 아래 고요히 누워 있는 500년의 도시를 눈 아래 굽어보는 여의 사위에는 온갖 고산 식물이 난성(亂盛)하고[8], 계곡에 흐르는 물소리와 눈 아래 날아드는 기조(奇鳥)[9]들은 완연히 여로 하여금 등산객의 정취를 느끼게 한다.

여는 스틱을 바위 틈에 꽂아 놓았다. 그리고 굴러떨어지기를 면키 위하여 바위와 잔솔의 새에 자리 잡고 비스듬히 앉았다. 담배를 피우고 싶었으나 잠시의 산보로 여기고 담배도 안 가지고 나온 발이 더듬더듬 여기까지 미쳤으므로 담배도 없다.

시야의 한 편에는 이삼 장의 바위, 다른 한편에는 푸르른 하늘, 그 끝으로는 솔잎이 서너 개 어렴풋이 보인다. 그윽이 코로 몰려 들어오는 송진 냄새. 소나무

5 유수미 깊고 그윽한 맛.
6 국도 나라의 도읍. 수도.
7 풀대님 한복 바지나 고의를 입고 대님을 매지 않은 채 그대로 터놓는 일.
8 난성하다 자유롭게 자라다.
9 기조 일상적으로 보기 힘든 낯선 야생의 새.

에 불리는 바람 소리.

유수키 짝이 없다. 여가 지금 앉아 있는 자리는 개벽 이래로 과연 몇 사람이나 밟아 보았을까. 이 바위 생긴 이래로 혹은 여가 맨 처음 발 대어 본 것이 아닐까. 아까 바위를 기어서 이곳까지 올라오느라고 애쓰던 그런 맹랑한 노력을 해 본 바보가 여 이외에 몇 사람이나 있었을까. 그런 모험을 맛보기 위하여 심산을 찾는 용사는 많을 것이로되 결사적 인왕 등산을 한 사람은 그리 많으리라고 생각되지 않는다.

등 뒤 바위에는 암굴이 있다.

뱀이라도 있을까 무서워서 들어가 보지는 않았지만 스틱으로 휘저어 본 결과로 두세 사람은 넉넉히 들어가 앉아 있음직하다.

이 암굴은 무엇에 이용할 수가 없을까.

음모(陰謀)의 도시 한양은 그새 500년간 별별 음흉한 사건이 연출되었다. 시가 끝에서 반 시간 미만에 넉넉히 올 수 있는 이런 가까운 거리에 뚫린 암굴은, 있는 줄 알기만 하였으면 혹은 음모에 이용되지 않았을까.

공상!

유수한 맛에 젖어 있던 여는 이 암굴 때문에 차차 불쾌한 공상에 빠지기 시작하려 한다.

온갖 음모, 그 뒤를 잇는 살육, 모함, 방축(放逐)[10], 이조 500년간의 추악한 모양이 여로 하여금 불쾌한 공상에 빠지게 하려 한다.

여는 황망히 이런 불쾌한 공상에서 벗어나려고 또 주머니에 담배를 뒤적였다. 그러나 담배는 여전히 있을 까닭이 없었다.

---

10 방축 자리에서 쫓아냄.

다시 눈을 들어서 안하를 굽어보면 일면에 깔린 송초(松梢)[11]!

반짝!

보매 한 줄기의 샘이다. 소나무 틈으로 보이는 그 샘은 아마 바위틈을 흐르는 샘물인 듯. 똘똘똘똘 들리는 것은 아마 바람 소리겠지. 저렇듯 멀리 아래 있는 샘의 소리가 이곳까지 들릴 리가 없다.

샘물!

저 샘물을 두고 한 개 이야기를 꾸며 볼 수가 없을까. 흐르는 모양도 아름답거니와 흐르는 소리도 아름답고 그 맛도 아름다운 샘물을 두고 한 개 재미있는 이야기가 여의 머리에 생겨나지 않을까. 암굴을 두고 생겨나려던 음모 살육의 불쾌한 공상보다 좀 더 아름다운 다른 이야기가 꾸며지지 않을까.

여는 바위틈에 꽂았던 스틱을 도로 뽑았다. 그 스틱으로써 여의 발 아래 바위를 가볍게 두드리면서 한 개 이야기를 꾸며 보았다.

한 화공(畫工)이 있다.

화공의 이름은? 지어내기가 귀찮으니 신라 때의 화성(畫聖)[12]의 이름을 차용하여 솔거(率居)라 해 두자.

시대는?

시대는 이 안하에 보이는 도시가 가장 활기 있고 아름답던 시절인 세종 성주의 대쯤으로 해 둘까.

백악이 흘러내리다가 맺힌 곳. 거기는 한양의 정기를 한 몸에 지닌 경복궁 대

---

11 송초 소나무 가지.
12 화성 매우 뛰어난 화가를 높여 이르는 말.

궐이 있다. 이 대궐의 북문인 신무문(神武門) 밖 우거진 뽕밭 새에 한 중로(中老)[13]의 사나이가 오뇌[14]스러운 얼굴을 하고 숨어 있다.

화공 솔거였다.

무르익은 여름 뜨거운 볕은 뽕잎이 가려 준다 하나 훈훈한 기운은 머리 위 뽕잎과 땅에서 우러나서 꽤 무더운 이 뽕밭 속에 숨어 있는 화공. 자그마한 보따리에는 점심까지 싸 가지고 온 것으로 보아서 저녁까지 이곳에 있을 셈인 모양이다.

그러나 무얼 하는지. 단지 땀을 평평 흘리며 오뇌스러운 얼굴로 앉아 있을 뿐이다.

왕후 친잠[15](王后親蠶)에 쓰이는 이 뽕밭은 잡인들이 다니지 못할 곳이다. 하루 종일을 사람의 그림자 하나 얼씬하지 않는다.

때때로 바람이 우수수하니 뽕나무 위로 불기는 하나 솔거가 숨어 있는 곳에는 한 점의 바람도 들어오지 않는다. 이 무더운 속에 솔거는 바람이 불 적마다 몸을 흠칫흠칫 놀라며 그러면서도 무엇을 기다리는 듯이 뽕나무 그루 아래로 저편 앞을 주시하곤 한다.

이윽고 석양이 무악을 넘고 이 도시도 황혼이 들었다.

날이 어둡기를 기다려서 이 화공은 몸을 숨겨 가지고 거기서 나왔다.

"오늘은 헛길. 내일이나 다시 볼까."

한숨을 쉬면서 제 오막살이를 찾아 돌아가는 화공. 날이 벌써 꽤 어두웠지만 그래도 아직 저녁빛이 약간 남은 곳에 내놓은 이 화공은 세상에 보기 드문 추악한 얼굴의 주인이었다. 코가 질병 자루[16] 같다. 눈이 퉁방울[17] 같다. 귀가 박죽[18]

---

13 중로 젊지도 아니하고 아주 늙지도 아니한 사람. 중늙은이.
14 오뇌(懊惱) 뉘우쳐 한탄하고 번뇌함.
15 친잠 양잠을 장려하기 위하여 왕비가 몸소 누에를 치던 일.
16 질병 자루 진흙으로 만든 병의 자루.
17 퉁방울 품질이 낮은 놋쇠로 만든 방울.
18 박죽 '밥주걱'의 방언.

같다. 입이 나발통[19] 같다. 얼굴이 두꺼비 같다. 소위 추한 얼굴을 형용하는 온갖 형용사를 한 얼굴에 지닌 흉한 얼굴의 주인으로서 그 얼굴이 또한 굉장히도 커서 멀리서 볼지라도 그 존재가 완연하리만[20] 하다.

이 얼굴을 가지고는 백주[21]에는 나다니기가 스스로 부끄러울 것이다.

아닌 게 아니라 솔거는 철이 든 아래 아직껏 백주에 사람 틈에 나다닌 일이 없었다.

일찍이 열여섯 살에 스승의 중매로써 어떤 양가 처녀와 결혼을 하였지만 그 처녀는 솔거의 얼굴을 보고 기절을 하고 기절에서 깨어나서는 그냥 집으로 도망쳐 버리고,

그다음에 또 한 번 장가를 들어 보았지만 그 색시 역시 첫날밤만 정신 모르고 치른 뒤에는 이튿날은 무서워서 죽어도 같이 못 살겠노라고 부모에게 떼를 써서 두 번째의 비극을 겪고,

이러한 두 가지의 사변을 겪고 난 뒤에는 솔거는 차차 여인이라는 것을 보기를 피해 오다가 그 괴벽이 점점 자라서 나중에는 일체[22]로 사람이란 것의 얼굴을 대하기가 싫어졌다.

사람을 피하기 위하여- 그리고 또한 일방으로는 화도(畫道)[23]에 정진하기 위하여 인가를 떠나서 백악의 숲속에 조그만 오막살이를 하나 틀고 거기 숨은 지 근 30년, 생활에 필요한 물건 혹은 그림에 필요한 물건을 구하기 위하여 부득이 거리에 나가야 할 필요가 있을 때는 반드시 밤을 택하였다. 피할 수 없이 낮에 나갈 때는 방립[24]을 쓰고 그 위에 얼굴을 베로 가렸다.

---

19 나발통 옛 관악기의 하나인 '나발'을 속되게 이르는 말.
20 완연하다 뚜렷하게 보이다.
21 백주(白晝) 대낮.
22 일체 '일절'의 잘못. '일절'은 아주, 전혀, 절대로의 뜻으로 흔히 행위를 그치게 하거나 어떤 일을 하지 않을 때 쓰는 말이다.
23 화도 그림을 그리는 올바른 도리.
24 방립 예전에, 주로 상제가 밖으로 나갈 때 쓰던 갓.

화도에 발을 들여놓은 지 근 40년, 부득이한 금욕 생활 부득이한 은둔 생활을 경영한 지 30년, 여인에게로 소모되지 못한 정력은 머리로 모이고 머리로 모인 정력은 손끝으로 뻗어서 종이에 비단에 갈겨 던진 그림이 벌써 수천 점. 처음에는 그 그림에 대하여 아무 불만도 느껴 보지 않았다.

하늘에서 타고난 천분과 스승에게서 얻은 훈련과 저축된 정력의 소산인 한 장의 그림이 생겨날 때마다 그것을 보면서 스스로 만족히 여기고 스스로 자랑스러이 여기던 그였다.

그러나 그런 과정을 밟기 20년에 차차 그의 마음에 움 돋은 불만, 그것은 어떻게 보자면 화도에는 이단적인 생각일는지도 모를 것이다.

좀 다른 것은 그릴 수가 없는가.

산이다. 바다다. 나무다. 시내다. 지팡이 잡은 노인이다. 다리다. 혹은 돛단배다. 꽃이다. 과즉[25] 달이다. 소다. 목동이다.

이 밖에 그가 아직 그려 본 것이 무엇이었던가.

유원(幽遠)한[26] 맛, 단 한 가지밖에 없는 전통적 그림보다 좀 더 다른 것을 그려 보고 싶다. 아직껏 스승에게 배운 바의 백발백염[27]의 노옹이나 피리 부는 목동 이외에 좀 더 얼굴에 움직임이 있는 사람을 그려 보고 싶다. 표정이 있는 얼굴을 그려 보고 싶다.

이리하여 재래[28]의 수법을 아낌없이 내던진 솔거는 그로부터 10년간을 사람의 표정을 그리느라고 세월을 보냈다.

그러나 사람의 세상을 멀리 떠나서 따로이 사는 이 화공에게는 사람의 표정이 기억에 까맣다.

상인들의 간특한 얼굴, 행인(行人)들의 덜 무표정한 얼굴, 새꾼[29]들의 싱거운

---

25 과즉(過則) '기껏해야'를 예스럽게 이르는 말.
26 유원하다 심오하여 아득하다.
27 백발백염 흰머리와 흰 구레나룻.
28 재래 예전부터 있어 전하여 내려옴.
29 새꾼 '나무꾼'의 방언.

얼굴. 그새 보고 지금도 대할 수 있는 얼굴은 이런 따위뿐이다. 좀 더 색채 다른 표정은 없느냐.

색채 다른 표정!
색채 다른 표정!
이 욕망이 화공의 마음에 익고 커 가는 동안 화공의 머리에 솟아오르는 몽롱한 기억이 있다.
이 화공의 어머니의 표정이다.
지금은 거의 그의 기억에서 사라졌지만 어린 시절에 자기를 품에 안고 눈물 글썽글썽한 눈으로 굽어보던 어머니의 표정이 가끔 한순간씩 그의 기억의 표면까지 뛰쳐올랐다.
그의 어머니는 희세[30]의 미녀였다. 대대로 이후의 자손의 미까지 모두 미리 빼앗았던지 세상에 드문 미인이었다.
화공은 이 미녀의 유복자[31]였다.
아비 없는 자식을 가슴에 붙안고 눈물 머금은 눈으로 굽어보던 표정.
철이 든 이래로 자기를 보는 얼굴에서는 모두 경악과 공포밖에는 발견하지 못한 이 화공에게는 40여 년 전의 어머니의 사랑의 아름다운 얼굴이 때때로 몸서리치도록 그리웠다.
그것을 그려 보고 싶었다.
커다란 눈에 그득히 담긴 눈물. 그러면서도 동경과 애무로서 빛나던 눈. 입가에 떠오르던 미소.
번개와 같이 순간적으로 심안(心眼)[32]에 나타났다가는 사라지는 이 환영을 화

---

30 희세 세상에 드묾.
31 유복자(遺腹子) 태어나기 전에 아버지를 여읜 자식.
32 심안 사물을 살펴 분별하는 능력. 또는 그런 작용.

공은 그려 보고 싶었다.

세상을 피하고 세상에서 숨어 살기 때문에 차차 비뚤어진 이 화공의 괴벽한[33] 마음에는 세상을 그리는 정열이 또한 그만치 컸다. 그리고 그것이 크면 크니만치 마음속으로 늘 울분과 분만(憤懣)[34]이 차 있었다.

지금도 세상에서는 한창 계집 사내들이 서로 부둥켜안고 좋다고 야단할 것을 생각하고는 음울한 얼굴로 화필을 뿌리는 화공.

이러한 가운데서 나날이 괴벽해 가는 이 화공은 한 개 미녀상(美女像)을 그려 보고자 노심하였다.

처음에는 단지 아름다운 표정을 가진 미녀를 그려 보고자 하였다.

그러나 미녀를 가까이 본 일이 없는 이 화공이 마음대로 되지 않는 붓끝에 역정을 내며 애쓰는 동안 차차 어느덧 미녀상에 대한 관념이 달라 갔다.

자기의 아내로서의 미녀상을 그려 보고 싶어졌다.

세상은 자기에게 아내를 주지 않는다.

보면 한 마리의 곤충 한 마리의 날짐승도 각기 짝을 찾아 즐기고 짝을 찾아 좋아하거늘 만물의 영장인 사람이 짝 없이 50년을 보냈다 하는 데 대한 분만이 일어났다.

세상 놈들은 자기에게 한 짝을 주지 않고 세상 계집들은 자기에게 오려는 자가 없이 홀몸으로 일생을 보내다가 언제 죽는지도 모르게 이 산골에서 죽어 버릴 생각을 하면 한심하기보다 도리어 이렇듯 박정한 사람의 세상이 미웠다.

세상이 주지 않는 아내를 자기는 자기의 붓끝으로 만들어서 세상을 비웃어 주리라.

---

33 괴벽하다 성격 따위가 이상야릇하고 까다롭다.
34 분만 억울하고 원통한 마음이 가득함.

이 세상에 존재한 가장 아름다운 계집보다도 더 아름다운 계집을 자기 붓끝으로 그려서 못나고도 아름다운 체하는 세상 계집들을 웃어 주리라.

덜난 계집을 아내로 맞아 가지고 천하의 절색이라 믿고 있는 사내놈들도 깔보아 주리라.

사오 명의 처첩을 거느리고 좋다구나고 춤추는 헌놈들도 굽어보아 주리라.

미녀! 미녀!

눈을 감고 생각하고 눈을 뜨고 생각하고 머리를 움켜쥐고 생각해 보나 미녀의 얼굴이 어떤 것인지 알 수가 없었다.

무론 얼굴에 철요[35]가 없고 이목구비가 제대로 놓였으면 세상 보통의 미인이라 한다. 그런 얼굴에 연지나 그리고 눈에 미소나 그려 놓으면 더 아름다워지기는 할 것이다. 이만 것은 상상의 눈으로도 볼 수가 있는 자며 붓끝으로 그릴 수도 없는 바가 아니다.

그러나 가만 어린 시절의 어머니의 얼굴을 순영적(瞬影的)[36]으로나마 기억하는 이 화공으로서는 그런 미녀로는 만족할 수가 없었다.

오뇌와 분만 중에서 흐르는 세월은 1년 또 1년 무위히 흘러간다.

미녀의 아랫동[37]이는 그려진 지 벌써 수년. 그 아랫동이 위에 올려놓일 얼굴은 어떻게 하여얄지 짐작도 가지 않았다.

화공의 오막살이 방 안에 들어서면 맞은편에 걸려 있는 한 폭 그림은 언제든 어서 목과 얼굴을 그려 주기를 기다리듯이 화공을 힐책한다.

화공은 이것을 보기가 거북하였다.

특별한 일이라도 있기 전에는 낮에 거리에 다니지를 않던 이 화공이 흔히 얼

---

35 철요(凸凹) 요철. 매끄럽지 못하게 오목하거나 볼록한 모양.
36 순영적 순식간에 나타났다 사라지는 그림자나 환영처럼.
37 아랫동 '아랫동아리(허리 아래의 부분을 속되게 이르는 말)'의 준말.

굴을 싸매고 장안을 돌아다녔다.

행여나 길에서라도 미녀를 만날까 하는 요행심으로였다. 길에서 순간적으로라도 마음에 드는 미녀를 볼 수만 있으면 그것을 머리에 똑똑히 캐치하여 그 기억으로써 화상을 그릴까 하는 요행심으로……

그러나 내외법이 심한 이 도회에서 대낮에 양가의 부녀가 얼굴을 내놓고 길을 다니지 않았다. 계집이라는 것은 하인배[38]나 하류배[39]뿐이었다.

하인배 하류배에도 때때로 미녀라 일컬을 자가 있기는 있었다. 그러나 아무리 산뜻한 미를 갖기는 했다 하나 얼굴에 흐르는 표정이 더럽고 비열하여 캐치할 만한 자가 없었다.

얼굴을 싸매고 거리로 방황하며 혹은 계집들이 많이 모이는 우물가며 저자를 비슬비슬 방황하며 어찌어찌하여 약간 예쁜 듯한 계집이라도 보이면 따라가면서 얼굴을 연구해 보고 했으나 마음에 드는 미녀를 지금껏 얻어 내지를 못하였다.

혹은 심규(深閨)[40]에는 마음에 드는 계집이라도 있을까. 심규! 심규! 한번 심규의 계집들을 모조리 눈앞에 벌여 세우고 얼굴 검사를 해 보았으면……

초조하고 성가신 가운데서 날을 보내고 날을 맞으면서 미녀를 구하던 화공은 마지막 수단으로 친잠 상원(親蠶桑園)[41]에 들어가서 채상(採桑)하는[42] 궁녀의 얼굴을 얻어 보려 하였다. 그러나 불행히도 화공의 모험도 헛길로 돌아가고 그날은 채상을 하러 오지도 않았다.

그러나 때 바야흐로 누에 시절이라 길만성 있게 기다리노라면 궁녀가 오는

---

38 하인배 하인의 무리.
39 하류배 수준 따위가 낮은 하층의 무리.
40 심규 여자가 거처하는, 깊이 들어앉은 집이나 방.
41 친잠 상원 왕비의 명령을 받고 궁녀들이 누에를 기르는 뽕나무 밭.
42 채상하다 뽕을 따다.

날도 있을 것이다. 미녀 — 아내의 얼굴을 그리려는 욕망에 열이 오르고 독이 난 이 화공은 그 이튿날도 또 뽕밭에 들어가 숨었다. 숨어 기다리지 않을 수가 없었다.

그로부터 한 달, 화공은 나날이 점심을 싸 가지고 상원으로 갔다. 그러나 저녁 때 제 오막살이로 돌아올 때는 언제든 그의 입에서는 기다란 탄식성이 나왔다.

궁녀를 못 본 바가 아니었다.

마치 여기 숨어 있는 화공에게 선보이려는 듯이 나날이 궁녀들은 번갈아 왔다. 한 떼씩 밀려와서는 옷소매 치맛자락을 펄럭이며 뽕을 따 갔다. 한 달 동안에 합계 사오십 명의 궁녀를 보았다.

모두 일률로 미녀들이었다. 그리고 길가 우물가에서 허투루 볼 수 있는 미녀들보다 고아(高雅)한[43] 얼굴에는 틀림이 없었다.

그러나 그 눈. 화공의 보는 바는 눈이었다.

그 눈에 나타난 애무와 동경이었다. 철철 넘어 흐르는 사랑이었다. 그것이 궁녀에게는 없었다. 말하자면 세상 보통의 미녀였다.

자기에게 계집을 주지 않는 고약한 세상에게 보복하는 의미로 절세의 미녀를 차지하고자 하는 이 화공의 커다란 야심으로서는 그만 따위의 미녀로 만족할 수가 없었다.

오막살이로 돌아올 때마다 그의 입에서 나오는 기다란 한숨, 이런 한숨을 쉬기 한 달—그는 다시 상원에 가지 않았다.

가을 하늘 맑고 푸르른 어떤 날이었다.

마음속에 분만과 동경을 가득히 담은 이 화공은 저녁 쌀을 씻으러 소쿠리를

---

43 고아하다 뜻이나 품격 따위가 높고 우아하다.

옆에 끼고 시내로 더듬어 갔다.

가다가 문득 발을 멈추었다.

우거진 소나무 틈으로 보이는 시냇가 바위 위에 웬 처녀가 하나 앉아 있다. 솔가지 틈으로 내리비치는 얼룩지는 석양을 받고 망연히 앉아서 흐르는 시냇물을 내려다보고 있다.

웬 처녀일까.

인가에서 꽤 떨어진 이곳. 사람의 동리보다 꽤 높은 이곳. 길도 없는 이곳 ― 아직껏 30년간을 때때로 초부나 목동의 방문은 받아 본 일이 있지만 다른 사람의 자취를 받아 보지 못한 이곳에 웬 처녀일까.

화공도 망연히 서서 바라보았다. 바라볼 동안 가슴에 차차 무거운 긴장을 느꼈다.

한 걸음 두 걸음 화공은 발소리를 감추고 나아갔다. 차차 그 상거(相距)⁴⁴가 가까워 감을 따라서 분명하여 가는 처녀의 얼굴.

화공의 얼굴에는 피가 떠올랐다.

세상에 드문 미녀였다. 나이는 열일여덟. 그 얼굴 생김이 아름답다기보다 얼굴 전면에 나타난 표정이 놀랄 만치 아름다웠다.

흐르는 시내에 눈을 부었는지 귀를 기울였는지 하여간 처녀의 온 주의력은 시내에 모여 있다. 커다랗게 뜨인 눈은 깜박일 줄도 잊은 듯이 황홀한 눈으로 시내를 굽어보고 있다.

남벽(藍碧)⁴⁵의 시냇물에는 용궁(龍宮)이 보이는가. 소나무 그루에 부딪쳐

---

44 상거 서로 떨어져 있는 거리.
45 남벽 남빛을 띤 짙은 푸른색.

서 튀어 나는 바람에 앞머리를 약간 날리면서 처녀가 굽어보고 있는 것은 무엇인가.

처녀의 공상과 정열과 환희가 한꺼번에 모인 절묘한 미소를 눈과 입에 띠고 일심불란히[46] 처녀가 굽어보는 것은 무엇인가.

아아.

화공은 드디어 발견하였다. 그새 10년간을 여항의 길거리에서 혹은 우물가에서 내지는 친잠 상원에서 발견해 보려고 애쓰다가 종내 달하지 못한 놀랄 만한 아름다운 표정을 화공은 뜻 안 한 여기서 발견하였다.

화공은 걸음을 빨리하였다. 자기의 얼굴이 얼마나 더럽게 생겼는지 이 처녀가 자기를 쳐다보면 얼마나 놀랄지 이 점을 온전히 잊고 걸음을 빨리하여 처녀의 쪽으로 갔다.

처녀는 화공의 발소리에 머리를 번쩍 들었다. 화공을 바라보았다. 그 무한히 먼 곳을 바라보는 듯한 기묘한 눈을 들어서.

"아."

가슴이 무둑하여[47] 무슨 말을 하여야 할지 망설이며 화공이 반벙어리 같은 소리를 할 때에 처녀가 먼저 입을 열었다.

"여기가 어디오니까."

여기가 어디?

"여기는 인왕 산록[48] 이름도 없는 곳이지만 너는 웬 색시냐?"

"네……."

문득 떠오르는 적적한 표정.

---

46 일심불란하다 한 가지에 마음을 집중하여 마음이 혼란스럽지 아니하다.
47 무둑하다 '무직하다'와 같은 의미로, 머리나 가슴, 팔다리 등이 무엇에 눌리는 듯이 무겁다는 뜻.
48 산록 산기슭. 산의 비탈이 끝나는 아랫부분.

"더듬더듬 시내를 따라왔습니다."

화공은 머리를 기울였다. 몸을 움직여 보았다. 무한히 먼 곳을 바라보는 듯한 처녀의 눈은 그냥 움직임 없이 커다랗게 뜨여 있기는 하지만 어디를 보는지 무엇을 보는지 알 수가 없다. 드디어 화공은 부르짖었다.

"너 앞이 보이느냐?"

"소경이올시다."

소경이었다. 눈물 머금은 소리로 하는 이 대답을 듣고 화공은 좀 더 가까이 갔다.

"앞도 못 보면서 어떻게 무얼 하려 예까지 왔느냐?"

처녀는 머리를 푹 수그렸다. 무슨 대답을 하는 듯하였으나 화공은 알아듣지 못하였다. 그러나 화공으로 하여금 적이 호기심을 잃게 한 것은 처녀의 얼굴에 아까와 같은 놀라운 매력 있는 표정이 없어진 것이었다.

그만하면 보기 드문 미인임에는 틀림이 없다. 그러나 아까 화공이 그렇듯 놀란 것은 단지 미인인 탓이 아니었다. 그 얼굴에 나타난 놀라운 매력에 끌린 것이었다.

"불쌍도 허지. 저녁도 가까워 오는데 어둡기 전에 집으로 내려가거라."

이만치 하여 화공은 처녀를 포기하려 하였다. 이 말에 처녀가 응하였다.

"어두운 것은 탓하지 않습니다마는 황혼이 매우 아름답다지요?"

"그럼. 아름답구말구."

"어떻게 아름답습니까?"

"황금빛이 서산에서 줄기줄기 비추이는구나. 거기 새빨갛게 물든 천하 - 푸르른 소나무도 남빛 바위도 검붉은 나무그루도 모두 황금빛에 잠겨서-."

"황금빛은 어떤 것이고 새빨간 빛과 붉은빛이며 남빛은 모두 어떤 빛이오니까? 밝은 세상이라지만 밝은 빛과 붉은빛이 어떻게 다릅니까? 이 산 경치가 아름답다는 소문을 듣고 더듬어 왔습니다마는 바람 소리, 돌물 소리, 귀로 들리는 소리밖에는 어디가 아름다운지 알 수가 없습니다."

차차 다시 나타나는 미묘한 표정. 커다랗게 뜨인 눈에 비치는 동경의 물결. 일단 사라졌던 아름다운 표정은 다시 생기기 비롯하였다.

화공은 드디어 처녀의 맞은편에 가 앉았다.

"이 샘 줄기를 따라 내려가면 바다가 있구 바닷속에는 용궁이 있구나. 칠색 비단을 감은 기둥과 비취를 아로새긴 댓돌⁴⁹이며 황금으로 만든 풍경. 진주로 꾸민 문설주-."

마주 앉아서 엮어 내리는 이 화공의 이야기에 각일각(刻一刻)⁵⁰ 더욱 황홀해 가는 처녀의 눈이었다. 화공은 드디어 이 처녀를 자기의 오막살이로 데리고 돌아갈 궁리를 하였다.

"내 용궁 이야기를 들려주마. 너의 집에서 걱정만 안 하실 것 같으면."

화공이 이렇게 꾀일 때에 처녀는 그의 커다란 눈을 들어서 유원히 하늘을 우러러보면서 자기네 부모는 병신 딸 따위는 없어져도 근심을 안 한다고 쾌히 화공의 뒤를 따랐다.

일사천리로 여기까지 밀려오던 여의 공상은 문득 중단되었다.

이야기를 어떻게 진전시키나?

잡념이 일어난다. 동시에 여의 귀에 들려오는 한 절의 유행가.

여는 머리를 들었다. 저편 뒤 어디 잡인들이 온 모양이다. 그 분요가 무의식중에 귀로 들어와서 여의 집중되었던 머리를 헤쳐 놓는다.

귀찮은 가사(歌師)들이여. 저주받을 가사들이여.

이 저주받을 가사들 때문에 중단된 이야기는 좀체 다시 모이지 않았다.

---

49 댓돌 집채의 낙숫물이 떨어지는 곳 안쪽으로 돌려 가며 놓은 돌.
50 각일각 시간이 가는 대로 자꾸자꾸.

그러나 결말 없는 이야기가 어디 있으랴. 되었던 결말은 지어야 할 것이 아닌가.

그러면 그 화공은 처녀를 데리고 제 오막살이로 돌아와서 용궁 이야기를 들려주면서 그동안에 처녀의 얼굴을 그대로 그려서 10년래의 숙망을 성취하였다는 결말로 맺어 버릴까?

그러나 이런 싱거운 결말이 어디 있으랴? 결말이 되기는 되었지만 이따위 결말을 짓기 위하여 그런 서두는 무의미한 것이다.

그러면?

그럼 다르게 결말을 맺어 볼까?

화공은 처녀를 제 오막살이로 데리고 돌아왔다. 그리고 처녀에게 용궁 이야기를 들려주었다. 그러나 아까 용궁 이야기로 초벌 들은 처녀는 이번은 그렇듯 큰 감흥도 느끼지 않는 모양으로 그다지 신통한 표정도 보이지 않았다. 화공의 계획은 수포로 돌아갔다. 화공은 그 그림을 영 미완품 채로 남기지 않을 수 없었다.

역시 마음에 들지 않는 결말이다.

그럼 또다시 –

화공은 처녀를 데리고 돌아왔다. 돌아와서 처녀를 보면 볼수록 탐스러워서 그림은 집어던지고 처녀를 아내로 삼아 버렸다. 앞을 못 보는 처녀는 이 추하게 생긴 화공에게도 아무 불만이 없이 일생을 즐겁게 보냈다. 그림으로나 아내를 얻으려던 화공은 절세의 미녀를 아내로 얻게 되었다.

역시 불만이다.

귀찮고 성가시다. 저주받을 유행 가사여.

여는 일어났다. 감흥을 잃은 이 자리에 그냥 앉아 있기가 싫었다. 그냥 들리는 유행가. 그것이 안 들리는 곳으로 자리를 옮기자.

굽어보매 저 멀리 소나무 틈으로 한 줄기 번득이는 것은 아까의 샘물이다.

그 샘물로, 가장 이 이야기의 원천이 된 그 샘으로 내려가자.

벼랑을 내려가기는 올라가기보다 더 힘들었다. 올라가는 것은 올라가다가 실수하여 떨어지면 과즉 제자리에 내린다. 그러나 내려가다가 발을 실수하면 어디까지 굴러갈지 예측할 길이 없다. 잘못하다가는 청운동(淸雲洞) 어귀까지 굴러갈는지도 모를 일이다. 게다가 올라갈 때에는 도움이 되던 스틱조차 내려갈 때에는 귀찮기 짝이 없다.

반 각[51]이나 걸려서 여는 드디어 그 샘가에 도달하였다.

샘가에는 과연 한 개의 바위가 사람 하나 앉기 좋을 만한 자리가 있다. 이 바위가 화공이 쌀 씻던 바위일까. 처녀가 앉아서 공상하던 바위일까. 그 아래를 깊은 남벽으로 알았더니 겨우 한 뼘 미만의 얕은 물로서 바위 위를 기운 없이 뚤뚤 흐르고 있다.

그러나 이 골짜기는 고요하기 짝이 없었다. 바람 소리도 멀리 위에서만 들린다. 그리고 소나무와 바위에 둘러싸여서 꽤 음침한 이 골짜기는 옛날 세상을 피한 화공이 즐겨 하였음직하다.

자, 그러면 이 골짜기에서 아까 그 이야기의 꼬리를 마저 지을까.

화공은 처녀를 데리고 오막살이로 돌아왔다.

그의 마음은 너무도 긴장되고 또한 기뻐서 저녁도 짓기 싫었다. 들어와 보매 벌써 여러 해를 머리 달리기를 기다리는 족자의 여인의 몸집조차 흔연히 화공을 맞는 듯하였다.

"자, 거기 앉어라."

---

51 각(刻) 시간의 단위. 1각은 약 15분가량.

수년간 화공을 힐책하던 머리 없는 그림이 화공의 앞에 펴졌다. 단청[52]도 준비되었다.

터질 듯 울렁거리는 마음으로 폭 앞에 자리를 잡은 화공은 빛이 비치도록 남향하여 처녀를 앉히고 손으로는 붓을 적시며 이야기를 꺼내었다.

벌써 황혼은 인제 얼마 남지 않은 오늘 해로써 숙망을 달하려 하는 것이었다. 10년간을 벼르기만 하면서 착수를 못하기 때문에 저축되었던 화공의 힘은 손으로 모였다.

"그러구- 알겠지?"

눈으로는 처녀의 얼굴을 보며 입으로는 용궁 이야기를 하며 손은 번개같이 붓을 둘렀다.

"용궁에는 여의주(如意珠)라는 구슬이 있구나. 이 여의주라는 구슬은 마음에 있는 바는 다 달할 수 있는 보물로서 그 구슬을 네 눈 위에 한번 구울리면 너도 광명한 일월을 보게 된다."

"네? 그런 구슬이 있습니까?"

"있구말구. 네가 내 말을 잘 듣고 있기만 하면 수일 내로 너를 데리고 용궁에 가서 여의주를 빌려서 네 눈도 고쳐 주마."

"그러면 저도 광명한 일월을 볼 수가 있겠습니까."

"그럼. 광명한 일월, 무지개라는 칠색이 영롱한 기묘한 것, 아름다운 수풀, 유수한 골짜기 무엇인들 못 보랴."

"아이구, 어서 그 여의주를 구해서."

아아. 놀라운 아름다운 표정이었다. 화공은 처녀의 얼굴에 나타나 넘치는 이 놀라운 표정을 하나도 잃지 않고 화폭 위에 옮겼다.

황혼은 어느덧 밤으로 변하였다. 이때는 그림의 여인에게는 단지 눈동자가

---

52 단청(丹靑) 여러 가지의 고운 빛깔.

그려지지 않을 뿐 그 밖의 것은 죄 완성이 되었다.

동자까지 그리고 싶었다. 그러나 이 그림의 생명을 좌우할 눈동자를 그리기에는 날은 너무도 어두웠다.

눈동자 하나쯤이야 밝은 날로 남겨 둔들 어떠랴. 하여간 10년 숙망을 겨우 달한 화공의 심사는 무엇에 비기지 못하도록 기뻤다.

"아– 아."

이 탄성은 오래 벼르던 일이 끝난 때에 나는 기쁨의 소리였다.

이 일단의 안심과 함께 화공의 마음에는 또 다른 긴장과 정열이 솟아올랐다.

꽤 어두운 가운데서 처녀의 얼굴을 유심히 보기 위하여 화공이 잡은 자리는 처녀의 무릎과 서로 닿을 만치 가까웠다. 그림에 대한 일단의 안심과 함께 화공의 코로 몰려들어 오는 강렬한 처녀의 체취와 전신으로 느끼는 처녀의 접근 때문에 화공의 신경은 거의 마비될 듯싶었다. 차차 각일각 몸까지 떨리기 시작하였다. 어두움 가운데서 황홀스러이 빛나는 처녀의 커다란 눈과 정열로 들먹거리는 입술은 화공의 정신까지 혼미하게 하였다.

밝는 날 화공과 소경 처녀의 두 사람은 벌써 남이 아니었다.

"오늘은 동자를 완성시키리라."

30년의 독신 생활을 벗어 버린 화공은 30년간을 혼자 먹던 조반을 소경 처녀와 같이 먹고 다시 그림 폭 앞에 앉았다.

"용궁은?"

기쁨으로 빛나는 처녀의 눈.

그러나 화공의 심미안(審美眼)[53]에 비친 그 눈은 어제의 눈이 아니었다.

아름답기는 다시 없는 아름다운 눈이었다. 그러나 그 눈은 사내의 사랑을 구

---

53 심미안 아름다움을 살펴 찾는 안목.

하는 '여인의 눈'이었다. 병신이라 수모받던 전생을 벗어 버리고 어젯밤 처음으로 인생의 봄을 맛본 처녀는 이제는 한 개의 그 지어미의 눈이요 한 개의 애욕[54]의 눈이었다.

"용궁은?"

"용궁에 어서 가서 여의주를 얻어서 제 눈을 띄어 주세요. 밝은 천지도 천지려니와 당신이 어서 눈 뜨고 보고 싶어."

어젯밤 잠자리에서 자기는 스물네 살 난 풍신 좋은 사내라고 자랑한 화공의 말을 그대로 믿는 소경 처녀였다.

"응, 얻어 주지. 그 칠색이 영롱한!"

"그 칠색도 어서 보고 싶어요."

"그래그래, 좌우간 지금 머리로 생각해 보란 말이야."

"네, 참 어서 보고 싶어서."

굽어보면 무릎 앞의 그림은 어서 한 점 동자를 찍어 주기를 기다리고 있다.

그러나 소경의 눈에 나타난 것은 아름답기는 아름다우나 그것은 애욕의 표정에 지나지 못하였다. 그런 눈을 그리려고 10년을 고심한 것이 아니었다.

"자, 용궁을 생각해 봐!"

"생각이나 하면 뭘 합니까? 어서 이 눈으로 보아야지."

"생각이라도 해 보란 말이야."

"짐작이 가야 생각도 하지요."

"어제 생각하던 대로 생각을 해 봐!"

"네……."

화공은 드디어 역정을 내었다.

"자 용궁! 용궁!"

---

54 애욕(愛慾) 이성에 대한 성애(性愛)의 욕망.

"네……."

"용궁을 생각해 봐! 그래 용궁이 어때?"

"칠색이 영롱하구요."

"그래 또."

"또 황금 기둥, 아니 비단으로 싼 기둥이 있구요. 또 푸른 진주가!"

"푸른 진주가 아냐! 푸른 비취지."

"비취 추녀던가 문이던가."

"에익! 바보!"

화공은 커다란 양손으로 칵 소경의 어깨를 잡았다. 잡고 흔들었다.

"자 다시 곰곰이. 용궁은."

"용궁은 바닷속에……."

겁에 떠서 어릿거리는 소경의 양에 화공은 손으로 소경의 따귀를 갈기지 않을 수가 없었다.

"바보!"

이런 바보가 어디 있으랴. 보매 그 병신 눈은 깜박일 줄도 모르고 허공을 바라보고 있다. 그 천치 같은 눈을 보매 화공의 노염은 더욱 커졌다. 화공은 양손으로 소경의 멱을 잡았다.

"에이 바보야. 천치야. 병신아."

생각나는 저주의 말을 연하여 퍼부으면서 소경의 멱을 잡고 흔들었다. 그리고 병신답게 멀걸게 뜨인 눈자위에 원망의 빛깔이 나타나는 것을 보고 더욱 힘 있게 흔들었다.

흔들다가 화공은 탁 그 손을 놓았다. 소경의 몸이 너무도 무거워졌으므로.

화공의 손에서 놓인 소경의 몸은 손을 뒤솟은 채 번뜻 나가넘어졌다. 넘어지는 서슬에 벼루가 전복되었다. 뒤집어진 벼루에서 튀어 난 먹 방울이 소경의 얼굴에 덮였다.

깜짝 놀라서 흔들어 보매 소경은 벌써 이 세상의 사람이 아니었다.

화공은 어찌할 줄을 몰랐다. 망지소조(罔知所措)하여[55] 허든거리던[56] 화공은 눈을 뜻 없이 자기의 그림 위에 던지다가 소리를 내며 자빠졌다.

그 그림의 얼굴에는 어느덧 동자가 찍혔다. 자빠졌던 화공이 좀 정신을 가다듬어 가지고 몸을 겨우 일으켜서 다시 그림을 보매 두 눈에는 완연히 동자가 그려진 것이었다.

그 동자의 모양이 또한 화공으로 하여금 다시 덜썩 엉덩이를 붙이게 하였다. 아까 소경 처녀가 화공에게 먹을 잡혔을 때에 그의 얼굴에 나타났던 원망의 눈! 그림의 동자는 완연히 그것이었다.

소경이 넘어지는 서슬에 벼루를 엎는다는 것은 기이할 것도 없고 벼루가 엎어질 때에 먹 방울이 튄다는 것도 기이하달 수도 없지만 그 먹 방울이 어떻게 그렇게도 기묘하게 떨어졌을까? 먹이 떨어진 동자로부터 먹물이 번진 홍채에 이르기까지 어찌도 그렇게 기묘하게 되었을까?

한편에는 송장, 한편에는 송장의 화상[57]을 놓고 망연히 앉아 있는 화공의 몸은 스스로 멈출 수 없이 와들와들 떨렸다.

수일 후부터 한양성 내에는 괴상한 여인의 화상을 들고 음울한 얼굴로 돌아다니는 늙은 광인(狂人) 하나가 생겼다.

그의 내력을 아는 사람이 없었고 그의 근본을 아는 사람이 없었다. 그 괴상한 화상을 너무도 소중히 여기므로 사람들이 보고자 하면 그는 기를 써서 보이지 않고 도망해 버리고 한다.

이렇게 수년간을 방황하다가 어떤 눈보라 치는 날 돌베개를 베고 그의 일생

---

55 망지소조하다 너무 당황하거나 급하여 어찌할 줄을 모르고 갈팡질팡하다.
56 허든거리다 다리에 힘이 없어 중심을 잃고 이리저리 자꾸 헛디디다.
57 화상(畫像) 사람의 얼굴을 그림으로 그린 형상.

을 마감하였다. 죽을 때도 그는 그 족자를 깊이 품에 품고 죽었다.

늙은 화공이여. 그대의 쓸쓸한 일생을 여는 조상하노라[58].

여는 지팡이로써 물을 두어 번 저어 보고 고즈넉이 몸을 일으켰다.

우러러보매 여름의 석양은 벌써 백악 위에서 춤추고, 이 천고의 계곡을 산새가 남북으로 건넌다.

(1935년)

---

58 조상하다 조문하다. 남의 죽음에 대하여 슬퍼하는 뜻을 드러내어 상주(喪主)를 위문하다.

떡

김유정

김유정 (1908~1937)

1908년 강원도 춘천에서 출생해 1930년 연희전문학교(지금의 연세대학교) 문과에 입학했으나 이듬해 그만두었다. 1935년 이무영, 이상, 정지용 등이 속한 순수 문예 단체인 구인회(九人會)에 가입하고, 짧은 문단 생활 중에도 김유정은 병과 가난과 싸우면서 30여 편의 단편을 남겼다. 1937년 만 스물아홉의 나이로 세상을 떠났다. 대표작으로는 〈금 따는 콩밭〉〈봄봄〉〈따라지〉〈두꺼비〉〈동백꽃〉〈땡볕〉 등이 있다. 〈떡〉은 가난한 집의 일곱 살 소녀 옥이가 부잣집 잔치에서 죽기 살기로 음식을 먹다가 탈이 나서 죽을 지경에 처했다가 다시 살아난다는 이야기로, 민중의 비참한 삶을 형상화하고 있다.

원래는 사람이 떡을 먹는다. 이것은 떡이 사람을 먹은 이야기다. 다시 말하면 사람이 즉 떡에게 먹힌 이야기렷다. 좀 황당한 소리인 듯싶으나 그 사람이란 게 역시 황당한 존재라 하릴없다. 인제 겨우 일곱 살 난 계집애로 게다가 겨울이 왔건만 솜옷 하나 못 얻어 입고 겹저고리 두렝이[1]로 떨고 있는 옥이 말이다. 이것도 한 개의 완전한 사람으로 칠는지 혹은 말는지! 그건 내가 알 바 아니다. 하여튼 그 애 아버지가 동리에서 제일 가난한 그리고 게으르기가 곰 같다는 바로 덕희다. 놈이 우습게도 꾸물거리고 엄동과 주림이 닥쳐와도 눈 하나 끔벅 없는 신청부[2]라 우리는 가끔 그 눈곱 긴 얼굴을 놀릴 수 있을 만치 흥미를 느낀다. 여보게, 이 겨울엔 어떻게 지내려나, 올엔 자네 꼭 굶어 죽겠네, 하면 친구 대답이, 이거 왜 이랴, 내가 누구라구 지금은 밭뙈기 하나 붙일 것 없어도 이래 봬도 한때는 다― 하고 펄쩍 뛰고는 지난날 소작인으로 땅 팔 수 있었던 그 행복을 다시 맛보려는 듯 먼 산을 우두커니 쳐다본다. 그러나 업신받는 데 약이 올라서 자네들은 뭐 좀 난상부른가? 하고 낯을 붉히다가는 풀밭에 슬며시 쓰러져서 늘어지게 아리랑 타령. 그러니까 내 생각에 저것도 사람이려니 할 수밖에. 사실 집에서 지내는 걸 본다면 당최 무슨 재미로 사는지 영문을 모른다. 그 집도 제 것이 아니요 개똥네 집이다. 원체 식구라야 몇 사람 안 되고 또 거기다 산 밑에 외따로 떨어진 집이라 건넌방에 사람을 들이면 좀 덜 호젓할까 하고 빌

---

1 두렝이 '두렁이(어린아이의 배와 아랫도리를 둘러서 가리는 치마같이 만든 옷)'의 방언.
2 신청부 근심 걱정이 많아 사소한 일을 돌아볼 여유가 없는 사람.

린 것이다. 물론 그때 덕희도 방을 얻지 못해서 비대발괄[3]로 뻔질 드나들던 판이었지만. 보수는 별반 없고 농사 때 바쁜 일이나 있으면 좀 거들어 달라는 요구뿐이었다. 그래서 덕희도 얼씨구나 하고 무척 좋았다. 허나 사람은 방만으로 사는 것이 아니다. 이 집 건넌방은 유달리 납작하고 비스듬히 쏠린 헌 벽에다 우중충하기가 일상 굴속 같은데 겨울 같은 때 좀 들여다보면 썩 가관이다. 윗목에는 옥이가 누더기를 들쓰고 앉아서 배가 고프다고 킹킹거리고 아랫목에는 화가 치뻗친 아내가 나는 모른단 듯이 벽을 향하여 쪼그리고 누워서는 꼼짝 않고 놈은 아내와 딸 사이에 한 자리를 잡고서 천장으로만 눈을 멀뚱멀뚱 둥글리고 들여다보는 얼굴이 다 무색할 만치 꼴들이 말 아니다. 아마 먹는 날보다 이렇게 지내는 날이 하루쯤 더할는지도 모른다. 그 꼴에 궐자가 술이 호주[4]라서 툭하면 한잔 안 살려나가 인사다. 지난봄만 하더라도 놈이 술에 어찌나 감질이 났던지 제집에 모아 놨던 됭[5]을 지고 가서 술을 먹었다. 됭 퍼다 주고 술 먹긴 동리에서 처음 보는 일이라고 계집들까지 입에 올리며 소문은 이리저리 돌았다. 하지만 놈은 이런 것도 모르고 술만 들어가면 세상이 그만 제 게 되고 만다. 음, 음, 하고 코에선지 입에선지 묘한 소리를 내어 가며 만나는 사람마다 붙잡고 잔소리다. 한편 술은 놈에게 근심도 되는 것 같다. 전에 생각지 않던 집안 걱정을 취하면 곧잘 한다. 그 언제인가 만났을 때에도 술이 담뿍 취하였다. 음, 음, 해 가며 제집 살림살이 이야기를 개소리 쥐 소리 한참 지껄이더니 놈이 나중에 한단 소리가 그놈의 계집애나 죽어 버렸으면! 요건 먹어도 캥캥거리고 안 먹어도 캥캥거리고 이거 원!─사세[6]가 딱한 듯이 이렇게 탄식을 하더니 뒤를 이어 설명이 없는 데는 어린 딸년 하나 더한 것도 큰 걱정이라고. 이걸 듣다가 기가 막혀서 자네 데릴사위 얻어서 부려먹을 생각은 없나, 하고 물은즉 아, 어느 하가[7]에 그동안 먹여 키

---

3 비대발괄 억울한 사정을 하소연하면서 간절히 청하여 빎.
4 호주 술을 좋아함.
5 됭 '똥'의 방언.
6 사세 일이 되어가는 형세.
7 하가 어느 겨를.

우진 않나 하고 골머리를 내젓는 꼴이 댕길 맛이 아주 없는 모양이었다. 짜장[8] 이토록 딸이 원수로운지 아닌지 그건 여기서 끊어 말하기 어렵다. 아마는 애비치고 제가 난 자식 밉달 놈은 없으리라마는 그와 동시에 놈이 가끔 들어와서 죽으라고 모질게 쥐어박아서는 울려 놓은 것도 사실이다. 그러다 울음이 정말 된통 터지면 이번에는 칼을 들고 울어 봐라 이년, 죽일 터이니 하고 씻은 듯이 울음을 걷어 놓고 하는 것이다.

눈이 푹푹 쌓이고 그 덕에 나뭇값은 부쩍 올랐다. 동리에서는 너나없이 앞을 다투어 나뭇짐을 지고 읍으로 들어간다. 눈이 정강이에 차는 산길을 휘돌아 20리 장로[9]를 걷는 것이다. 이 바람에 덕희도 수가 터지어 좁쌀이나마 양식이 생겼고 따라 딸과의 아귀다툼[10]도 훨씬 줄게 되었다. 그는 자다가도 꿈결에 새벽이 되는 것을 용하게 안다. 밝기가 무섭게 일어나 앉아서는 옆에 누운 아내의 치맛자락을 끌어당긴다. 소위 덕희의 마른세수가 시작된다. 두 손으로 그걸 펼쳐서는 꾸물꾸물 눈곱을 떼고 그러고 나서 얼굴을 쓱쓱 문대는 것이다. 그다음 죽이 들어온다. 얼른 한 그릇 훌쩍 마시고는 지게를 지고 내뺀다. 물론 아내는 남편이 죽 마실 동안에 밖에 나와서 나뭇짐을 만들어야 된다. 지게를 버텨 놓고 덜덜 떨어 가며 검불을 올려 싣는다. 짐까지 꼭꼭 묶어 주고 가는 남편을 향하여 괜히 술 먹지 말고 양식 사 오세유 하고 몇 번 몇 번 당부를 하고는 방으로 들어온다. 옥이가 늘 일어나는 것은 바로 이때다. 눈을 비비며 어머니 앞으로 곧장 달려든다. 기실[11] 여지껏 잤느냐면 깨기는 벌써 전에 깨었다. 아버지의 숟가락질하는 딸가락 소리도 짠지 씹는 쩍쩍 소리도 죄다 두 귀로 분명히 들었다. 그뿐 아니라 아버지의 죽 그릇이 감은 눈 속에서 왔다 갔다 하는 것까지도 똑똑히 보았다. 배고픈 생각이 불현듯 불끈 솟아서 곧바로 일어나고자 궁둥이까지 들먹거

---

8 짜장 과연 정말로.
9 장로 매우 먼 길.
10 아귀다툼 각자 자기의 욕심을 채우고자 서로 헐뜯고 기를 쓰며 다투는 일.
11 기실 실제에 있어서.

려도 보았다. 그럴 동안에 군침은 솔솔 스며들며 입으로 하나가 된다마는 일어만 났다가는 아버지의 주먹, 주먹. 이년아, 넌 뭘 한다고 벌써 일어나 캥캥거려, 하고는 그 주먹, 커다란 주먹. 군침을 가만히 도로 넘기고 꼬물거리는 몸을 다시 방바닥에 꼭 붙인 채 색색 생코[12]를 아니 골 수 없다. 어머니는 아버지와 딴판으로 퍽 귀여워한다. 아버지가 나무를 지고 확실히 간 것을 알고서야 비로소 옥이는 일어나 어머니 곁으로 달려들어서 그 죽을 들이 퍼먹곤 하였다.

이러던 것이 그날은 유별나게 어느 때보다 일찍 일어났다. 덕희의 말을 빌리면 고 배라먹을[13] 년이 그예 일을 저지르려고 새벽부터 일어나 재랄이었다. 하긴 재랄이 아니라 배가 몹시 고팠던 까닭이지만. 아버지의 숟가락질 소리를 들어 가며 침을 삼키고 삼키고 몇 번을 그래 봤으나 나중에는 더 참을 수가 없었다. 그렇다고 벌떡 일어앉자니 주먹이 무섭기도 하려니와 한편 넉적기도[14] 한 노릇. 눈을 감은 채 이 궁리 저 궁리 하였다. 다른 때도 좋으련만 왜 하필 아버지 죽 먹을 때 깨게 되는지! 곯은 배는 그중에다 방바닥 냉기에 쑤시는지 저리는지 분간을 모른다. 아버지는 한 그릇을 다 먹고 아마 더 먹는 모양. 죽을 옮겨 쏟는 소리가 주루룩 뚝뚝 하고 난다. 이때 그만 정신이 번쩍 났다. 용기를 내었다. 바른팔을 뒤로 돌리어 가장 뭐에나 물린 듯이 대구 급작스리 응아 하고 소리를 내지른다. 그리고 비실비실 일어나 앉아서는 두 손등으로 눈을 비벼 가며 우는 것이다. 아버지는 이 꼴에 화를 벌컥 내었다. 손바닥으로 뒤통수를 딱 때리더니 이건 죽지도 않고 말썽이야 하고 썩 마뜩잖게 투덜거린다. 어머니를 향하여 저년 아무 것도 먹이지 말고 오늘 종일 굶기라고 부탁이다. 들었는지 못 들었는지 어머니는 눈을 깔고 잠자코 있다. 아마 아버지가 두려워서 아무 대꾸도 못 하는 모양, 딱 때리고 우니까 다시 딱 때리고 그럴 적마다 조그만 옥이는 마치 오뚝이 시늉

---

12 생코 공연히 골거나 푸는 코.
13 배라먹다 남에게 구걸하여 거저 얻어먹는 것을 속되게 이르는 말.
14 넉적다 '열없다(좀 겸연쩍고 부끄럽다.)'의 방언.

으로 모로 쓰러졌다가는 다시 일어나 울고 울고 한다. 죽은 안 주고 때리기만 한다. 망할 새끼, 저만 처먹으려고, 얼른 죽어 버려라 염병할 자식. 모진 욕이 이렇게 입 끝까지 제법 나왔으나 그러나 그러나 뚝 부릅뜬 그 눈. 감히 얼굴도 못 쳐다보고 이마를 두 손으로 받쳐 들고는 으악 으악 울 뿐이다. 암만 울어도 소용은 없지만. 나뭇짐이 읍으로 들어간 다음에서야 비로소 겨우 운 보람이 있었다. 어머니는 힝하게 죽 한 그릇을 떠 들고 들어온다. 옥이는 대뜸 달려들었다. 왼쪽 소맷자락으로 눈의 눈물을 훔쳐 가며 연상[15] 퍼 넣는다. 깡좁쌀죽은 묽직한 국물이라 숟갈에 뜨이는 게 얼마 안 된다. 떠 넣으니 이것은 차라리 들고 마시는 것이 편하리라. 쉴 새 없이 숟가락은 열심껏 퍼 들인다. 어머니가 한 숟갈 뜰 동안이면 옥이는 두 숟갈 혹은 세 숟갈이 올라간다. 그래도 행여 밑질까 봐서 숟가락 빠는 어머니의 입을 가끔 쳐다보고 하였다. 반쯤 먹다 어머니는 슬며시 숟가락을 내려놓았다. 두 손을 다리 밑에 파묻고는 딸을 내려다보며 묵묵히 앉아 있다. 한 그릇 죽은 다 치웠건만 그래도 배가 고팠다. 어머니의 허리를 꾹꾹 찔러 가며 졸라 대인다.

요만한 어린아이에게는 먹는 것 지껄이는 것 이것밖에 더 큰 취미는 없다. 그리고 이것밖에 더 가진 재주도 없다. 옥이같이 혼자만 꽁하니 있을 뿐으로 동무들과 놀려지도 지껄이지도 않는 아이에 있어서는 먹는 편이 월등 발달되었고 결말에는 그길로 한 오락을 삼는 것이다. 게다 일상 곯아만 온 그 배때기. 한 그릇 죽이면 넉넉히 양도 찼으련만 얘는 그걸 모른다. 다만 배는 늘 고프려니 하는 막연한 의식밖에는. 이번 일이 벌어진 것은 즉 여기서 시작되었다. 두 시간이나 넘어 꼬박이 울었다마는 어머니는 아무 대답도 없었다. 배가 아프다고 쓰러지더니 아이구 아이구 하고는 신음만 할 뿐이다. 냉병으로 하여 이따금 이렇게 앓는다. 옥이는 가망이 아주 없는 걸 알고 일어나서 방문을 열었다. 눈이 첩첩이 쌓

---

15 연상 '연방'의 잘못.

이고 눈이 부신다. 윙윙하고 봉당으로 몰리는 눈송이. 다르르 떨면서 마당으로 내려간다. 북편 벽 밑으로 솥은 걸렸다. 뚜껑이 열린다. 아닌 게 아니라 어머니 말대로 죽커녕 네미[16]나 찢어 먹어라, 다. 그러나 얼뜬 눈에 띄는 것이 솥 바닥에 얼어붙은 두 개의 시래기 줄기 그놈을 손톱으로 뜯어서 입에 넣고는 씹어 본다. 제걱제걱 얼음 씹히는 그 맛밖에는 아무 맛이 없다. 솥을 도로 덮고 허리를 펴려 할 제 얼른 묘한 생각이 떠오른다. 옥이는 사방을 도릿거려[17] 본 다음 봉당으로 올라서서 개똥네 방 문구멍에다 눈을 들이대인다.

개똥어머니가 옥이를 눈엣가시같이 미워하는 그 원인이 즉 여기다. 정말인지 거짓말인지 자세히는 모르나 말인즉 그년이 우리 식구만 없으면 밤이고 낮이고 할 것 없이 어느 틈엔가 들어와서는 세간을 모조리 집어 간다우, 하고 여우 같은 년, 골방쥐 같은 년, 도적년, 뭣해 욕을 늘어놓을 제 나는 그가 옥이를 끝없이 미워하는 걸 얼른 알 수 있었다. 그러나 세간을 집어냈느니 뭐니 하는 건 아마 멀쩡한 거짓말일 게고. 이날도 잿간에서 뒤를 보며 벽 틈으로 내다보자니까 그년이 날감자 둘을 한 손에 하나씩 두렁이 속에다 감추고는 방에서 슬며시 나오는 걸 보았다는 이것만은 사실이다. 오죽 분하고 급해야 밑도 씻을 새 없이 그대로 뛰어나왔으랴. 소리를 질러서 혼을 내고는 싶었으나 제 에미가 또 방에서 끙끙거리고 앓는 게 안되어서 그냥 눈만 잔뜩 흘겨 주니까 그년이 대뜸 얼굴이 발개지더니 얼마 후에 감자 둘을 자기 발 앞에다 내던지고는 깜찍스럽게 뒷짐을 지고 바깥으로 나가더란다. 하지만 이것은 나의 이야기에 아무 상관이 없는 것이다. 오직 옥이가 개똥네 방엘 왜 들어갔었을까 그 까닭만 말하여 두면 고만이다. 이 집이 먼저 개똥네 집이라 하였으나 그런 것이 아니라 실상은 요 개울 건너 도삿댁 소유이고 개똥어머니는 말하자면 그 댁의 대대로 내려오는 씨종[18]이었다. 그

---

16 네미 '네 어미'가 줄어든 말. 어떤 일에 대하여 몹시 못마땅할 때 욕으로 하는 말.
17 도릿거리다 도리반거리다. 눈을 크게 뜨고 요기조기를 자꾸 휘둘러 살펴보다.
18 씨종 대대로 내려가며 종노릇을 하는 사람.

래 그 댁 집에 들고 그 댁 땅을 붙여 먹고 그 댁 세력에 살고 하는 덕으로 개똥어머니는 가끔 상전 댁에 가서 빨래도 하고 다듬이도 하고 또는 큰일 때는 음식을 맡아보기도 하고 해서 맛 좋은 음식을 뻔찔 몰아들인다. 나리 댁 생신이 오늘인 것을 알고 그년이 음식을 뒤져 먹으러 들어왔다가 없으니까 감자라도 먹을 양으로 하고 지껄이던 개똥어머니의 추측이 조금도 틀리지는 않았다. 마을에 먹을 거 났다 하면 이 옥이만치 잽싸게 먼저 알기는 좀 어려우리라. 그러나 옥이가 개똥어머니만 따라가면 밥이고 떡이고 좀 얻어 주려니 하고 앙큼한 생각으로 살랑살랑 따라왔다고는 하지만 그것은 옥이를 무시하는 소리에 지나지 않는다.

옥이가 뒷짐을 딱 짚고 개똥어머니의 뒤를 따를 제 아무 계획도 없었다. 방엘 들어가자니 어머니가 아프다고 짜증만 내고 싸리문 밖에서 섰자니 춥고 떨리긴 하고. 그렇다고 나들이를 좀 가 보자니 갈 곳이 없다. 그래 멀거니 떨고 섰다가 개똥어머니가 개울 길로 가는 걸 보고는 이게 저 갈 길이나 아닌가 하고 대선[19] 그뿐이었다. 이때 무슨 생각이 있었다면 그것은 이 새끼가 얼른 와야 죽을 쒀 먹을 텐데 하고 아버지에게 대한 미움과 간원이 뒤섞인 초조이었다. 그 증거로 옥이는 도샷댁 문간에서 개똥어머니를 놓치고는 혼자 우두커니 떨어졌다. 이제는 또 갈 데가 없게 되었으니 이럴까 저럴까 다시 망설인다. 그러나 결심을 한 것은 이 순간의 일이다. 옥이는 과연 중문 안으로 대담히 들어섰다. 새로운 희망, 아니 혹은 맛있는 음식을 쭉쭉거리는 그 입들이나마 한번 구경하고자 한 걸지도 모른다. 시선을 이리저리로 둘러 가며 주볏주볏[20] 우선 부엌으로 향하였다. 그 태도는 마치 개똥어머니에게 무슨 급히 전할 말이 있어 온 양이나 싶다. 부엌에는 어중이떠중이 동네 계집은 얼추 모인 셈이다. 고깃국에 밥 마는 사람에 찰떡을 썹는 사람! 이쪽에서 북어를 뜯으면 저기는 투정하는 자식을 주먹으로 때려 가며 누룽지를 혼자만 쩍쩍거린다. 부엌문으로 불쑥 디미는 옥이의 대가리를

---

19 대서다 바짝 가까이 서거나 뒤를 잇대어 서다.
20 주볏주볏 '쭈뼛쭈뼛'의 방언.

보더니 저런 여우 년. 밥주머니[21] 왔니. 냄새는 잘도 맡는다. 이렇게들 제각기 욕한 마디씩. 그리고는 까닭 없이 깔깔대인다. 옥이네는 이 댁의 종도 아니요 작인도 아니다. 물론 여기에 들어와 맛 좋은 음식 벌어진 이 판에 한 다리 뻗을 자격이 없다마는 남이야 욕을 하건 말건 옥이는 한구석에 잠자코 시름없이 서 있다. 이놈을 바라보고 침 한 번 삼키고 저놈을 바라보고 침 한 번 삼키고. 마침 이때 작은아씨가 내려왔다. 옥이 왔니, 하고 반기더니 왜 어멈들만 먹느냐고 계집들을 나무란다. 그리고 옆에 섰는 개똥어멈에게 얘가 얼마든지 먹는단 애유 하고 옥이를 가리키매 그 대답은 다만 싱글싱글 웃을 뿐이다. 작은아씨도 따라 웃었다. 노랑 저고리 남치마 열서넛밖에 안 된 어여쁜 작은아씨. 손수 솥뚜껑을 열더니 큰 대접에 국을 뜨고 거기에다 하얀 이밥[22]을 말아 수저까지 꽂아 준다. 옥이는 황급히 얼른 잡아채었다. 이밥, 이밥. 그 분량은 어른이 한때 먹어도 양은 좋이[23] 차리라. 이것을 옥이가 배 속에 집어넣은 시간을 따져 본다면 고작 칠팔 분밖에는 더 허비치 않았다. 고기 우러난 국 맛은 입에 달았다. 잘 먹는다, 잘 먹는다, 하고 옆에서들 추어 주는 칭찬은 또한 귀에 달았다. 양쪽으로 신바람이 올라서 곁도 안 돌아보고 막 퍼 넣은 것이다. 계집들은 깔깔거리고 소곤거리고 하였다. 그러다 눈을 크게 뜨고 서로들 맞쳐다 볼 때에는 한 그릇을 다 먹고 배가 불러서 웅크리고 앉은 채 뒤로 털썩 주저앉는 옥이를 보았다. 언다 태워 먹었는지 군데군데 뚫어진 검정 두렁치마. 그나마도 폭이 좁아서 볼기짝은 통째 나왔다. 머리칼은 가시덤불같이 흩어져 어깨를 덮고 이 꼴로 배가 불러서 식식거리며 떠는 것이다. 그래도 속은 고픈지 대접 밑바닥을 닥닥 긁고 있으니 작은아씨는 생긋이 웃더니 그 손을 이끌고 마루로 올라간다. 날이 몹시 추워서 마루에는 아무도 없었다. 찬장 앞으로 가더니 손뼉만 한 시루팥떡이 나온다. 받아 들고는 또

---

21 밥주머니 아무 일도 하지 않고 밥이나 축내는 쓸모없는 사람을 낮잡아 이르는 말.
22 이밥 쌀밥.
23 좋이 마음에 들게. 거리, 수량, 시간 따위가 어느 한도에 미칠 만하게.

널름 집어 치웠다. 곧 뒤이어 다시 팥떡이 나왔다. 그러나 이번에는 옥이는 손도 아니 내밀고 무언으로 거절하였다. 왜냐하면 이때 옥이의 배는 최대한도로 늘어났고 거반 바람 넣은 풋볼마치나 거죽이 탱탱하였다. 그것이 앞으로 늘다 못하여 마침내 옆구리로 퍼져서 잘 움직이지도 못하고 숨도 어깨를 치올려 식식하는 것이다. 아마 음식은 목구멍까지 꽉 찼으리라. 여기에 이상한 것이 하나 있다. 역시 떡이 나오는데 본즉 이것은 팥떡이 아니라 밤 대추가 여기저기 삐져나온 백설기. 한번 덥석 물어 떼이면 입안에서 그대로 스르르 녹을 듯싶다. 너 이것도 싫으냐 하니까 옥이는 좋다는 뜻으로 얼른 손을 내밀었다. 대체 이걸 어떻게 먹었을까. 그 공기만 한 떡 덩어리를. 물론 용감히 먹기 시작하였다. 처음에는 빨리 먹었다. 중간에는 천천히 먹었다. 그러다 이내 다 먹지 못하고 반쯤 남겨서는 작은아씨에게 도로 내주고 모로 고개를 돌렸다. 옥이가 그 배에다 백설기를 먹은 것도 기적이려니와 또한 먹다 내놓는 이것이 기적이라 안 할 수 없다. 하기는 가슴속에서 떡이 목구멍으로 바짝 치뻗치는 바람에 못 먹기도 한 거지만. 여기다가 더 넣을 수가 있다면 그것은 다만 입안이 남았을 뿐이다. 그러면 그다음 꿀 바른 주왁[24] 두 개는 어떻게 먹었을까. 상식으로는 좀 판단키 어려운 일이다. 하여간 너 이것은? 하고 주왁이 나왔을 때 옥이는 조금도 서슴지 않고 받았다. 그리고 한 놈을 손끝으로 집어서 그 꿀을 쪽쪽 빨더니 입속에 집어넣었다. 그 꿀을 한참 오기오기 씹다가 꿀떡 삼켜 본다. 가슴만 뜨끔할 뿐 즉시 떡은 도로 넘어온다. 다시 씹는다. 어깨와 머리를 앞으로 꾸부리어 용을 쓰며 또 한 번 꿀떡 삼켜 본다. 이것은 도시 사람의 일로는 생

---

24 주왁 '주악(웃기떡의 하나)'의 방언.

각되지 않는다. 허나 주의할 것은 일상 곯아만 온 굶주린 창자의 착각이다. 배가 불렀는지 혹은 곯았는지 하는 건 이때의 문제가 아니다. 한갓 자꾸 먹어야 된다는 걸쌈스러운[25] 탐욕이 옥이 자신도 모르게 활동하였고 또는 옥이는 제가 먹고 싶은 걸 무엇 무엇 알았을 뿐이었다. 거기다 맛깔스러운 그 떡 맛. 생전 맛 못 보던 그 미각을 한번 즐겨 보고자 기를 쓴 노력이다. 만약 이 떡의 순서가 주왁이 먼저 나오고 백설기, 팥떡, 이렇게 나왔다면 옥이는 주왁만으로 만족했을지 모른다. 그리고 백설기, 팥떡은 단연 아니 먹었을 것이다. 너는 보도 못하고 어떻게 그리 남의 일을 잘 아느냐 그러면 그 장면을 목도한 개똥어머니에게 좀 설명하여 받기로 하자. 아 참, 그년 되우는 먹읍디다. 그 밥 한 그릇을 다 먹고 그래 떡을 또 먹어유. 그게 배때기지유. 주왁 먹을 제 나는 인제 죽나 부다 그랬슈. 물 한 모금 안 처먹고 꼬기꼬기 씹어서 꼴딱 삼키는데 아 눈을 요렇게 됩쓰고[26] 꼴딱 삼킵디다. 온 이게 사람이야 나는 간이 콩알만 했지유, 꼭 죽는 줄 알고. 추워서 달달 떨고 섰는 꼴하고 참 깜찍해서 내가 다 소름이 쪼옥 끼칩디다. 이걸 가만히 듣다가 그럼 왜 말리진 못했느냐고 탄하니까 제가 일부러 먹이기도 할 텐데 그렇게는 못하나마 배고파 먹는 걸 무슨 혐의로 못 먹게 하겠느냐고 되레 성을 발끈 내민다. 그러나 요건 빨간 거짓말이다. 저도 다른 계집 마찬가지로 마루 끝에 서서 잘 먹는다 잘 먹는다 이렇게 여러 번 칭찬하고 깔깔대고 했었음에 틀림없을 게다.

옥이의 이 봉변은 여지껏 동리의 한 이야깃거리가 되어 있다. 할 일이 없으면 계집들은 몰려 앉아서 그때의 일을 찧고 까불고 서로 떠들어 대인다. 그리고 옥이가 마땅히 죽어야 할 걸 그대로 살아난 것이 퍽이나 이상한 모양 같다. 딴은 사날[27]이나 먹지를 못하고 몸이 끓어서 펄펄 뛰며 앓을 만치 옥이는 그렇게 혼

---

25 걸쌈스럽다 보기에 남에게 지려고 하지 않고 억척스러운 데가 있다.
26 됩쓰다 온통 뒤집어쓰다.
27 사날 사흘이나 나흘.

이 났던 것이다. 하지만 처음부터 짜장 가슴을 죄인 것은 그래도 옥이어머니 하나뿐이었다. 아파서 드러누웠다 방으로 들어오는 옥이를 보고 그만 벌떡 일어났다. 마침 왜 배가 이 모양이냐 물으니 대답은 없고 옥이는 가만히 방바닥에 가 눕더란다. 그 배를 건드리지 않도록 반듯이 눕는데 아구 배야 소리를 복고개[28]가 터지라고 내지르며 냉골에서 이리 데굴 저리 데굴 구르며 혼자 법석이다. 그러나 뺨 위로 먹은 것을 꼬약꼬약 도르고는[29] 필경 까무러쳤으리라. 얼굴이 해쓱해지며 사지가 축 늘어져 버린다. 이 서슬에 어머니는 거의 표현대로 하늘이 무너지는 듯 깜깜하였다. 그는 딸을 붙들고 자기도 어이구머니 하고 울음을 놓고 이를 어째 이를 어째, 몇 번 그래 소리를 치다가 아무도 돌봐 주러 오는 사람이 없으니까 허겁지겁 곤두박질을 하여 밖으로 뛰어나왔다. 그의 생각에 이 급증[30]을 돌리려면 점쟁이를 불러 경을 읽을 수밖에 다른 도리가 없을 듯싶어서이다. 물론 대낮부터 북을 두드려 가며 경을 읽기 시작하였다. 점쟁이의 말을 들어 보면 과식했다고 죄다 이럴래서는 살 사람이 없지 않으냐고. 이것은 음식에서 난 병이 아니라 늘 따르던 동자상문[31]이 어쩌다 접해서 일테면 귀신의 놀음이라는 해석이었다. 그렇다면 내가 생각건대 옥이가 도삿댁 문전에 나왔을 제 혹 귀신이 접했는지도 모른다. 왜냐 그러면 옥이는 문앞 언덕을 내리다 고만 눈 위로 낙상을 해서 곧 한참을 꼼짝 않고 그대로 누웠었다. 그만치 몸의 자유를 잃었다. 다시 일어나 눈을 몇 번 털고는 걸어 보았다. 다리는 천 근인지 한번 딛으면 다시 떼기가 쉽지 않다. 눈까풀은 뻑뻑거리고 게다 선하품은 자꾸 터지고, 어깨를 치올리어 여전히 식식거리며 눈 속을 이렇게 조심조심 걸어간다. 삐끗만 하였다가는 배가 터진다. 아니 정말은 배가 터지는 그 염려보다 우선 배가 아파서 삐끗도 못 할 형편. 과연 옥이의 배는 동네 계집들 말마따나 헐없이[32] 애 밴 사람의, 그것

---

28 복고개 보꾹. 지붕과 천정 사이의 빈 공간.
29 도르다 먹은 것을 게우다.
30 급증 아주 위급한 병.
31 동자상문 잡귀의 하나. 죽은 지 한 달이 지나지 않은 사람의 넋을 이른다.
32 헐없이 영락없이.

도 만삭된 이의 괴로운 배 그것이었다. 개울 길을 내려오자 우물이 눈에 띄자 애는 갑작스리 조갈[33]을 느꼈다. 엎드리어 바가지로 한 모금 꿀꺽 삼켜 본다. 이와 목구멍이 다만 잠깐 저렸을 뿐 물은 곧바로 다시 넘어온다. 그뿐 아니라 뒤를 이어서 떡이 꾸역꾸역 쏟아진다. 잘 씹지 않고 얼김에 삼킨 떡이라 삭지 못한 그대로 덩어리 덩어리 넘어온다. 우물 전 얼음 위에는 삽시간에 떡이 한 무더기. 옥이는 다시 눈 위에 기운 없이 쓰러지고 말았다. 이러던 애가 어떻게 제집엘 왔을까 생각하면 여간 큰 노력이 아니요 참 장한 모험이라 안 할 수 없는 일이다.

내가 옥이네 집엘 찾아간 것은 이때 썩 지나서다. 해넘이의 바람은 차고 몹시 떨렸으나 옥이에 대한 소문이 흉하므로 퍽 궁금하였다. 허둥거리며 방문을 펄떡 열어 보니 어머니는 딸 머리맡에서 무르팍에 눈을 비벼 가며 여지껏 훌쩍거리고 앉았다. 냉병은 아주 가셨는지 노낭[34] 노랗게 고민하던 그 상이 지금은 불콰하니[35] 눈물이 흐른다. 그리고 놈은 쭈그리고 앉아서 나를 보고도 인사도 없다. 팔짱을 떡 지르고는 맞은 벽을 뚫어 보며 무슨 결기나 먹은 듯이 바로 위엄을 보이고 있다. 오늘은 일찍 나온 것을 보면 나무도 잘 판 모양. 얼마 후 놈은 옆으로 고개를 돌리더니 여보게 참말 죽지는 않겠나 하고 물으니까 봉구는 눈을 끔벅끔벅하더니 죽기는 왜 죽어, 한나절토록 경을 읽었는데 하고 자신이 있는 듯 없는 듯 얼치기 대답이다. 제 딴은 경을 읽기는 했건만 조금도 효험이 없으매 저로도 의아한 모양이다. 이 봉구란 놈은 본시가 날탕[36]이다. 계집에 노름에 혹하는 그 수단은 당할 사람이 없고 또 이것도 재주랄지 못하는 게 별반 없다. 농사로부터 노름질, 침 주기, 점치기, 지우질, 심지어 도적질까지. 경을 읽을 때에는 눈을 감고 중얼거리는 것이 바로 장님이 왔고 투전장을 뽑을 때에는 눈깔이 밝기가 부엉이 같다.

그렇건만 뭘 믿는지 마을에서 병이 나거나 일이 나거나 툭하면 이놈을 불러

---

33 조갈 입술이나 입안, 목 따위가 타는 듯이 몹시 마름.
34 노낭 '노상'의 방언.
35 불콰하다 얼굴빛이 술기운을 띄거나 혈기가 좋아 불그레하다.
36 날탕 허풍을 치거나 듣기 좋은 말로 남을 속임. 또는 그렇게 하는 사람.

대는 게 버릇이 되었다. 이까진 놈이 점을 친다면 참이지 나는 용 뿔을 빼겠다. 덕희가 눈을 찌긋하고 소금을 더 좀 먹여 볼까 하고 물을 제 나는 그 대답은 않고 경은 무슨 경을 읽는다고 그래. 건방지게 그 사관(四關)이나 좀 틀게나[37] 하고 낯을 붉히며 봉구에게 소리를 빽 질렀다. 왜냐면 지금은 경이니 소금이니 할 때가 아니다. 아이를 포대기를 덮어서 뉘었는데 그 얼굴이 노랗게 질렸고 눈을 감은 채 가끔 다르르 떨고 하는 것이다. 그리고 입으로는 아직도 게거품을 섞어 밥풀이 꼴깍꼴깍 넘어온다. 손까지 싸느렇고 팻기는 멎었다. 시방 생각하면 이때 죽었을 걸 혹 사관으로 살았는지도 모른다. 내가 서두는 바람에 봉구는 주머니 속에서 조그만 대통을 꺼냈다. 또 그 속에서 녹슨 침 하나를 꺼내더니 입에다 한번 쭉 빨고는 쥐가 뜯어먹은 듯한 칼라 머리에다 쓱쓱 문지른다. 바른손을 논 다음 왼손 엄지손가락으로 침이 또 들어갈 때에서야 비로소 옥이는 정신이 나나 보다. 으악 소리를 지르며 잠깐 놀란다. 그와 동시에 푸드득하고 포대기 속으로 똥을 갈겼다. 덕희는 이걸 빤히 바라보고 있더니 골피를 접으며 이 배라먹을 년, 웬걸 그렇게 처먹고 이 지랄이야, 하고는 욕을 오랄지게 퍼붓는다. 그러나 나는 그 속을 빤히 보았다. 저와 같이 먹다가 이렇게 되었다면 아마 이토록은 노엽지 않았으리라. 그 귀한 음식을 돌르도록 처먹고도 애비 한 쪽 갖다줄 생각을 못한 딸이 지극히 미웠다. 고년 고래 싸. 웬 떡을 배가 터지도록 처먹었담, 하고 입을 삐죽대는 그 낯짝에 시기와 증오가 역력히 나타난다. 사실로 말하자면 이런 경우에는 저도 반드시 옥이와 같이 했으련만. 아니 놈은 꿀 바른 주왁을 다 먹고도 또 막걸리를 준다면 물다 뱉는 한이 있더라도 어쨌든 덥석 물었으리라 생각하고는 나는 그 얼굴을 다시 한번 쳐다보았다.

(1935년)

---

[37] 사관을 트다 사관에 침을 놓다. 사관은 어깨 관절과 팔꿈치 관절, 넓적다리 관절과 무릎 관절을 말한다.

백치(白痴) 아다다

계용묵

계용묵 (1904~1961)

평안북도 선천군에서 태어나 일본 도요대학교에서 동양학을 공부했다. 1927년 단편 〈최서방〉을 발표하면서 작품 활동을 시작했다. 〈백치 아다다〉는 순수한 영혼을 지닌 언어 장애인 아다다와 세속적 가치를 추구하는 주변 인물들 사이의 갈등을 중심으로, 인간의 선량함과 순수성에 대한 옹호와 행복의 진정한 요건 등에 대한 문제의식을 보여 준다. 작가는 주로 인간 존재와 삶의 의미에 대한 탐구, 세속에 물들지 않은 순수함의 가치 등을 옹호하는 이야기들을 발표했다. 〈최서방〉 〈인두지주〉 〈청춘도〉 〈유앵기〉 〈신기루〉 〈별을 헨다〉 〈몰매미〉 등의 단편들이 있다.

질그릇이 땅에 부딪치는 소리가 났다고 들렸는데, 마당에는 아무도 없다.

부엌에 쥐가 들었나? 샛문을 열어 보려니까,

"아 아 아이 아아 아야!"

하는 소리가 뒤란[1] 곁으로 들려온다. 샛문을 열려던 박 씨는 뒷문을 밀었다.

장독대 밑, 비스듬한 편 아래, 아다다가 입을 헤벌리고 납작하니 엎더져 두 다리만을 힘없이 버지럭거리고 있다. 그리고 머리 편으로 한 발쯤 나가선 깨어진 동이 조각이 질서 없이 너저분하게 된장 속에 묻혀 있다.

"아이구테나! 무슨 소린가 했더니 이년이 동애[2]를 또 잡았구나! 이년아! 너더러 된장 푸래든 푸래?"

어머니는 딸이 어딘가 다쳤는지 일어나지도 못하고 아파하는 데 가는 동정심보다 깨어진 동이만이 아깝게 눈에 보였던 것이다.

"어 어마! 아다아다 아다 아다아다……."

모닥불을 뒤집어쓰는 듯한 끔찍한 어머니의 음성을 또다시 듣게 되는 아다다는 겁에 질려 얼굴에 시퍼런 물이 들며 넘어진 연유를 말하여 용서를 빌려는 기색이나 말이 되지를 않아 안타까워한다.

아다다는 벙어리였던 것이다. 말을 하렬 때에는 한다는 것이 아다다 소리만이 연거푸 나왔다. 어찌어찌 가다가 말이 한 마디씩 제법 되어 나오는 적도 있었

---

1 뒤란 집채 뒤쪽의 울안. 울타리로 둘러싸인 집의 안쪽.
2 동애 '동이(질그릇의 하나)'의 방언.

으나 그것은 쉬운 말에 그치고 만다.

그래서, 이것을 조롱 삼아 확실이라는 뚜렷한 이름이 있음에도 불구하고, 누구나 그를 부르는 이름은 아다다였다. 그리하여 이것이 자연히 이름으로 굳어져, 그 부모네까지도 그렇게 부르게 되었거니와, 그 자신조차도 "아다다!" 하고 부르면 마땅히 이름인 듯이 대답을 했다.

"이년까타나 끌이 세누나! 시켠[3]엘 못 가갔으문 오늘은 어드메든지 나가서 뒈디고 말아라, 이년아! 이년아!"

어머니는 눈알을 가로세워 날카롭게도 흰자위만으로 흘기며 성큼 문턱을 넘어선다.

아다다는 어머니의 손길이 또 자기의 끌채[4]를 감아줄 것을 연상하고 몸을 겨우 뒤재비꼬아 일어서서 절룩절룩 굴뚝 모퉁이로 피해 가며 어쩔 줄을 모르고 일변 고개를 좌우로 둘러 살피며 아연하게도,

"아다 어 어마! 아다 어마! 아다다다다다!"
하고 부르짖는다. 다시는 일을 아니 저지르겠다는 듯이, 그리고 한 번만 용서를 하여 달라는 듯싶게.

그러나 사정 모르는 채 기어코 쫓아간 어머니는,

"이년! 어서 뒈데라. 뒈디기 싫건 시집으로 당장 가가라. 못 가간……?"

그리고 주먹을 귀 뒤에 넌지시 얼메고 마주 선다.

순간, 주먹이 떨어지면? 하는 두려운 생각에 오싹하고 끼치는 소름이 튀해[5] 논 닭같이 전신에 돋아나는 두드러기를 느끼는 찰나, '턱' 하고 마침내 떨어지는 주먹은 어느새 끌채를 감아쥐고 갈지자로 흔들어 댄다.

"아다 어어 어마! 아 아고 어 어마!"

---

3 시켠 '시집'의 방언.
4 끌채 '머리채'의 방언.
5 튀하다 새나 짐승을 잡아 뜨거운 물에 잠깐 넣었다가 꺼내어 털을 뽑다.

아다다는 떨며 빌며 손을 묻다.

그러나 소용이 없다. 한번 손을 댄 어머니는 그저 죽어 싸다는 듯이 자꾸만 흔들어 댄다. 하니, 그렇지 않아도 가꾸지 못한 텁수룩한 머리는 물결처럼 흔들리며 구름같이 피어나선 얼크러진다.

그래도 아다다는 그저 빌 뿐이요, 조금도 반항하려고는 않는다. 이런 일은 거의 날마다 지내 보는 것이기 때문에 한대야 그것은 도리어 매까지 사는 것이 됨을 아는 것이다. 집의 일이 아무리 꼬여 돌아가더라도 나 모르는 체 손 싸매고 들어앉았으면 오히려 이런 봉변은 아니 당할 것이, 가만히 앉았지는 못했다.

선천적으로 타고난 천치에 가까운 그의 성격은 무엇엔지 힘에 부치는 노력이 있어야 만족을 얻는 듯했다. 시키건, 안 시키건, 헐하나[6], 힘차나, 가리는 법이 없이 하여야 될 일로 눈에 띄기만 하면 몸을 아끼는 일이 없이 하는 것이 그였다. 그래서 집 안의 모든 고된 일은 실로 아다다가 혼자서 치워 놓게 된다.

그러나 어머니는 그것이 반갑지 않았다. 둔한 지혜로 차부[7] 없이 뼈가 부러지도록 몸을 돌보지 않고, 일종 모험에 가까운 짓을 하게 되므로, 그 반면에 따르는 실수가 되레 일을 저질러 놓게 되어 그릇 같은 것을 깨쳐 먹는 일은 거의 날마다 있다 하여도 옳을 정도로 있었다.

그래도 아다다의 힘을 빌리지 않고는 집안일을 못 치겠다면 모르지만, 그는 참례를 하지 않아도 행랑에서 차근차근히 다 해 줄 일을 쓸데없이 가로맡아선 일을 저질러 놓고 마는 데에 그 어머니는 속이 상했다.

본시 시집을 보내기 전에도 그 버릇은 지금이나 다름이 없어, 벙어리인 데다 행동까지 그러하였으므로 내용 아는 인근에서는 그를 얻어 가려는 사람이 없었

---

6 헐하다 일이 힘이 들지 않고 수월하다. 대수롭지 아니하거나 만만하다.
7 차부 '채비'의 방언.

다. 그리하여, 열아홉 고개를 넘기도록 처묻어 두고 속을 태우다 못해 깃부[8]로 논 한 섬지기[9]를 처넣어 똥 치듯 치워 버렸던 것이, 그만 5년이 멀다 다시 쫓겨 와 시집에는 아예 갈 생각도 아니 하고 하루 같은 심화[10]를 올렸다. 그래서, 어머니는 역겨운 마음에 아다다가 실수를 할 때마다 주릿대[11]를 내리고 참례를 말라건만 그는 참는다는 것이 그 당시뿐이요, 남이 일을 하는 것을 보면 속이 쏘는 듯이 슬그머니 나와서 곁을 슬슬 돌다가는 손을 대고 만다.

바로 사흘 전엔가도 무명을 할 때 활짝 달은 솥뚜껑을 차부 없이 맨손으로 열다가 뜨거움을 참지 못해 되는 대로 집어 엎는 바람에 그만 자배기[12]를 깨쳐서 욕과 매를 한모태 겪고 났었건만 어제저녁 행랑 색시더러 오늘은 묵은 된장을 옮겨 담아야 되겠다고 이르는 말을 어느 겨를에 들었던지 아다다는 아침밥이 끝나자 어느새 나가서 혼자 된장을 퍼 나르다가 그만 또 실수를 한 것이었다.

"못 가간? 시집이! 못 가간? 이년! 못 가갔음 죽어라!"

붙잡았던 머리를 힘차게 획 두르며 밀치는 바람에 손에 감겼던 머리카락이 끊어지는지 빠지는지 무뚝 묻어나며 아다다는 비칠비칠 서너 걸음 물러난다.

순간, 어찔해진 아다다는 넘어지지 않으려고 애써 버지럭거리며 삐치는 다리에 겨우 진정을 얻어 세우자,

"아다 어마! 아다 어마! 아다 아다!"

하고, 다시 달려들 듯이 눈을 흘기고 섰는 어머니를 향하여 눈물 글썽한 눈을 끔벅 한 번 감아 보이고, 그리고 북쪽을 손가락질하여, 어머니의 말대로 시집으로 가든지 그렇지 않으면 죽어라도 버리겠다는 뜻으로 고개를 주억이며 겁에 질려

---

8 깃부 지참금.
9 섬지기 논밭 넓이의 단위. 한 섬지기는 볍씨 한 섬의 모 또는 씨앗을 심을 만한 넓이로 한 마지기의 열 배이며 논은 약 2,000평, 밭은 약 1,000평이다.
10 심화(心火) 마음속에서 북받쳐 나는 화.
11 주릿대 주리를 트는 데 쓰는 두 개의 붉은 막대기 또는 행실이 몹시 불량한 사람을 비유하여 이르는 말. 여기서는 전자의 뜻으로, '주릿대를 내리다.'는 곧 매를 내렸다는 뜻이다.
12 자배기 질그릇의 한 가지. 둥글넓적하고 아가리가 쩍 벌어진 질그릇.

어쩔 줄을 모르고 허청허청 대문 밖으로 몸을 이끌어 냈다.

　나오기는 나왔으나, 갈 곳이 없는 아다다는 마당귀를 돌아서선 발길을 더 내놓지 못하고 우뚝 섰다.

　시집으로 간다고 하였으나, 아무리 생각해도 남편의 매는 어머니의 그것보다 무섭다. 그러면 다시 집으로 들어가나? 이번에는 외상 없는 매가 떨어질 것 같다. 어디로 가야 하나? 갈 곳 없는 갈 곳을 짜 보니 눈물이 주는 위로밖에 쓸데없는 5년 전 그 시집이 참을 수 없이 그립다.

　─치울세라, 더울세라, 힘이 들까, 고단할까, 알뜰살뜰히 어루만져 주던 시부모, 밤이면 품속에 꼭 껴안아 피로를 풀어 주던 남편. 아, 얼마나 시집에서는 자기를 위하여 정성을 다하던 것인고?

　참으로 아다다가 처음 시집을 가서의 5년 동안은 온 집안의 사랑을 한 몸에 받아 왔던 것이 사실이다.

　벙어리라는 조건이 귀에 들어맞는 것은 아니었으나, 돈으로 아내를 사지 아니하고는 얻어 볼 수 없는 처지에서 스물여덟 살에 아직 장가를 못 들고 있는 신세로 목구멍조차 치기 어려운 형세이었으므로 아내를 얻게 되기의 여유를 기다리기까지에는 너무도 막연한 앞날이었다. 벙어리나마 일생을 먹여 줄 것까지 가지고 온다는 데 귀가 번쩍 띄어 그 자리를 앗길까 두렵게 혼사를 지었던 것이니, 그로 인해서 먹고살게 되는 시집에서는 아다다를 아니 위할 수가 없었던 것이다. 그러한 가운데 또한 아다다는 못하는 일이 없이 일 잘하고, 고분고분 말 잘 듣고, 조금도 말썽을 부리는 일이 없었다. 그래서 생활고가 주는 역겨움이 쓸데없이 서로 눈독을 짓게 하여 불쾌한 말만으로 큰소리가 끊일 새 없이 오고 가던 가족은 일시에 봄비를 맞는 동산같이 화락의 웃음에 꽃이 피었다.

　원래, 바른 사람이 못 되는 아다다에게는 실수가 없는 것이 아니었으나, 그로 의해서 밥을 먹게 된 시집에서는 조금도 역겹게 안 여겼고, 되레 위로를 하고 허물을 감추기에 서로 힘을 썼다.

여기에 아다다가 비로소 인생의 행복을 느끼며 시집가기 전 지난날 어머니 아버지가 쓸데없는 자식이라는 구실 밑에, 아니, 되레 가문을 더럽히는 앙화(殃禍)[13] 자식이라고 사람으로서의 푼수[14]에도 넣어 주지 않고 박대하던 일을 생각하고는 어머니 아버지를 원망하는 나머지 명절 목이나 제향 때이면 시집에서는 그렇게도 가 보라는 친정이었건만 이를 악물고 가지 않고 행복 속에 묻혀 살던 지나간 그날이 아니 그리울 수가 없었다.

그러나 그날은 안타깝게도 다시 못 올 영원한 꿈속에 흘러가고 말았다.

해를 거듭하며 생활의 밑바닥에 깔아 놓았던 한 섬지기라는 거름이 차츰 그들을 여유한 생활로 이끌어, 몇백 원이란 돈이 눈앞에 굴게 되니, 까닭 없이 남편 되는 사람은 벙어리로서의 아내가 미워졌다.

조그만 실수가 있어도 눈을 흘겼다. 그리고 매를 내렸다. 이 사실을 아는 아버지는 그것은 들어오는 복을 차 버리는 짓이라고 타이르나, 듣지 않았다. 그리하여 부자간에 충돌이 때때로 일어났다. 이럴 때마다 아버지에게는 감히 하고 싶은 행동을 못 하는 아들은 그 분을 아내에게로 돌려 풀기가 일쑤였다.

"이년 보기 싫다! 네 집으루 가거라."

그리고 다음에 따르는 것은 매였다. 그러나 아다다는 참아 가며 아내로서의, 그리고 며느리로서의 임무를 다했다.

이것이 시부모로 하여금 더욱 아다다를 귀엽게 만드는 것이어서, 아버지에게서는 움직일 수 없는 며느리인 것을 깨닫게 된 아들은 가정적으로 불만을 느끼게 되어 한 해의 농사를 지은 추수를 온통 팔아 가지고 집을 떠나 마음의 위안을 찾아 주색[15]에 돈을 다 탕진하고 물거품같이 밀려 돌다가 동무들과 짝지어 안동

---

13 앙화 재앙. 재난.
14 푼수 상태나 형편.
15 주색 술과 여자를 아울러 이르는 말.

현(安東縣)으로 건너갔다.

그리하여 이 투기적인 도시에서 무젖어 노동의 힘으로 본전을 얻어선 '양화'와 '은떼루[16]'에 투기하여 황금을 꿈꾸어 오던 것이 기적적으로 맞아 나기 시작하여 이태 만에는 2만 원에 가까운 돈을 손에 쥐고 완전한 아내로서의 알뜰한 사랑에 주렸던 그는 돈에 따르는 무수한 여자 가운데서 마음대로 흡족히 골라 가지고 집으로 돌아왔다.

그러고는 새로운 살림을 꿈꾸는 일변 새로이 가옥을 건축함과 동시에 아다다를 학대함이 전에 비할 정도가 아니었다. 이에는, 그 아버지도 명민하고[17] 인자한 남부끄럽지 않은 뼈젓한 새 며느리에게 마음이 쏠리는 나머지 이미 생활은 걱정이 없이 되었으니 아다다의 깃부로써가 아니라도 유족할 앞날의 생활을 내다볼 때 아들로서의 아다다에게 대하는 태도는 소모도 마음에 거슬리는 것이 없었다. 그리하여, 시부모의 눈에서까지 벗어나게 된 아다다는 호소할 곳조차 없는 사정에 눈감은 남편의 매를 견디다 못해 집으로 쫓겨 오게 되었던 것이니, 생각만 하여도 옛 매 자리가 아픈 그 시집은 죽으면 죽었지 다시는 찾아갈 생각이 없었던 것이다.

그래서 집에 있게 되니 그것보다는 좀 헐할망정, 어머니의 매도 결코 견디기에 족한 것이 아니다. 그리고 그것은 날마다 더 심해만 왔다. 오늘도 조금만 반항이 있었던들, 어김없이 매는 떨어지고 말았을 것이다.

그러나 어디로 가나? 아무리 생각을 해 보아야 그저 이 세상에서는 수롱이네 집밖에 또 찾아갈 곳은 없었다.

수롱은 부모 동생조차 없이 30이 넘은 총각으로, 누구보다도 자기를 사랑하여 준다고 믿는 단 한 사람이었다. 그리하여 쫓겨날 때마다 그를 찾아가선 마음의 위안을 얻어 오던 것이다.

---

16 양화(洋貨)와 은(銀)떼루 달러(dollar)와 은광(銀鑛) 사업.
17 명민하다 총명하고 민첩하다.

아다다는 문득 발걸음을 떼어 아지랑이 어른거리는 마을 끝 산턱 아래 떨어져 박힌 한 채의 오막살이를 향하여 마당귀를 꺾어 돌았다.

수롱은 벌써 1년 전부터 아다다를 꾀어 왔다. 시집에서까지 쫓겨난 벙어리였으나, 김 초시의 딸이라, 스스로도 낮추 보여지는 자신으로서는 거연히[18] 염[19]을 내지 못하고 뜻있는 마음을 속으로 꾸여 가며 눈치를 보여 오던 것이, 눈치에서보다는 베풀어진 동정이 마침내, 아다다의 마음을 사게 된 것이었다.

아이들은 아다다를 보기만 하면 따라다니며 놀렸다. 아니, 어른까지도 "아다다, 아다다." 하고, 골을 올려서 분하나, 말을 못하고 이상한 시늉을 하며 두덜거리는[20] 것을 봄으로 행복을 느끼는 듯이 손뼉을 치며 웃었다.

그래서 아다다는 사람을 싫어하였다. 집에 있으면 어머니의 욕과 매, 밖에 나오면 뭇사람들의 놀림, 그러나 수롱이만은 자기를 사랑하는 것이었다. 아이들이 따라다닐 때에도 남 아니 말려 주는 것을 그는 말려 주고, 그리고 애에 터질 듯한 심정을 풀어 주는 것이었다.

그리하여 아다다는 마음이 불편할 때마다 수롱을 생각해 오던 것이, 얼마 전부터는 찾아다니게까지 되어 동네의 눈치에도 이미 오른 지 오랬다.

그러나, 아다다의 집에서도 그 아버지만이 지체를 가지기 위하여 깔맵게[21] 아다다의 행동을 경계하는 듯하고, 그 어머니는 도리어 수롱이와 배가 맞아서 자기 눈앞에 보이지 아니하고, 어디로든지 달아났으면 하는 눈치를 알게 된 수롱이는 지금에 와서는 어느 정도까지 내어놓다시피 그를 사귀어 온다.

아다다는 제집이나처럼 서슴지도 않고 달리어 오자마자 수롱이네 집 문을 벌컥 열었다.

---

18 거연히 당당하고 의젓하게.
19 염(念) 무엇을 하려고 하는 생각이나 마음.
20 두덜거리다 남이 알아듣기 어려울 정도의 낮은 목소리로 자꾸 불평을 하다.
21 깔맵다 (성질 또는 처리하는 솜씨가) 깔끔하고 매섭다.

"아, 아다다!"

수롱은 의외에 벌떡 일어섰다.

"너 또 울었구나!"

울었다는 것이 창피하긴 하였으나, 숨길 차비가 아니다. 호소할 길 없는 가슴속에 꽉 찬 설움은 수롱이의 따뜻한 위무가 어떻게도 그리웠는지 모른다.

방 안에 들어서기가 바쁘게 쫓겨난 이유를 언제나같이 낱낱이 말했다.

"그러기 이젠 아야, 다시는 집으루 가디 말구 나하구 둘이서 살아 응?"

그리고 수롱은 의미 있는 웃음을 벙긋벙긋 웃어 가며 아다다의 등을 척척 뚜드려 달랬다. 오늘은 어떻게 해서든지 자기의 것으로 영원히 만들어 보고 싶은 욕망에 불탔던 것이다.

그러나 아다다는,

"아다 무 무서! 아바 무 무서! 아다 아다다!"

하고, 그렇게 한다면 큰일 난다는 듯이 눈을 둥그렇게 뜬다. 집에서 학대를 받고 있느니보다는 수롱의 사랑 밑에서 살았으면 오죽이나 행복되랴! 다시 집으로는 아니 들어가리라는 생각이 없었던 바도 아니었으나, 정작 이런 말을 듣고 보니, 무엇엔지 차마 허하지 못할 것이 있는 것 같고 그렇지 않은지라 눈을 부릅뜨고 수롱이한테 다니지 말라는 아버지의 말이 연상될 때 어떻게도 그 말은 엄한 것이었다.

"우리 둘이 달아났음 그만이디 무섭긴 뭐이 무서워."

"……."

아다다는 대답이 없다.

딴은 그렇기도 한 것이다. 당장 쫓겨난 몸이 갈 곳이 어딘고? 다시 생각을 더듬어 볼 때 어머니의 매는 아버지의 그 눈총보다도 몇 배나 더한 두려움으로 견딜 수 없이 아픈 것이다. 먼저 한 말이 금시 후회스러웠다.

"안 그래? 무서울 게 뭐야. 이젠 아야 가지 말구 나하구 있어 응?"

"응, 아다 이 있어, 아다 아다."

하고, 아다다는 다시 있자는 말이 나오기를 기다렸던 듯이, 그리고 살 길은 이제 찾기었다는 듯이, 한숨과 같이 빙긋 웃으며 있겠다는 뜻을 명백히 보이기 위하여 고개를 주억이며 삿바닥[22]을 손으로 톡톡 뚜드려 보인다.

"그렇지 그래, 정 있으야 돼 응?"

"응, 이서 이서 아다 아다."

"정말이야?"

"으, 응 저 정 아다 아다."

단단히 강문[23]을 받고 난 수롱이는 은근히 솟아나는 미소를 금할 길이 없었다.

벙어리인 아다다가 흡족할 이치는 없었지만, 돈으로 사지 아니하고는 아내라는 것을 얻어 볼 수 없는 처지였다. 그저 생기는 아내는 벙어리였어도 족했다. 그저 일이나 도와주고 아이들, 딸이나 낳아 주었으면 자기는 게서 더 바랄 것이 없었다. 아내를 얻으려고 10여 년 동안을 불피풍우[24] 품을 팔아 궤 속에 꽁꽁 묶어 둔 150원이란 돈이 지금에 와서는, 아내 하나를 얻기에 그리 부족할 것은 아니나, 장가를 들지 아니하고 아다다를 꼬여 온 이유도, 아다다를 꾐으로 돈을 남겨서, 그 돈으로는 가정의 마루를 얹자는 데서였던 것이다. 이제 계획이 은근히 성공에 가까워 옴에 자기도 남과 같이 가정을 이루어 보누나 하니 바라지도 못하였던 인생의 행복이 자기에게도 이제 찾아오는 것 같았다.

"우리 아다다."

수롱이는 아다다의 등에 손을 얹으며 빙그레 웃었다.

"아다 다다."

아다다도 만족한 듯이 히쭉 입이 벌어졌다.

---

22 삿바닥 갈대를 엮어서 만든 자리의 바닥.
23 강문 따져서 물음.
24 불피풍우(不避風雨) 비바람을 무릅쓰고 일을 함.

그날 밤을 수룡의 품 안에서 자고 난 아다다는 이미 수룡의 아내 되기에 수줍음조차 잊었다. 아니, 집에서 자기를 받들어 들인다 하더라도 수룡을 떨어져서는 살 수 없으리만큼 마음은 굳어졌다. 수룡이가 주는 사랑은 이 세상에서는 더 찾을 수 없는 행복이리라 느끼었던 것이다.

그러나 영원한 행복을 위하련 이 자리에 그대로 박혀서는 누릴 수 없을 것이 다음에 남은 근심이었다. 수룡이와 같이 삶에는, 첫째 아버지가 허하지 않을 것이요, 동네 사람도 부끄럽지 않은 노릇이 아니다. 이것은 수룡이도 짐짓 근심이었다. 밤이 깊도록 의논을 하여 보았으나 동네를 피하여 낯모르는 곳으로 감쪽같이 달아나는 수밖에 다른 묘책이 없었다.

예식 없는 가약을 그들은 서로 맹세하고 그날 새벽으로 그 마을을 떠나 신미도라는 섬으로 흘러가서 그곳에 안주를 정하였다. 그러나 생소한 곳이므로 직업을 찾을 길이 없었다. 고기를 잡아 먹고사는 섬이라, 뱃놀음을 하는 것이 제 길이었으나, 이것은 아다다가 한사코 말렸다. 몇 해 전에 자기네 동네에서도 농토를 잃은 몇몇 사람이 이 섬으로 들어와 첫 배를 타다가 그만 풍랑에 몰살을 당하고 만 일이 있던 것을 잊지 못하는 때문이었다.

그렇지 않은지라, 수룡이조차도 배에는 마음이 없었다. 섬으로 왔다고는 하지만 땅을 파서 먹는 것이 조마구[25] 빨 때부터 길러 온 습관이요, 손 익은 일이었기 때문에 그저 그 노릇만이 그리웠다.

그리하여 있는 돈으로 어떻게, 밭날갈이[26]나 사서 조 같은 것이나 심어 가지고 겨울의 불목이와 양식을 대게 하고 짬짬이 조개나 굴, 낙지, 이런 것들을 캐어서 그날그날을 살아갔으면 그것이 더할 수 없는 행복일 것만 같았다.

그러지 않아도 30 반생에 자기의 소유라고는 손바닥만 한 것조차 없어, 어떻

게도 몽매에 그리던 땅이었는지 모른다. 완전한 아내를 사지 아니하고 아다다를 꼬여 온 것도 이 소유욕에서였다. 아내가 얻어진 이제, 비록 많지는 않은 땅이나마 가져 보고 싶은 마음도 간절하였거니와, 또는 그만한 소유를 가지는 것이 자기에게 향한 아다다의 마음을 더욱 굳게 하는 데도 보다 더한 수단일 것 같았기 때문이다.

그런 데다 본시 뱃놀음판인 섬인데, 작년에 놀구지가 잘되었다 하여 금년에 와서 더욱 시세를 잃은 땅은 비록 때가 기경시[27]라 하더라도 용이히 살 수까지 있는 형편이었으므로, 그렇게 하리라 일단 마음을 정하니, 자기도 땅을 마침내 가져 보누나 하는 생각에 더할 수 없는 행복을 느끼며 아다다에게도 이 계획을 말하였다.

"우리 밭을 한 떼기 사자. 그래두 농살 허야 사람 사는 것 같다. 내가 던답을 살라구 묶어 둔 돈이 있거든."

하고 수롱이는 봐라 하는 듯이 실경[28] 위에 얹힌 석유통 궤 속에서 지전[29] 뭉치를 뒤져 내더니, 손끝에다 침을 발라 가며 펄떡펄떡 뒤어 보인다.

그러나, 그 돈을 본 아다다는 어쩐지 갑자기 화기가 줄어든다.

수롱이는 이상했다. 기꺼워할 줄 알았던 아다다가 도리어 화기를 잃은 것이

---

27 기경시(起耕時) 논밭을 가꾸는 시기.
28 실경 '선반'의 방언.
29 지전 종이에 인쇄를 하여 만든 화폐.

다. 돈이 있다니 많은 줄 알았다가 기대에 틀림으로써인가?

"이거 봐! 그래 뙤두, 이게 1,500냥이야. 지금 시세에 2,000평은 한참 놀다가 두 떡 먹두룩 살 건데."

그래도 아다다는 아무 대답이 없다. 무엇 때문엔지 수심의 빛까지 역연히 얼굴에 떠오른다.

"아니 밭이 2,000평이문 조를 심는다 하구, 잘만 가꿔 봐, 조가 열 섬에 조짚이 100여 목 날 터이야. 그래, 이걸 개지구 겨울 한동안이야 못 살아? 그렇거구 둘이 맞붙어 몇 해만 벌어 봐? 그적엔 논이 또 나오는 거야. 이건 괜히 생……."

아다다는 말없이 머리를 흔든다.

"아니, 내레 이게, 거즈뿌레기³⁰야? 아 열 섬이 못 나?"

아다다는 그래도 머리를 흔든다.

"아니, 고롬 밭은 싫단 말인가?"

비로소 아다다는 그렇다는 듯이 머리를 주억거린다.

아다다는 돈이 있다 해도 실로 그렇게 많은 돈이 있는 줄은 몰랐다. 그래서 그 많은 돈으로 밭을 산다는 소리에, 지금까지 꿈꾸어 오던 모든 행복이 여지없이도 일시에 깨어지는 것만 같았던 것이다. 돈으로 인해서 그렇게 행복일 수 있던 자기의 신세는 남편(전남편)의 마음을 악하게 만듦으로, 그리고, 시부모의 눈까지 가리는 것이 되어, 필야³¹엔 쫓겨나지 아니치 못하게 되던 일을 생각하면, 돈 소리만 들어도 마음은 좋지 않던 것인데, 이제 한 푼 없는 알몸인 줄 알았던 수롱이에게도 그렇게 많은 돈이 있어 그것으로 밭을 산다고 기꺼워하는 것을 볼 때, 그 돈의 밑천은 장래 자기에게 행복을 가져다주기보다는 몽둥이를 벼리는 데 지나지 못하는 것 같았고, 밭에다 조를 심는다는 것은 불행의 씨를 심는다는 것만 같았기 때문이다.

---

30 거즈뿌레기 '거짓말'을 속되게 이르는 말.
31 필야 틀림없이 꼭.

아다다는 그저 섬으로 왔거니 조개나 굴 같은 것을 캐어서 그날그날을 살아가야 할 것만이 수롱의 사랑을 받는 데 더할 수 없는 살림인 줄만 안다. 그래서 이러한 살림이 얼마나 즐거우랴! 혼자 속으로 축복을 하며 수롱을 위하여 일층 벌기에 힘을 써야 할 것을 생각해 오던 것이다.

"고롬 논을 사재나? 밭이 싫으문?"

수롱은 아다다의 의견을 알고 싶어 이렇게 또 물었다.

그러나 아다다는 그냥 고개만 주억여 버린다. 논을 산대도 그것은 똑같은 불행을 사는 데 있을 것이다. 돈이 있는 이상 어느 것이든지간 사기는 반드시 사고야 말 남편의 심사이었음에 머리를 흔들어 댔자 소용이 없을 것이었다. 그리하야, 그 근본 불행인 돈을 어찌할 수 없는 이상엔 잠시라도 남편의 마음을 거슬림으로 불쾌하게 할 필요는 없다고 아는 때문이었다.

"흥! 논이 도혼 줄은 너두 아누나! 그러나, 어려운 놈에겐 밭이 논보다 나았디 나아."

하고, 수롱이는 기어코 밭을 사기로 그 달음에 거간을 내세웠다.

그날 밤.

아다다는 자리에 누웠으나 잠이 오지 않았다.

남편은 아무런 근심도 없는 듯이 세상모르고 씩씩 아침부터 자내건만 아다다는 그저 돈 생각을 하면 장차 닥쳐올 불길한 예감에 잠을 이룰 수가 없었다. 이불을 붙안고 밤새도록 쥐어틀며 아무리 생각을 해야 그 돈을 그대로 두고는 수롱의 사랑 밑에서 영원한 행복을 누릴 수 있으리라고는 믿기지 않았다.

짧은 봄밤은 어느덧 새어, 새벽을 알리는 닭의 울음소리가 사방에서 처량히 들려온다.

밤이 벌써 새누나 하니, 아다다의 마음은 더욱 조급하게 탔다. 이 밤으로 그 돈에 대한 처리를 하지 못하는 한, 내일은 기어이 거간이 밭을 흥정하여 가지고 올 것이다. 그러면 그 밭에서 나는 곡식은 해마다 돈을 불려 줄 것이다. 그때면 남편은 늘어 가는 돈에 따라 차차 눈은 어둡게 되어 점점 정은 멀어만 가게 될 것이다. 그다음에는? 그다음에는 더 생각하기조차 무서웠다.

닭의 울음소리에 따라 날은 자꾸만 밝아 온다. 바라보니 어느덧 창은 희끄스름하게[32] 비친다. 아다다는 더 누워 있을 수가 없었다. 옆에 누운 남편을 지그시 팔로 밀어 보았다. 그러나 움찍하지도 않는다. 그래도 못 믿기는 무엇이 있는 듯이 남편의 코에다 가까이 귀를 가져다 대고 숨소리를 엿들었다. 씨근씨근 아직도 잠은 분명히 깨지 않고 있다. 아다다는 슬그머니 이불 속을 새어 나왔다. 그리고 실경 위의 석유통을 휩쓸어 그 속에다 손을 넣었다. 그리하여 마침내 지전 뭉치를 더듬어서 손에 쥐고는 조심조심 발자국 소리를 죽여 가며 살그머니 문을 열고 부엌으로 내려갔다.

그러고는 일찍이 아침을 지어 먹고 나무새기[33]를 뽑으러 간다고 바구니를 끼고 바닷가로 나섰다. 아무도 보지 못하게 깊은 물속에다 그 돈을 던져 버리자는 것이다.

솟아오르는 아침 햇발을 받아 붉게 물들며 잔뜩 밀린 조수는 거품을 부걱부걱 토하며 바람결조차 철썩철썩 해안에 부딪친다.

아다다는 바구니를 내려놓고 허리춤 속에서 지전 뭉치를 쥐어 들었다. 그러고는 몇 겹이나 쌌는지 알 수 없는 헝겊 조각을 둘둘 풀었다. 헤집으니 1원짜리, 5원짜리, 10원짜리 무수한 관 쓴 영감들이 나를 박대해서는 아니 된다는 듯이, 모두들 마주 바라본다. 그러나 아다다는 너 같은 것을 버리는 데는 아무런 미련도 없다는 듯이 넘노는 물결 위에다 획 내뿌렸다. 세찬 바닷바람에 채인 지전은 바람결 쫓아 공중으로 올라가 팔랑팔랑 허공에서 재주를 넘어 가며 산산이 헤

---

32 희끄스름하다 '희읍스름하다(산뜻하지 못하게 조금 희다.)'의 잘못.
33 나무새기 '나물'의 방언

어져, 멀리, 그리고 가깝게 하나씩 하나씩 물 위에 떨어져서는 넘노는 물결 쫓아 잠겼다 떴다 소꿈막질[34]을 한다.

어서 물속으로 가라앉든지, 그러지 않으면 흘러 내려가든지 했으면 하고 아다다는 멀거니 서서 기다리나 너저분하게 물 위를 덮은 지전 조각들은 차마 주인의 품을 떠나기가 싫은 듯이 잠겨 버렸는가 하면, 다시 기웃거리며 솟아올라서는 물 위를 빙글빙글 돈다.

하더니, 썰물이 잡히자부터야 할 수 없는 듯이 슬금슬금 밑이 떨어져 흐르기 시작한다.

아다다는 상쾌하기 그지없었다. 밀려 내려가는 무수한 그 지전 조각들은, 자기의 온갖 불행을 모두 거두어 가지고 다시 돌아올 길이 없는 끝없는 한바다[35]로 내려갈 것을 생각할 때 아다다는 춤이라도 출 듯이 기꺼웠다.

그러나 그 돈이 완전히 눈앞에 보이지 않게 흘러 내려가기까지에는 아직도 몇 분 동안을 요하여야 할 것인데, 뒤에서 허덕거리는 발자국 소리가 들리기에 돌아다보니 뜻밖에도 수롱이가 헐떡이며 달려오는 것이 아닌가.

"야! 야! 아다다야! 너 돈 돈 안 건새핸? 돈 돈 말이야 돈……?"

청천의 벽력 같은 소리였다.

아다다는 어쩔 줄을 모르고 남편이 이까지 이르기 전에 어서어서 물결은 휩쓸려 돈을 모두 거둬 가지고 흘러 버렸으면 하나, 물결은 안타깝게도 그닐그닐[36] 한가히 돈을 이끌고 흐를 뿐, 아다다는 그 돈이 어서 자기의 눈앞에서 자취를 감추어 버리는 것을 보기 위하여 그닐거리고 있는 돈 위에다 쏘아 박은 눈을 떼지 못하고 쩔쩔매는 사이, 마침내 달려오게 된 수롱이 눈에도 필경 그 돈은 띄고야 말았다.

뜻밖에도 바다 가운데 무수하게 지전 조각이 널려서 앞서거니, 뒤서거니 둥둥 떠내려가는 것을 본 수롱이는 아다다에게 그 연유를 물을 겨를도 없이 미친 듯이 옷을 훨훨 벗고 첨버덩 물속으로 뛰어들었다.

그러나 헤엄을 칠 줄 모르는 수롱이는 돈이 엉키어 도는 한복판으로 들어갈 수가 없었다. 겨우 가슴패기까지 잠기는 깊이에서 더 들어가지 못하고 흘러 내려가는 돈더미를 안타깝게도 바라보며 허우적허우적 달려갔다. 차츰 물결은 휩쓸려 떠내려가는 속력이 빨라진다. 돈들은 수롱이더러 어디 달려와 보라는 듯이 획획 소꾸막질을 하며 흐른다. 그러나 물결이 세어질수록 더욱 걸음발[37]은 자유로 놀릴 수가 없게 된다. 더퍽더퍽 물과 싸움이나 하듯 엎어졌다가는 일어서고 일어섰다가는 다시 엎어지며 달려가나 따를 길이 없다. 그대로 덤비다가는 몸조차 물속으로 휩쓸려 들어갈 것 같아, 멀거니 서서 바라보니 벌써 지전 조각들은 가물가물하고 물거품인지도 지전인지도 분간할 수 없으리만치 먼 거리에서 흐르고 있다. 그러나 그것도 한순간이었다. 눈앞에는 아무것도 보이는 것이 없다. 획획 하고 밀려 내려가는 거품진 물결뿐이다.

수롱이는, 마지막으로 돈을 잃고 말았다고 아는 정도의 물결 위에 쏘아진 눈을 돌릴 길이 없이 정신 빠진 사람처럼 그냥 그냥 바라보고 섰더니, 쏜살같이 언덕 편으로 달려오자 아무런 말도 없이, 벌벌 떨고 섰는 아다다의 중동[38]을 사정없이 발길로 제겼다.

"흥앗!"

소리가 났다고 아는 순간, 철썩 하고 감탕[39]이 사방으로 튀자 보니 벌써 아다다는 해안의 감탕판에 등을 지고 쓰러져 있다.

"이- 이- 이……."

---

37 걸음발 발을 놀려 걸음을 걷는 일. 또는 그렇게 걷는 발.
38 중동 사물의 중간이 되는 부분이나 가운데 부분.
39 감탕 갯가나 냇가 따위에 깔려 있는, 몹시 질어서 질퍽질퍽한 진흙.

수롱이는 무슨 말인지를 하려고는 하나, 너무도 기에 차서 말이 되지를 않는 듯 입만 너불거리다가 아다다가 움쩍하는 것을 보더니 아직도 살았느냐는 듯이 번개같이 쫓아 내려가 다시 한번 발길로 제겼다.

　"푹!"

하는 소리와 같이 아다다는 가꿉선 언덕을 떨어져 덜덜덜 굴러서 물속에 잠긴다.

　한참 만에 보니 아다다는 복판도 한복판으로 밀려가서 솟구어 오르며 두 팔을 물 밖으로 허우적거린다. 그러나 그 깊은 파도 속을 어떻게 헤어나랴! 아다다는 그저 물 위를 둘레둘레 굴며 요동을 칠 뿐, 그러나, 그것도 한순간이었다. 어느덧 그 자체는 물속에 사라지고 만다.

　주먹을 부르쥔 채 우상같이 서서, 굽실거리는 물결만 그저 뚫어져라 쏘아보고 섰는 수롱이는 그 물속에 영원히 잠들려는 아다다를 못 잊어함인가? 그렇지 않으면, 흘러 버린 그 돈이 차마 아까워서인가?

　짝을 찾아 도는 갈매기 떼들은 눈물겨운 처참한 인생 비극이 여기에 일어난 줄도 모르고 '끼약 끼약' 하며 흥겨운 춤에 훨훨 날아다니는 깃[羽] 치는 소리와 같이 해안의 풍경만 도웁고[40] 있다.

(1935년)

---

40 도웁다 '돕다'의 방언.

봄봄

김유정

김유정 (1908~1937)

김유정은 〈봄봄〉에서 교활한 장인과 순박한 주인공 간의 갈등
을 해학적으로 그리고 있다. 그는 〈봄봄〉〈동백꽃〉과 같이 주로
농촌 현실을 소재로 한 작품을 다루면서, 무지하고 순박한 농민
들을 주인공으로 삼았다. 또한 비참한 농촌의 현실을 토속적인
구어와 함께 해학적으로 다룸으로써 인물들의 끈질긴 삶의 모
습들을 작품 속에 담아내었다.

●

　　●

　　"장인님! 인젠 저⋯⋯."

　　내가 이렇게 뒤통수를 긁고, 나이가 찼으니 성례[1]를 시켜 줘야 하지 않겠느냐고 하면, 그 대답이 늘,

　　"이 자식아! 성례구 뭐구 미처 자라야지!"

하고 만다.

　　이 자라야 한다는 것은 내가 아니라 장차 내 안해가 될 점순이의 키 말이다.

　　내가 여기에 와서 돈 한 푼 안 받고 일하기를 3년 하고 꼬박이 일곱 달 동안을 했다. 그런데도 미처 못 자랐다니까 이 키는 언제야 자라는 겐지 짜장 영문 모른다. 일을 좀 더 잘해야 한다든지 혹은 밥을 (많이 먹는다고 노상 걱정이니까) 좀 덜 먹어야 한다든지 하면 나도 얼마든지 할 말이 많다. 허지만, 점순이가 안죽[2] 어리니까 더 자라야 한다는 여기에는 어째 볼 수 없이 고만 벙벙하고[3] 만다.

　　이래서 나는 애최 계약이 잘못된 걸 알았다. 이태면 이태, 3년이면 3년, 기한을 딱 작정하고 일을 해야 원, 할 것이다. 덮어놓고 딸이 자라는 대로 성례를 시켜 주마 했으니, 누가 늘 지키고 섰는 것도 아니고, 그 키가 언제 자라는지 알 수 있는가. 그리고 난 사람의 키가 무럭무럭 자라는 줄만 알았지 붙배기[4] 키에 모로만 벌어지는 몸도 있는 것을 누가 알았으랴. 때가 되면 장인님이 어련하랴

---

1 성례(成禮) 혼인의 예식을 지냄.
2 안죽 '아직'의 방언.
3 벙벙하다 어리둥절하여 얼빠진 사람처럼 멍하다.
4 붙배기 '붙박이'의 방언.

싶어서 군소리 없이 꾸벅꾸벅 일만 해 왔다. 그럼 말이다, 장인님이 제가 다 알아채려서,

"어 참, 너 일 많이 했다. 고만 장가들어라."

하고 살림도 내주고 해야 나도 좋을 것이 아니냐. 시치미를 딱 떼고 도리어 그런 소리가 나올까 봐서 지레 펄펄 뛰고 이 야단이다. 명색이 좋아 데릴사위지 일하기에 승겁기도[5] 할뿐더러 이건 참 아무것도 아니다.

숙맥이 그걸 모르고 점순이의 키 자라기만 까맣게 기다리지 않았나.

언젠가는 하도 갑갑해서 자를 가지고 덤벼들어서 그 키를 한번 재 볼까 했다마는, 우리는 장인님이 내외를 해야 한다고 해서 마주 서 이야기도 한마디 하는 법 없다. 움물길에서 어쩌다 마주칠 적이면 겨우 눈어림으로 재 보고 하는 것인데, 그럴 적마다 나는 저만침 가서

"제- 미, 키두!"

하고 논둑에다 침을 퉤 뱉는다. 아무리 잘 봐야 내 겨드랑(다른 사람보다 좀 크긴 하지만) 밑에서 넘을락 말락 밤낮 요 모양이다. 개, 돼지는 푹푹 크는데 왜 이리도 사람은 안 크는지, 한동안 머리가 아프도록 궁리도 해 보았다. 아하, 물동이를 자꾸 이니까 뼉다귀가 움츠러드나 부다 하고, 내가 넌즛넌즈시 그 물을 대신 길어도 주었다. 뿐만 아니라, 나무를 하러 가면 서낭당에 돌을 올려놓고,

"점순이의 키 좀 크게 해 줍소사. 그러면 담엔 떡 갖다 놓고 고사 드립죠니까."

하고 치성도 한두 번 드린 것이 아니다. 어떻게 돼먹은 킨지 이래도 막무가내니…….

그래 내 어쩌게 싸운 것이지 결코 장인님이 밉다든가 해서가 아니다.

모를 붓다가 가만히 생각을 해 보니까 또 승겁다. 이 벼가 자라서 점순이가 먹고 좀 큰다면 모르지만, 그렇지도 못할 걸 내 심어서 뭘 하는 거냐. 해마다 앞

---

5 승겁다 '싱겁다'의 방언.

으로 축 거불지는[6] 장인님의 아랫배(가 너무 먹은 걸 모르고 내병[7]이라나, 그 배)를 불리기 위하여 심으곤 조곰도 싶지 않다.

"아이구, 배야!"

난 몰 붓다 말고 배를 씨다듬으면서 그대루 논둑으로 기어올랐다. 그리고 겨드랑에 꼈던 벼 담긴 키[8]를 그냥 땅바닥에 털썩 떨어치며 나도 털썩 주저앉았다. 일이 암만 바뻐도 나 배 아프면 고만이니까. 아픈 사람이 누가 일을 하느냐. 파릇파릇 돋아 오른 풀 한 숲[9]을 뜯어 들고 다리의 거머리를 쓱쓱 문태며[10] 장인님의 얼굴을 쳐다보았다.

논 가운데서 장인님이 이상한 눈을 해 가지고 한참을 날 노려보드니,

"너, 이 자식, 왜 또 이래, 응?"

"배가 좀 아파서유!"

하고 풀 우에 슬며시 쓰러지니까 장인님은 약이 올랐다. 저도 논에서 철벙철벙 둑으로 올라오드니 잡은 참 내 먹살을 웅켜잡고 뺨을 치는 것이 아닌가……

"이 자식아, 일허다 말면 누굴 망해 놀 셈속이냐? 이 대가릴 까 놀 자식."

우리 장인님은 약이 오르면 이렇게 손버릇이 아주 못됐다. 또, 사위에게 이 자

---

6 거불지다 둥글고 불룩하게 툭 비어져 나오다.
7 내병(內病) 속병, 위장병.
8 키 곡식 따위를 까불러 쭉정이나 티끌을 골라내는 도구.
9 숲 '숱(풀이나 머리털 따위의 부피나 분량)'의 방언.
10 문태다 '문대다'의 방언.

식 저 자식 하는 이놈의 장인님은 어디 있느냐. 오죽해야 우리 동리에서 누굴 물론하고 그에게 욕을 안 먹는 사람은 명이 짜르다 한다. 조고만 아이들까지도 그를 돌라 세 놓고 '욕필이(번 이름이 봉필이니까), 욕필이' 하고 손가락질을 할 만치 두루 인심을 잃었다. 허나, 인심을 정말 잃었다면 욕보다 읍의 배 참봉댁 마름[11]으로 더 잃었다. 번이[12] 마름이란 욕 잘하고, 사람 잘 치고, 그리고 생김 생기길 호박개[13] 같애야 쓰는 거지만, 장인님은 외양이 똑 됐다. 작인[14]이 닭 마리나 좀 보내지 않는다든가 애벌논[15] 때 품을 좀 안 준다든가 하면 그해 가을에는 영락없이 땅이 뚝뚝 떨어진다. 그러면 미리부터 돈도 먹이고 술도 먹이고 안달재신[16]으로 돌아치든 놈이 그 땅을 슬쩍 돌라앉는다. 이 바람에 장인님 집 빈 외양간에는 눈깔 커다란 황소 한 놈이 절로 엉금엉금 기어들고, 동리 사람은 그 욕을 다 먹어 가면서도 그래도 굽신굽신하는 게 아닌가…….

그러나 내겐 장인님이 감히 큰소리할 계제[17]가 못 된다.

뒷생각은 못 하고 뺨 한 개를 딱 때려 놓고는 장인님은 무색해서 덤덤히 쓴침만 삼킨다. 난 그 속을 퍽 잘 안다. 조금 있으면 갈도 꺾어야[18] 하고 모도 내야 하고, 한창 바쁜 때인데 나 일 안 하고 우리 집으로 그냥 가면 고만이니까. 작년 이맘때도 트집을 좀 하니까 늦잠 잔다구 돌멩이를 집어 던져서 자는 놈의 발목을 삐게 해 놨다. 사날씩이나 건숭 '끙, 끙.' 앓았더니 종당에는 거반[19] 울상이 되지 않았는가…….

"애, 그만 일어나 일 좀 해라. 그래야 올 갈에 벼 잘되면 너 장가들지 않니?"

---

11 마름 지주를 대리하여 소작권을 관리하는 사람.
12 번이 '번히(어떤 일의 결과나 상태가 훤하게 드러나보이듯이 분명하게)'의 방언.
13 호박개 뼈대가 굵고 털이 북슬북슬한 개.
14 작인 소작인. 다른 사람의 농지를 빌려 농사를 짓고 그 대가로 사용료를 지급하는 사람.
15 애벌논 첫 번째 매는 논. 여기서너는 '논을 처음 맨다.'는 뜻이다.
16 안달재신 몹시 속을 태우며 여기저기로 돌아다니는 사람.
17 계제 어떤 일을 할 수 있게 된 형편이나 기회.
18 갈을 꺾다 '갈'은 갈참나무의 잎으로, 모낼 논에 거름으로 쓸 갈참나무 잎을 베는 일을 말한다.
19 거반 거지반(居之半). 거의 절반.

그래 귀가 번쩍 띄어서 그날로 일어나서 남이 이틀 품[20] 들일 논을 혼자 삶어[21] 놓으니까 장인님도 눈깔이 커다랗게 놀랐다. 그럼 정말로 가을에 와서 혼인을 시켜 줘야 온 경우가 옳지 않겠나. 볏섬을 척척 들여 쌓아도 다른 소리는 없고 물동이를 이고 들어오는 점순이를 담배통으로 가리키며,

"이 자식아, 미처 커야지. 조걸 무슨 혼인을 한다고 그러니, 온!"

하고 남 낯짝만 붉게 해 주고 고만이다. 골김에[22] 그저 이놈의 장인님 하고 댓돌에다 메꽂고 우리 고향으로 내뺄까 하다가 꾹꾹 참고 말았다.

참말이지 난 이 꼴 하고는 집으로 차마 못 간다. 장가를 들러 갔다가 오죽 못났어야 그대로 쫓겨 왔느냐고 손가락질을 받을 테니까…….

논둑에서 벌떡 일어나 한풀 죽은 장인님 앞으로 다가서며,

"난 갈 테야유. 그동안 사경[23] 쳐 내슈, 뭐."

"너, 사위로 왔지 어디 머슴 살러 왔니?"

"그러면 얼찐 성례를 해 줘야 안 하지유. 밤낮 부려만 먹구 해 준다, 해 준다…….''

"글쎄 내가 안 하는 거냐, 그년이 안 크니까…….''

하고 어름어름 담배만 담으면서 늘 하는 소리를 또 늘어놓는다.

이렇게 따져 나가면 언제든지 늘 나만 밑지고 만다. 이번엔 안 된다 하고 대뜸 구장님한테로 단판 가자고 소맷자락을 내끌었다.

"아, 이 자식이 왜 이래, 어른을."

안 간다고 뻗디디고 이렇게 호령은 제 맘대로 하지만 장인님 제가 내 기운은 못 당한다. 막 부려 먹고 딸은 안 주고, 게다 땅땅 치는 건 다 뭐야…….

그러나 내 사실 참, 장인님이 미워서 그런 것은 아니다.

---

20 품 어떤 일에 드는 힘이나 수고.
21 삶다 논밭의 흙을 써레로 썰고 나래로 골라 노글노글하게 만들다.
22 골김에 비위에 거슬리거나 마음이 언짢아서 성이 나는 김에.
23 사경 '새경(머슴이 주인에게서 한 해 동안 일한 대가로 받는 돈이나 물건)'의 방언.

그 전날, 왜 내가 새고개 맞은 봉우리 화전밭을 혼자 갈고 있지 않았느냐. 밭 가생이로 돌 적마다 야릇한 꽃내가 물컥물컥 코를 찌르고 머리 위에서 벌들은 가끔 '붕, 붕.' 소리를 친다. 바위틈에서 샘물 소리밖에 안 들리는 산골짜기니까 맑은 하늘의 봄볕은 이불 속같이 따스하고 꼭 꿈꾸는 것 같다. 나는 몸이 나른하고 몸살(을 아즉 모르지만 병)이 나려고 그러는지 가슴이 울렁울렁하고 이랬다.

"어러이! 말이! 맘 마 마……."

이렇게 노래를 하며 소를 부리면 여느 때 같으면 어깨가 으쓱으쓱한다. 웬일인지 밭 반도 갈지 않아서, 온몸의 맥이 풀리고 대구 짜증만 난다. 공연히 소만 들입다 두들기며,

"안야! 안야! 이 망할 자식의 소(장인님의 소니까) 대리를 꺾어 들라."

그러나 내 속은 정말 안야 때문이 아니라 점심을 이고 온 점순이의 키를 보고 울화가 났든 것이다.

점순이는 뭐 그리 썩 이쁜 계집애는 못 된다. 그렇다구 개떡이냐 하면 그런 것두 아니고, 꼭 내 안해가 돼야 할 만치 그저 톱톱하게²⁴ 생긴 얼굴이다. 나보다 10년이 아래니까 올해 열여섯인데, 몸은 남보다 두 살이나 덜 자랐다. 남은 잘도 휜칠히들 크건만 이건 우아래가 몽툭한 것이 내 눈에는 헐없이 감참외 같다. 참외 중에는 감참외가 제일 맛 좋고 이쁘니까 말이다. 둥글고 커단 눈은 서글서글하니 좋고, 좀 지쳐 찢어졌지만 입은 밥술이나 톡톡히 먹음직하니 좋다. 아따, 밥만 많이 먹게 되면 팔자는 고만 아니냐. 한데 한 가지 파²⁵가 있다면 가끔가다 몸이(장인님은 이걸 채신이 없이 들까분다고 하지만) 너머 빨리빨리 논다. 그래서 밥을 나르다가 때 없이 풀밭에서 깨빡을 쳐서 흙투성이 밥을 곧잘 먹인다. 안 먹으면 무안해할까 봐서 이걸 씹고 앉었노라면 으적으적 소리만 나고 돌을 먹는 겐지 밥을 먹는 겐지…….

---

24 톱톱하다 생김새가 멋이 없고 투박하다.
25 파 사람의 결점.

그러나 이날은 웬일인지 성한 밥째루 밭머리에 곱게 나려놓았다. 그리고 또 내외를 해야 하니까 저만큼 떨어져 이쪽으로 등을 향하고 웅크리고 앉아서 그릇 나기를 기다린다.

내가 다 먹고 물러섰을 때, 그릇을 와서 챙기는데 난 깜짝 놀라지 않았느냐. 고개를 푹 숙이고 밥함지[26]에 그릇을 포개면서 날더러 들으래는지 혹은 제 소린지

"밤낮 일만 하다 말 텐가!"

하고 혼자서 쫑알거린다. 고대 잘 내외하다가 이게 무슨 소린가 하고 난 정신이 얼떨떨했다. 그러면서도 한편 무슨 좋은 수나 있는가 싶어서 나도 공중을 대고 혼잣말로

"그럼 어떡해?"

하니까,

"성례시켜 달라지 뭘 어떡해."

하고 되알지게 쏘아붙이고 얼굴이 발개져서 산으로 그저 도망질을 친다.

나는 잠시 동안 어떻게 되는 심판[27]인지 맥을 몰라서 그 뒷모양만 덤덤히 바라보았다.

봄이 되면 온갖 초목이 물이 오르고 싹이 트고 한다. 사람도 아마 그런가 부다 하고 며칠 내에 부쩍(속으로) 자란 듯싶은 점순이가 여간 반가운 것이 아니다.

이런 걸 멀쩡하게 안직 어리다구 하니까…….

우리가 구장님을 찾아갔을 때 그는 싸리문 밖에 있는 돼지우리에서 죽을 퍼 주고 있었다. 서울엘 좀 갔다 오드니 사람은 점잖아야 한다구 웃쉼이(얼른 보면 지붕 위에 앉은 제비 꼬랑지 같다.) 양쪽으로 뽀죽이 삐치고 그걸 에헴 하고 늘 쓰담 는 손버릇이 있다. 우리를 멀뚱히 쳐다보고 미리 알아챘는지

---

26 밥함지 밥을 담는 데 쓰는 나무로 만든 그릇.
27 심판 '셈판(어떤 일이나 사실의 원인. 또는 그런 형편)'의 방언.

"왜 일들 허다 말구 그래?"

하더니 손을 올려서 그 에헴을 한 번 후딱 했다.

"구장님, 우리 장인님과 츰에 계약하기를……."

먼저 덤비는 장인님을 뒤로 떼다밀고 내가 허둥지둥 달겨들다가 가만히 생각하고,

"아니, 우리 빙장[28]님과 츰에……."

하고 첫 번부터 다시 말을 고쳤다. 장인님은 빙장님 해야 좋아하고 밖에 나와서 장인님 하면 괜스리 골을 내려고 든다. 뱀두 뱀이래야 좋냐구, 창피스러우니 남 듣는 데는 제발 빙장님, 빙모님 하라구 일상 말조짐[29]을 받아 오면서 난 그것도 자꾸 잊는다. 당장두 장인님 하다 옆에서 내 발등을 꾹 밟고 곁눈질을 흘기는 바람에야 겨우 알았지만…….

구장님도 내 이야기를 자세히 듣드니 픽 딱한 모양이었다. 하기야 구장님뿐만 아니라 누구든지 다 그럴 게다. 길게 길러 둔 새끼손톱으로 코를 후벼서 저리 탁 튀기며

"그럼 봉필 씨! 얼른 성례를 시켜 주구려, 그렇게까지 제가 하구 싶다는 걸……."

하고 내 짐작대루 말했다. 그러나 이 말에 장인님은 삿대질로 눈을 부라리고,

"아, 성례구 뭐구 기집애 년이 미처 자라야 할 게 아닌가?"

하니까 고만 멀쑤룩해서[30] 입맛만 쩍쩍 다실 뿐이 아닌가…….

"그것두 그래!"

"그래, 거진 4년 동안에도 안 자랐다니 그 킨 은제 자라지유? 다 그만두구 사경 내슈……."

---

28 빙장(聘丈) 다른 사람의 장인(丈人)을 이르는 말.
29 말조짐 '말조심'의 방언.
30 멀쑤룩하다 '머쓱하다'의 방언.

"글쎄, 이 자식아! 내가 크질 말라구 그랬니, 왜 날 보구 떼냐?"

"빙모님은 참새만 한 것이 그럼 어떻게 앨 낳지유?(사실 장모님은 점순이보다도 귓배기 하나가 적다.)"

장인님은 이 말을 듣고 껄껄 웃드니(그러나 암만해두 돌 씹은 상이다.) 코를 푸는 척하고 날 은근히 골리려고 팔꿈치로 옆 갈비께를 퍽 치는 것이다. 더럽다. 나도 종아리의 파리를 쫓는 척하고 허리를 구부리며 그 궁둥이를 꽉 떼밀었다. 장인님은 앞으로 우찔근하고 싸리문께로 쓰러질 듯하다 몸을 바루 고치드니 눈총을 몹시 쏘았다. 이런 쌍년의 자식 하곤 싶으나, 남의 앞이라서 차마 못 하고 섰는 그 꼴이 보기에 퍽 쟁그러웠다[31].

그러나 이 말에는 별반 신통한 귀정[32]을 얻지 못하고 도로 논으로 돌아와서 모를 부었다. 왜냐면, 장인님이 뭐라고 귓속말로 수군수군하고 간 뒤다. 구장님이 날 위해서 조용히 데리고 아래와 같이 일러 주었기 때문이다. (뭉태의 말은 구장님이 장인님에게 땅 두 마지기 얻어 부치니까 그래 꾀였다고 하지만 난 그렇게 생각 않는다.)

"자네 말두 하기야 옳지, 암 나이 찼으니까 아들이 급하다는 게 잘못된 말은 아니야. 허지만, 농사가 한창 바쁠 때 일을 안 한다든가 집으로 달아난다든가 하면 손해죄루 그것두 징역을 가거든! (여기에 그만 정신이 번쩍 났다.) 왜 요전에 삼포 말서 산에 불 좀 놓았다구 징역 간 거 못 봤나. 제 산에 불을 놓아도 징역을 가는 이땐데 남의 농사를 버려 주니 죄가 얼마나 더 중한가. 그리고 자넨 정장[33]을(사경 받으러 정장 가겠다 했다.) 간대지만, 그러면 괜시리 죄를 들쓰고 들어가는 걸세. 또, 결혼두 그렇지, 법률에 성년이란 게 있는데 스물하나가 돼야지 비로소 결혼을 할 수가 있는 걸세. 자넨 물론 아들이 늦을 걸 염려하지만 점순이루 말하면 이제 겨우 열여섯이 아닌가. 그렇지만 아까 빙장님의 말씀이 올

---

31 쟁그럽다 쟁글쟁글하다. 미운 사람의 실수를 보아 아주 고소하다.
32 귀정 그릇되었던 일이 바른길로 돌아옴.
33 정장 소장(訴狀)을 관청에 냄.

갈에는 열 일을 제치고라두 성례를 시켜 주겠다 하시니 좀 고마울 겐가. 빨리 가서 모 붓든 거나 마저 붓게. 군소리 말구 어서 가…….”

그래서 오늘 아츰까지 끽소리 없이 왔다.

장인님과 내가 싸운 것은 지금 생각하면 전혀 뜻밖의 일이라 안 할 수 없다. 장인님으로 말하면 요즈막 작인들에게 행세를 좀 하고 싶다구 해서,

‘돈 있으면 양반이지 별게 있느냐!’

하고 일부러 아랫배를 툭 내밀고 걸음도 뒤틀리게 걷고 하는 이 판이다. 이까짓 나쯤 두들기다 남의 땅을 가지고 모처럼 닦어 놓았든 가문을 망친다든지 할 어른이 아니다. 또, 나로 논지면 아무쪼록 잘 뵈서 점순이에게 얼른 장가를 들어야 하지 않느냐…….

이렇게 말하자면 결국 어젯밤 뭉태네 집에 마슬 간 것이 썩 나빴다. 낮에 구장님 앞에서 장인님과 내가 싸운 것을 어떻게 알었는지 대구 빈정거리는 것이 아닌가.

“그래 맞구두 그걸 가만둬?”

“그럼 어떡하니?”

“임마, 봉필일 모판에다 거꾸루 박아 놓지 뭘 어떡해?”

하고 괜히 내 대신 화를 내 가지고 주먹질을 하다 등잔까지 쳤다. 놈이 본시 괄괄은 하지만 그래 놓고 날더러 석유값을 물라고 막 찌다우[34]를 붙는다. 난 어안이 벙벙해서 잠자코 앉었으니까 저만 연신 지껄이는 소리가

“밤낮 일만 해 주구 있을 테냐?”

“영득이는 1년을 살구두 장갈 들었는데 넌 4년이나 살구두 더 살아야 해?”

“네가 세 번째 사원 줄이나 아니, 세 번째 사위.”

“남의 일이라두 분하다, 이 자식아, 우물에 가 빠져 죽어.”

---

34 찌다우 자기의 허물을 남에게 덮어씌움.

나중에는 겨우 손톱으로 목을 따라구까지 하고, 제 아들같이 함부로 혹닥이었다. 별의별 소리를 다 해서 그대로 옮길 수는 없으나 그 줄거리는 이렇다…….

우리 장인님이 딸이 셋이 있는데 맏딸은 재작년 가을에 시집을 갔다. 정말은 시집을 간 것이 아니라 그 딸도 데릴사위를 해 가지고 있다가 내보냈다. 그런데 딸이 열 살 때부터 열아홉, 즉 10년 동안에 데릴사위를 갈아들이기를, 동리에선 사위 부자라고 이름이 났지마는 열네 놈이란 참 너무 많다. 장인님이 아들은 없고 딸만 있는 고로 그담 딸을 데릴사위를 해 올 때까지는 부려 먹지 않으면 안 된다. 물론 머슴을 두면 좋지만 그건 돈이 드니까, 일 잘하는 놈을 고르느라고 연방 바꿔 들였다. 또 한편, 놈들이 욕만 줄창 퍼붓고 심히도 부려 먹으니까 밸이 상해서 달아나기도 했겠지. 점순이는 둘째 딸인데, 내가 일테면 그 세 번째 데릴사위로 들어온 셈이다. 내 담으로 네 번째 놈이 들어올 것을 내가 일도 참 잘하구, 그리고 사람이 좀 어수룩하니까 장인님이 잔뜩 붙들고 놓질 않는다. 셋째 딸이 인제 여섯 살, 적어두 열 살은 돼야 데릴사위를 할 터이므로 그동안은 죽도록 부려 먹어야 된다. 그러니 인제는 속 좀 채리고 장가를 들여 달라구 떼를 쓰고 나자빠져라 이것이다.

나는 건성으로 '엉, 엉.' 하며 귓등으로 들었다. 뭉태는 땅을 얻어 부치다가 떨어진 뒤로는 장인님만 보면 공연히 못 먹어서 으릉거린다. 그것두 장인님이 저 달라고 할 적에 제집에서 위한다는 그 감투(예전에 원님이 쓰던 것이라나, 옆구리에 뿡뿡 좀먹은 걸레)를 선뜻 주었드라면 그럴 리도 없었든 걸…….

그러나 나는 뭉태란 놈의 말을 전수이[35] 곧이듣지 않았다. 꼭 곧이들었다면 간밤에 와서 장인님과 싸웠지 무사히 있었을 리가 없지 않은가. 그러면 딸에게까지 인심을 잃은 장인님이 혼자 나빴다.

실토이지 나는 점순이가 아츰상을 가지고 나올 때까지는 오늘은 또 얼마나

---

35 전수이 모두 다.

밥을 담았나 하고 이것만 생각했다. 상에는 된장찌개하고 간장 한 종지, 조밥 한 그릇, 그리고 밥보다 더 수부룩하게 담은 산나물이 한 대접, 이렇다. 나물은 점순이가 틈틈이 해 오니까 두 대접이고 네 대접이고 멋대로 먹어도 좋으나, 밥은 장인님이 한 사발 외엔 더 주지 말라고 해서 안 된다. 그런데 점순이가 그 상을 내 앞에 나려놓으며 제 말로 지껄이는 소리가

"구장님한테 갔다 그냥 온담 그래!"

하고 엊그제 산에서와 같이 되우[36] 종알거린다. 딴은 내가 더 단단히 덤비지 않고 만 것이 좀 어리석었다, 속으로 그랬다. 나도 저쪽 벽을 향하여 외면하면서 내 말로

"안 된다는 걸 그럼 어떡헌담!"

하니까,

"쉼을 잡아채지 그냥 둬, 이 바보야!"

하고 또 얼굴이 빨개지면서 성을 내며 안으로 샐죽하니[37] 튀 들어가지 않느냐. 이때 아무도 본 사람이 없었게 망정이지, 보았다면 내 얼굴이 에미 잃은 황새 새 끼처럼 가여웁다 했을 것이다.

사실, 이때만큼 슬펐던 일이 또 있었는지 모른다. 다른 사람은 암만 못생겼다 해두 괜찮지만 내 안해 될 점순이가 병신으로 본다면 참 신세는 따분하다. 밥을 먹은 뒤 지게를 지고 일터로 가려 하다 도루 벗어 던지고 바깥 마당 공석[38] 우에 드러누워서, 나는 차라리 죽느니만 같지 못하다 생각했다.

내가 일 안 하면 장인님 저는 나이가 먹어 못 하고 결국 농사 못 짓고 만다. 뒷 짐으로 트림을 꿀꺽 하고 대문 밖으로 나오다 날 보고서

"이 자식아, 너, 왜 또 이러니?"

---

36 되우 아주 몹시. 매우 심하게.
37 샐죽하다 마음에 차지 아니하여서 약간 고까워하는 태도가 있다.
38 공석 빈 멍석.

"관격[39]이 났어유, 아이구 배야!"

"기껀 밥 처먹구 나서 무슨 관격이야? 남의 농사 버려 주면 이 자식아, 징역 간다, 봐라!"

"가두 좋아유, 아이구 배야!"

참말 난 일 안 해서 징역 가도 좋다 생각했다. 일후[40] 아들을 낳아도 그 앞에서 '바보, 바보.' 이렇게 별명을 들을 테니까 오늘은 열 쪽이 난대도 결정을 내고 싶었다.

장인님이 일어나라고 해도 내가 안 일어나니까 눈에 독이 올라서 저편으로 힝 하게 가더니 지게막대기를 들고 왔다. 그리고 그걸로 내 허리를 마치 돌 떠넘기듯이 쿡 찍어서 넘기고 넘기고 했다. 밥을 잔뜩 먹고 딱딱한 배가 그럴 적마다 퉁겨지면서 밸창[41]이 꼿꼿한 것이 여간 켕기지 않았다. 그래도 안 일어나니까 이번에는 배를 지게 막대기로 우에서 쿡쿡 찌르고 발길로 옆구리를 차고 했다. 장인님은 원체 심정이 궂어서 그렇지만, 나도 저만 못하지 않게 배를 채었다. 아픈 것을 눈을 꽉 감고 넌 해라 난 재미난 듯이 있었으나, 볼기짝을 후려갈길 적에는 나도 모르는 결에 벌떡 일어나서 그 수염을 잡아챘다마는, 내 골이 난 것이 아니라 정말은 아까부터 부엌 뒤 울타리 구멍으로 점순이가 우리들의 꼴을 몰래 엿보고 있었기 때문이다. 가뜩이나 말 한마디 톡톡히 못 한다고 바보라는데 매까지 잠자코 맞는 걸 보면 짜장 바보로 알 게 아닌가. 또 점순이도 미워하는 이까짓 놈의 장인님 나곤 아무것도 안 되니까 막 때려도 좋지만 사정 보아서 수염만 채고(제 원대로 했으니까 이때 점순이는 퍽 기뻤겠지.) 저기까지 잘 들리도록,

"이걸 까셀라 부다!"

하고 소리를 쳤다.

---

39 관격 먹은 음식이 갑자기 체하여 가슴 속이 막히고 위로는 계속 토하며 아래로는 대소변이 통하지 않는 위급한 증상.
40 일후 뒷날.
41 밸창 배알. 창자를 이르는 비속한 말.

장인님은 더 약이 바짝 올라서 잡은 참 지게막대기로 내 어깨를 그냥 나려갈겼다. 정신이 다 아찔하다. 다시 고개를 들었을 때 그때엔 나도 온몸에 약이 올랐다. 이 녀석의 장인님을 하고 눈에서 불이 퍽 나서 그 아래 밭 있는 넝 알로[42] 그대로 떼밀어 굴려 버렸다.

기어오르면 굴리고 굴리면 기어오르고, 이러길 한 너덧 번을 하며, 그럴 적마다

"부려만 먹구 왜 성례 안 하지유!"

나는 이렇게 호령했다. 허지만, 장인님이 선뜻 오냐 낼이라두 성례시켜 주마 했으면 나도 성가신 걸 그만두었을지 모른다. 나야 이러면 때린 건 아니니까 나종에 장인 쳤다는 누명도 안 들을 터이고 얼마든지 해도 좋다.

한번은 장인님이 헐떡헐떡 기어서 올라오더니 내 바짓가랑이를 요렇게 노리고서 단박 움켜잡고 매달렸다. 악, 소리를 치고 나는 그만 세상이 다 팽그르 도는 것이

"빙장님! 빙장님! 빙장님!"

"이 자식! 잡아먹어라, 잡아먹어!"

"아! 아! 할아버지! 살려 줍쇼, 할아버지!"

하고 두 팔을 허둥지둥 내절 적에는 이마에 진땀이 쭉 내솟고 인젠 참으로 죽나 부다 했다. 그래도 장인님은 놓질 않드니 내가 기어이 땅바닥에 쓰러져서 거진 까무러치게 되니까 놓는다. 더럽다, 더럽다. 이게 장인님인가? 나는 한참을 못 일어나고 쩔쩔맸다. 그러다 얼굴을 드니(눈에 참 아무것도 보이지 않았다.) 사지가 부르르 떨리면서 나도 엉금엉금 기어가 장인님의 바짓가랑이를 꽉 움키고 잡아나꿨다.

내가 머리가 터지도록 매를 얻어맞은 것이 이 때문이다. 그러나 여기가 또한

---

42 넝 알로 넝 아래로. '넝'은 논밭들이 두두룩하게 언덕진 곳인 '둔덕'을 말한다.

우리 장인님이 유달리 착한 곳이다. 여느 사람이면 사경을 주어서라도 당장 내쫓았지, 터진 머리를 불솜으로 손수 지져 주고, 호주머니에 희연[43] 한 봉을 넣어 주고, 그리고

"올 갈엔 꼭 성례를 시켜 주마. 암말 말구 가서 뒷골의 콩밭이나 얼른 갈아라."

하고 등을 뚜덕여 줄 사람이 누구냐.

나는 장인님이 너무나 고마워서 어느덧 눈물까지 났다. 점순이를 남기고 인젠 내쫓기려니 하다 뜻밖의 말을 듣고,

"빙장님! 인제 다시는 안 그러겠어유……."

이렇게 맹세를 하며 부랴사랴[44] 지게를 지고 일터로 갔다. 그러나 이때는 그걸 모르고 장인님을 원수로만 여겨서 잔뜩 잡아당겼다.

"아! 아! 이놈아! 놔라, 놔, 놔……."

장인님은 헛손질을 하며 솔개미에 챈 닭의 소리를 연해 질렀다. 놓긴 왜, 이왕이면 호되게 혼을 내 주리라 생각하고 짓궂이 더 댕겼다마는, 장인님이 땅에 쓰러져서 눈에 눈물이 피잉 도는 것을 알고 좀 겁도 났다.

"할아버지! 놔라, 놔, 놔, 놔놔."

그래도 안 되니까,

"얘, 점순아! 점순아!"

이 악장[45]에 안에 있었든 장모님과 점순이가 헐레벌떡하고 단숨에 뛰어나왔다.

나의 생각에 장모님은 제 남편이니까 역성[46]을 할는지도 모른다. 그러나 점순이는 내 편을 들어서 속으로 고수해서 하겠지……. 대체 이게 웬 속인지(지금까지도 난 영문을 모른다.), 아버질 혼내 주기는 제가 내래 놓고 이제 와서는 달겨들며

"에그머니! 이 망할 게 아버지 죽이네!"

---

43 희연 일제 강점기 때의 담배 이름.
44 부랴사랴 매우 부산하고 급하게 서두르는 모양.
45 악장 악을 쓰는 것.
46 역성 옳고 그름에는 관계없이 무조건 한쪽 편을 들어 주는 일.

하고 내 귀를 뒤로 잡아댕기며 마냥 우는 것이 아니냐. 그만 여기에 기운이 탁 꺾이어 나는 얼빠진 등신이 되고 말았다. 장모님도 덤벼들어 한쪽 귀마저 뒤로 잡아채면서 또 우는 것이다.

이렇게 꼼짝도 못 하게 해 놓고 장인님은 지게막대기를 들어서 사뭇 나려조겼다. 그러나 나는 구태여 피하려 하지도 않고 암만해도 그 속 알 수 없는 점순이의 얼굴만 멀거니 들여다보았다.

"이 자식! 장인 입에서 할아버지 소리가 나오도록 해?"

(1935년)

날개

이상

이상 (1910~1937)

작가의 본명은 김해경으로 서울에서 태어나 28세 젊은 나이에 폐결핵으로 죽을 때까지 근대 지성인의 모순된 자의식을 보여 주는 작품을 썼다. 본래 건축과를 졸업하고 총독부의 건축 기수로 일하면서 작품 활동을 했으나, 1933년 폐결핵이 심해져 온천지에서 요양하며 작품 활동에 몰두했다. 대표적인 소설로 〈지주회시〉〈환시기〉〈실화〉 등이 있고, 시에는 〈이상한 가역 반응〉〈거울〉〈오감도〉, 수필에 〈조춘점묘〉〈권태〉 등이 있다. 〈날개〉는 아내와 '나' 사이의 불평등하고 기묘한 관계를 중심으로, 무기력하고 나약한 인물인 '나'에게 잠재된 정상적 삶에의 욕망을 보여 주는 소설이다.

•

•

'박제가 되어 버린 천재'를 아시오? 나는 유쾌하오. 이런 때 연애까지가 유쾌하오.

육신이 흐느적흐느적하도록 피로했을 때만 정신이 은화처럼 맑소. 니코틴이 내 횟배[1] 앓는 배 속으로 스미면 머릿속에 으레 백지가 준비되는 법이오. 그 위에다 나는 위트와 패러독스[2]를 바둑 포석처럼 늘어놓소. 가증할 상식의 병이오.

나는 또 여인과 생활을 설계하오. 연애 기법에마저 서먹서먹해진, 지성의 극치를 흘깃 좀 들여다본 일이 있는 말하자면 일종의 정신 분일자[3] 말이오. 이런 여인의 반―그것은 온갖 것의 반이오.―만을 영수(領受)하는[4] 생활을 설계한다는 말이오. 그런 생활 속에 한 발만 들여놓고 흡사 두 개의 태양처럼 마주 쳐다보면서 낄낄거리는 것이오. 나는 아마 어지간히 인생의 제행(諸行)[5]이 싱거워서 견딜 수가 없게끔 되고 그만둔 모양이오. 굿빠이.

굿빠이, 그대는 이따금 그대가 제일 싫어하는 음식을 탐식하는 아이러니를 실천해 보는 것도 좋을 것 같소. 위트와 패러독스와…….

그대 자신을 위조하는 것도 할 만한 일이오. 그대의 작품은 한 번도 본 일이

---

1 횟배 회충으로 인한 배앓이.
2 패러독스(Paradox) 일반적으로 모순을 야기하지 아니하나 특정한 경우에 논리적 모순을 일으키는 논증. 역설.
3 정신 분일자 정신이 제멋대로 노는 사람.
4 영수하다 돈이나 물품 따위를 받아들이다.
5 제행 모든 일이나 행동.

없는 기성품에 의하여 차라리 경편(輕便)하고[6] 고매하리라.

19세기는 될 수 있거든 봉쇄하여 버리오. 도스토옙스키[7] 정신이란 자칫하면 낭비인 것 같소. 위고[8]를 불란서의 빵 한 조각이라고는 누가 그랬는지 지언[9]인 듯싶소. 그러나 인생 혹은 그 모형에 있어서 디테일 때문에 속는다거나 해서야 되겠소? 화를 보지 마오. 부디 그대께 고하는 것이니…….

테이프가 끊어지면 피가 나오(생채기도 머지않아 완치될 줄 믿소. 굿빠이).

감정은 어떤 포즈(그 포즈의 소[10]만을 지적하는 것이 아닌지나 모르겠소.) 그 포즈가 부동자세에까지 고도화할 때 감정은 딱 공급을 정지합네다.

나는 내 비범한 발육을 회고하여 세상을 보는 안목을 규정하였소.

여왕봉과 미망인 — 세상의 하고많은 여인이 본질적으로 이미 미망인 아닌 이가 있으리까? 아니! 여인의 전부가 그 일상에 있어서 개개 '미망인'이라는 내 논리가 뜻밖에도 여성에 대한 모독이 되오? 굿빠이.

그 33(三十三)번지라는 것이 구조가 흡사 유곽[11]이라는 느낌이 없지 않다.

한 번지에 18(十八)가구가 죽 어깨를 맞대고 늘어서서 창호가 똑같고 아궁이 모양이 똑같다. 게다가 각 가구에 사는 사람들이 송이송이 꽃과 같이 젊다. 해가 들지 않는다. 해가 드는 것을 그들이 모른 체하는 까닭이다. 턱살 밑에다 철 줄

---

6 경편하다 손쉽고 편리하다.
7 도스토옙스키(Fyodor Mikhailovich Dostoevskii) 19세기 러시아 리얼리즘 문학의 대표자로 인간 심리의 내면에 깃들인 병적이고 모순된 세계를 그린 소설들을 썼다.
8 위고(Victor Hugo) 프랑스의 시인이자 극작가. 낭만주의의 거장으로 자유주의적이고 인도주의적인 경향의 작품들을 썼다.
9 지언(至言) 지극히 당연한 말.
10 소 요소, 또는 원소.
11 유곽 창녀가 모여서 몸을 팔던 집이나 그 구역.

을 매고 얼룩진 이부자리를 널어 말린다는 핑계로 미닫이에 해가 드는 것을 막아 버린다. 침침한 방 안에서 낮잠들을 잔다. 그들은 밤에는 잠을 자지 않나? 알 수 없다. 나는 밤이나 낮이나 잠만 자느라고 그런 것은 알 길이 없다. 33번지 18가구의 낮은 참 조용하다.

조용한 것은 낮뿐이다. 어둑어둑하면 그들은 이부자리를 걷어 들인다. 전등불이 켜진 뒤의 18가구는 낮보다 훨씬 화려하다. 저무도록 미닫이 여닫는 소리가 잦다. 바빠진다. 여러 가지 냄새가 나기 시작한다. 비웃[12] 굽는 내 탕고도란[13]내 뜨물 내 비눗내…….

그러나 이런 것들보다도 그들의 문패가 제일로 고개를 끄덕이게 하는 것이다. 이 18가구를 대표하는 대문이라는 것이 일각이 져서 외따로 떨어지기는 했으나 있다. 그러나 그것은 한 번도 닫힌 일이 없는 행길[14]이나 마찬가지 대문인 것이다. 온갖 장사치들은 하루 가운데 어느 시간에라도 이 대문을 통하여 드나들 수가 있는 것이다. 이네들은 문간에서 두부를 사는 것이 아니라 미닫이만 열고 방에서 두부를 사는 것이다. 이렇게 생긴 33번지 대문에 그들 18가구의 문패를 몰아다 붙이는 것은 의미가 없다. 그들은 어느 사이엔가 각 미닫이 위 백인당(百忍堂)이니 길상당(吉祥堂)이니 써 붙인 한 곁에다 문패를 붙이는 풍속을 가져 버렸다.

내 방 미닫이 위 한 곁에 칼표딱지[15]를 넷에다 낸 것만 한 내— 아니! 내 아내의 명함이 붙어 있는 것도 이 풍속을 좇은 것이 아닐 수 없다.

나는 그러나 그들의 아무와도 놀지 않는다. 놀지 않을 뿐만 아니라 인사도 않는다. 나는 내 아내와 인사하는 외에 누구와도 인사하고 싶지 않았다.

---

12 비웃 청어(청어과의 바닷물고기).
13 탕고도란 일제 강점기에 많이 쓰던 화장품 이름.
14 행길 '한길'의 방언. 사람이나 차가 많이 다니는 넓은 길.
15 칼표딱지 '뜯어서 쓰는 딱지'로 보기도 하고 '칼표'라는 담배갑의 한 면으로 보기도 한다.

내 아내 외의 다른 사람과 인사를 하거나 놀거나 하는 것은 내 아내 낯을 보아 좋지 않은 일인 것만 같이 생각이 들었기 때문이다. 나는 이만큼까지 내 아내를 소중히 생각한 것이다.

내가 이렇게까지 내 아내를 소중히 생각한 까닭은 이 33번지 18가구 가운데서 내 아내가 내 아내의 명함처럼 제일 작고 제일 아름다운 것을 안 까닭이다. 18가구에 각기 별러 든 송이송이 꽃들 가운데서도 내 아내는 특히 아름다운 한 떨기의 꽃으로 이 함석지붕 밑 볕 안 드는 지역에서 어디까지든지 찬란하였다. 따라서 그런 한 떨기 꽃을 지키고— 아니 그 꽃에 매어 달려 사는 나라는 존재가 도무지 형언할 수 없는 거북살스러운 존재가 아닐 수 없었던 것은 물론이다.

나는 어디까지든지 내 방이 —집이 아니다. 집은 없다.—마음에 들었다. 방 안의 기온은 내 체온을 위하여 쾌적하였고, 방 안의 침침한 정도가 또한 내 안력을 위하여 쾌적하였다. 나는 내 방 이상의 서늘한 방도 또 따뜻한 방도 희망하지는 않았다. 이 이상으로 밝거나 이 이상으로 아늑한 방을 원하지 않았다. 내 방은 나 하나를 위하여 요만한 정도를 꾸준히 지키는 것 같아 늘 내 방이 감사하였고 나는 또 이런 방을 위하여 이 세상에 태어난 것만 같아서 즐거웠다.

그러나 이것은 행복이라든가 불행이라든가 하는 것을 계산하는 것은 아니었다. 말하자면 나는 내가 행복되다고도 생각할 필요가 없었고 그렇다고 불행하다고도 생각할 필요가 없었다. 그냥 그날그날을 그저 까닭 없이 편둥편둥 게으르고만 있으면 만사는 그만이었던 것이다.

내 몸과 마음에 옷처럼 잘 맞는 방 속에서 뒹굴면서 축 처져 있는 것은 행복이니 불행이니 하는 그런 세속적인 계산을 떠난 가장 편리하고 안일한 말하자면 절대적인 상태인 것이다. 나는 이런 상태가 좋았다.

이 절대적인 내 방은 대문간에서 세어서 똑— 일곱째 칸이다. 럭키 세븐의 뜻이 없지 않다. 나는 이 일곱이라는 숫자를 훈장처럼 사랑하였다. 이런 이 방이

가운데 장지[16]로 말미암아 두 칸으로 나뉘어 있었었다는 그것이 내 운명의 상징이었던 것을 누가 알랴?

아랫방은 그래도 해가 든다. 아침결에 책보만 한 해가 들었다가 오후에 손수건만 해지면서 나가 버린다. 해가 영영 들지 않는 윗방이 즉 내 방인 것은 말할 것도 없다. 이렇게 볕 드는 방이 아내 해이오 볕 안 드는 방이 내 해이오 하고 아내와 나 둘 중에 누가 정했는지 나는 기억하지 못한다. 그러나 나에게는 불평이 없다.

아내가 외출만 하면 나는 얼른 아랫방으로 와서 그 동쪽으로 난 들창을 열어 놓고 열어 놓으면 들이비치는 볕살[17]이 아내의 화장대를 비쳐 가지각색 병들이 아롱지면서 찬란하게 빛나고 이렇게 빛나는 것을 보는 것은 다시없는 내 오락이다. 나는 조그만 '돋보기'를 꺼내 가지고 아내만이 사용하는 지리가미[18]를 그슬어 가면서 불장난을 하고 논다. 평행 광선을 굴절시켜서 한 초점에 모아 가지고 그 초점이 따끈따끈해지다가 마지막에는 종이를 끄슬리기 시작하고 가느다란 연기를 내면서 드디어 구멍을 뚫어 놓는 데까지에 이르는 고 얼마 안 되는 동안의 초조한 맛이 죽고 싶을 만치 내게는 재미있었다.

이 장난이 싫증이 나면 나는 또 아내의 손잡이 거울을 가지고 여러 가지로 논다. 거울이란 제 얼굴을 비출 때만 실용품이다. 그 외의 경우에는 도무지 장난감인 것이다.

이 장난도 곧 싫증이 난다. 나의 유희심은 육체적인 데서 정신적인 데로 비약한다. 나는 거울을 내던지고 아내의 화장대 앞으로 가까이 가서 나란히 늘어놓인 고 가지각색의 화장품 병들을 들여다본다. 고것들은 세상의 무엇보다도 매

---

16 장지 방과 방 사이, 또는 방과 마루 사이에 칸을 막아 끼우는 문. 미닫이와 비슷하나 운두가 높고 문지방이 낮다.
17 볕살 햇빛의 따뜻한 기운.
18 지리가미(ちりがみ) 일본 말로 '휴지'를 의미함.

력적이다. 나는 그중의 하나만을 골라서 가만히 마개를 빼고 병 구멍을 내 코에 가져다 대고 숨죽이듯이 가벼운 호흡을 하여 본다. 이국적인 센슈얼[19]한 향기가 폐로 스며들면 나는 저절로 스르르 감기는 내 눈을 느낀다. 확실히 아내의 체취의 파편이다. 나는 도로 병마개를 막고 생각해 본다. 아내의 어느 부분에서 요 냄새가 났던가를…… 그러나 그것은 분명치 않다. 왜? 아내의 체취는 요기 늘어섰는 가지각색 향기의 합계일 것이니까.

아내의 방은 늘 화려하였다. 내 방이 벽에 못 한 개 꽂히지 않은 소박한 것인 반대로 아내 방에는 천장 밑으로 쫙 돌려 못이 박히고 못마다 화려한 아내의 치마와 저고리가 걸렸다. 여러 가지 무늬가 보기 좋다. 나는 그 여러 조각의 치마에서 늘 아내의 동체(胴體)와 그 동체가 될 수 있는 여러 가지 포즈를 연상하고 연상하면서 내 마음은 늘 점잖지 못하다.

그렇건만 나에게는 옷이 없었다. 아내는 내게는 옷을 주지 않았다. 입고 있는 코르덴[20] 양복 한 벌이 내 자리옷[21]이었고 통상복과 나들이옷을 겸한 것이었다. 그리고 하이넥의 스웨터가 한 조각 사철을 통한 내 내의다. 그것들은 하나같이 다 빛이 검다. 그것은 내 짐작 같아서는 즉 빨래를 될 수 있는 데까지 하지 않아도 보기 싫지 않도록 하기 위한 것이 아닌가 한다. 나는 허리와 두 가랑이 세 군데 다 고무 밴드가 끼여 있는 부드러운 사루마다[22]를 입고 그리고 아무 소리 없이 잘 놀았다.

어느덧 손수건만 해졌던 볕이 나갔는데 아내는 외출에서 돌아오지 않는다. 나는 요만 일에도 좀 피곤하였고 또 아내가 돌아오기 전에 내 방으로 가 있어

---

19 센슈얼(Sensual) 관능적인, 육감적인, 음탕한.
20 코르덴 누빈 것처럼 골이 지게 짠, 우단과 비슷한 옷감. 코듀로이.
21 자리옷 잠잘 때 입는 옷.
22 사루마다(さるまた) 팬티보다 좀 긴 일본 속옷의 일종.

야 될 것을 생각하고 그만 내 방으로 건너간다. 내 방은 침침하다. 나는 이불을 뒤집어쓰고 낮잠을 잔다. 한 번도 걷은 일이 없는 내 이부자리는 내 몸뚱이의 일부분처럼 내게는 참 반갑다. 잠은 잘 오는 적도 있다. 그러나 또 전신이 까칫까칫하면서 영 잠이 오지 않는 적도 있다. 그런 때는 아무 제목으로나 제목을 하나 골라서 연구하였다. 나는 내 좀 축축한 이불 속에서 참 여러 가지 발명도 하였고 논문도 많이 썼다. 시도 많이 지었다. 그러나 그것들은 내가 잠이 드는 것과 동시에 내 방에 담겨서 철철 넘치는 그 흐늑흐늑한 공기에 다 비누처럼 풀어져서 온데간데가 없고 한참 자고 깬 나는 속이 무명 헝겊이나 메밀 껍질로 떵떵 찬 한 덩어리 베개와도 같은 한 벌 신경이었을 뿐이고 하였다.

그러기에 나는 빈대가 무엇보다도 싫었다. 그러나 내 방에서는 겨울에도 몇 마리씩의 빈대가 끊이지 않고 나왔다. 내게 근심이 있었다면 오직 이 빈대를 미워하는 근심일 것이다. 나는 빈대에게 물려서 가려운 자리를 피가 나도록 긁었다. 쓰라리다. 그것은 그윽한 쾌감에 틀림없었다. 나는 혼곤히[23] 잠이 든다.

나는 그러나 그런 이불 속의 사색 생활에서도 적극적인 것을 궁리하는 법이 없다. 내게는 그럴 필요가 대체 없었다. 만일 내가 그런 좀 적극적인 것을 궁리해 내었을 경우에 나는 반드시 내 아내와 의논하여야 할 것이고 그러면 반드시 나는 아내에게 꾸지람을 들을 것이고―나는 꾸지람이 무서웠다느니보다도 성가셨다. 내가 제법 한 사람의 사회인의 자격으로 일을 해 보는 것도, 아내에게 사설 듣는 것도. 나는 가장 게으른 동물처럼 게으른 것이 좋았다. 될 수만 있으면 이 무의미한 인간의 탈을 벗어 버리고도 싶었다.

나에게는 인간 사회가 스스로웠다. 생활이 스스로웠다. 모두가 서먹서먹할 뿐이었다.

---

23 혼곤히 정신이 흐릿하고 고달프게.

아내는 하루에 두 번 세수를 한다. 나는 하루 한 번도 세수를 하지 않는다. 나는 밤중 3시나 4시 해서 변소에 갔다. 달이 밝은 밤에는 한참씩 마당에 우두커니 섰다가 들어오곤 한다. 그러니까 나는 이 18가구의 아무와도 얼굴이 마주치는 일이 거의 없다. 그러면서도 나는 이 18가구의 젊은 여인네 얼굴들을 거반 다 기억하고 있었다. 그들은 하나같이 내 아내만 못하였다.

11시쯤 해서 하는 아내의 첫 번 세수는 좀 간단하다. 그러나 저녁 7시쯤 해서 하는 두 번째 세수는 손이 많이 간다. 아내는 낮에보다도 밤에 더 좋고 깨끗한 옷을 입는다. 그리고 낮에도 외출하고 밤에도 외출하였다.

아내에게 직업이 있었던가? 나는 아내의 직업이 무엇인지 알 수 없다. 만일 아내에게 직업이 없었다면, 같이 직업이 없는 나처럼 외출할 필요가 생기지 않을 것인데 — 아내는 외출한다. 외출할 뿐만 아니라 내객[24]이 많다. 아내에게 내객이 많은 날은 나는 온종일 내 방에서 이불을 쓰고 누워 있어야만 된다. 불장난도 못 한다. 화장품 냄새도 못 맡는다. 그런 날은 나는 의식적으로 우울해하였다. 그러면 아내는 나에게 돈을 준다. 50전짜리 은화다. 나는 그것이 좋았다. 그러나 그것을 무엇에 써야 옳을지 몰라서 늘 머리맡에 던져 두고 두고 한 것이 어느 결에 모여서 꽤 많아졌다. 어느 날 이것을 본 아내는 금고처럼 생긴 벙어리[25]를 사다 준다. 나는 한 푼씩 한 푼씩 고 속에 넣고 열쇠는 아내가 가져갔다. 그 후에도 나는 더러 은화를 그 벙어리에 넣은 것을 기억한다. 그리고 나는 게을렀다. 얼마 후 아내의 머리 쪽에 보지 못하던 누깔잠이 하나 여드름처럼 돋았던 것은 바로 그 금고형 벙어리의 무게가 가벼워졌다는 증거일까. 그러나 나는 드디어 머리맡에 놓였던 그 벙어리에 손을 대지 않고 말았다. 내 게으름은 그런 것에 내 주의를 환기시키기도 싫었다.

---

24 내객(來客) 찾아온 손님.
25 벙어리 '벙어리저금통(푼돈을 넣어 모으는 데 쓰는 조그마한 저금통)'의 준말.

아내에게 내객이 있는 날은 이불 속으로 암만 깊이 들어가도 비 오는 날만큼 잠이 잘 오지는 않았다. 나는 그런 때 아내에게는 왜 늘 돈이 있나 왜 돈이 많은 가를 연구했다.

내객들은 장지 저쪽에 내가 있는 것을 모르나 보다. 내 아내와 나도 좀 하기 어려운 농을 아주 서슴지 않고 쉽게 해 내던지는 것이다. 그러나 내 아내를 가운 데 서너 사람의 내객들은 늘 비교적 점잖았다고 볼 수 있는 것이 자정이 좀 지나 면 으레 돌아들 갔다. 그들 가운데는 퍽 교양이 옅은 자도 있는 듯싶었는데 그런 자는 보통 음식을 사다 먹고 논다. 그래서 보충을 하고 대체로 무사하였다.

나는 우선 내 아내의 직업이 무엇인가를 연구하기에 착수하였으나 좁은 시야 와 부족한 지식으로는 이것을 알아내기 힘이 든다. 나는 끝끝내 내 아내의 직업 이 무엇인가를 모르고 말려나 보다.

아내는 늘 진솔[26] 버선만 신었다. 아내는 밥도 지었다. 아내가 밥 짓는 것을 나 는 한 번도 구경한 일은 없으나 언제든지 끼니때면 내 방으로 내 조석[27]을 날라 다 주는 것이다. 우리 집에는 나와 내 아내 외의 다른 사람은 아무도 없다. 이 밥 은 분명히 아내가 손수 지었음에 틀림없다.

그러나 아내는 한 번도 나를 자기 방으로 부른 일이 없다.

나는 늘 윗방에서 나 혼자서 밥을 먹고 잠을 잤다. 밥은 너무 맛이 없었다. 반 찬이 너무 엉성하였다. 나는 닭이나 강아지처럼 말없이 주는 모이를 넙죽넙죽 받아먹기는 했으나 내심 야속하게 생각한 적도 더러 없지 않다. 나는 안색이 여 지없이 창백해 가면서 말라 들어갔다. 나날이 눈에 보이듯이 기운이 줄어들었 다. 영양 부족으로 하여 몸뚱이 곳곳이 뼈가 불쑥불쑥 내어 밀었다. 하룻밤 사

---

26 진솔 한 번도 빨지 않은 새것 그대로인 것.
27 조석 아침밥과 저녁밥을 아울러 이르는 말.

이에도 수십 차를 돌처[28] 눕지 않고는 여기저기가 배겨서 나는 배겨 낼 수가 없었다.

그렇기 때문에 나는 내 이불 속에서 아내가 늘 흔히 쓸 수 있는 저 돈의 출처를 탐색해 보는 일변 장지 틈으로 새어 나오는 아랫방의 음식은 무엇일까를 간단히 연구하였다. 나는 잠이 잘 안 왔다.

깨달았다. 아내가 쓰는 돈은 그 내게는 다만 실없는 사람들로밖에 보이지 않는 까닭 모를 내객들이 놓고 가는 것에 틀림없으리라는 것을 나는 깨달았다. 그러나 왜 그들 내객은 돈을 놓고 가나. 왜 내 아내는 그 돈을 받아야 되나 하는 예의 관념이 내게는 도무지 알 수 없는 것이었다.

그것은 그저 예의에 지나지 않는 것일까. 그렇지 않으면 혹 무슨 대가일까 보수일까. 내 아내가 그들의 눈에는 동정을 받아야만 할 한 가엾은 인물로 보였던가?

이런 것들을 생각하노라면 으레 내 머리는 그냥 혼란하여 버리고 버리고 하였다. 잠들기 전에 획득했다는 결론이 오직 불쾌하다는 것뿐이었으면서도 나는 그런 것을 아내에게 물어보거나 한 일이 참 한 번도 없다. 그것은 대체 귀찮기도 하려니와 한잠 자고 일어나면 나는 사뭇 딴사람처럼 이것도 저것도 다 깨끗이 잊어버리고 그만두는 까닭이다.

내객들이 돌아가고, 혹 밤 외출에서 돌아오고 하면 아내는 경편한 것으로 옷을 바꾸어 입고 내 방으로 나를 찾아온다. 그리고 이불을 들추고 내 귀에는 영 생동생동한 몇 마디 말로 나를 위로하려 든다. 나는 조소도 고소도 홍소도 아닌 웃음을 얼굴에 띠고 아내의 아름다운 얼굴을 쳐다본다. 아내는 방그레 웃는다. 그러나 그 얼굴에 떠도는 일말의 애수를 나는 놓치지 않는다.

아내는 능히 내가 배고파하는 것을 눈치챌 것이다. 그러나 아랫방에서 먹고

---

28 돌치다 '되돌다'의 잘못.

남은 음식을 나에게 주려 들지는 않는다. 그것은 어디까지든지 나를 존경하는 마음일 것임에 틀림없다. 나는 배가 고프면서도 적이 마음이 든든한 것을 좋아했다. 아내가 무엇이라고 지껄이고 갔는지 귀에 남아 있을 리가 없다. 다만 내 머리맡에 아내 놓고 간 은화가 전등불에 흐릿하게 빛나고 있을 뿐이다.

고 금고형 벙어리 속에 고 은화가 얼마큼이나 모였을까. 나는 그러나 그것을 쳐들어 보지 않았다. 그저 아무런 의욕도 기원도 없이 그 단춧구멍처럼 생긴 틈바구니로 은화를 들이뜨려 둘 뿐이었다.

왜 아내의 내객들이 아내에게 돈을 놓고 가나 하는 것이 풀 수 없는 의문인 것같이 왜 아내는 나에게 돈을 놓고 가나 하는 것도 역시 나에게는 똑같이 풀 수 없는 의문이었다. 내 비록 아내가 내게 돈을 놓고 가는 것이 싫지 않았다 하더라도 그것은 다만 고것이 내 손가락에 닿는 순간에서부터 고 벙어리 주둥이에서 자취를 감추기까지의 하잘것없는 짧은 촉각이 좋았달 뿐이지 그 이상 아무 기쁨도 없다.

어느 날 나는 고 벙어리를 변소에 갖다 넣어 버렸다. 그때 벙어리 속에는 몇 푼이나 되는지는 모르겠으나 고 은화들이 꽤 들어 있었다.

나는 내가 지구 위에 살며 내가 이렇게 살고 있는 지구가 질풍신뢰[29]의 속력으로 광대무변[30]의 공간을 달리고 있다는 것을 생각했을 때 참 허망하였다. 나는 이렇게 부지런한 지구 위에서는 현기증도 날 것 같고 해서 한시바삐 내려버리고 싶었다.

이불 속에서 이런 생각을 하고 난 뒤에는 나는 고 은화를 고 벙어리에 넣고 넣고 하는 것조차도 귀찮아졌다. 나는 아내가 손수 벙어리를 사용하였으면 하

---

29 질풍신뢰(疾風迅雷) 심한 바람과 번개라는 뜻으로, 빠르고 심하게 변하는 상태를 이르는 말.
30 광대무변(廣大無邊) 넓고 커서 끝이 없음.

고 희망하였다. 벙어리도 돈도 사실에는 아내에게만 필요한 것이지 내게는 애초부터 의미가 전연 없는 것이었으니까 될 수만 있으면 그 벙어리를 아내는 아내 방으로 가져갔으면 하고 기다렸다. 그러나 아내는 가져가지 않는다. 나는 내아내 방으로 가져다 둘까 하고 생각하여 보았으나 그즈음에는 아내의 내객이 원체 많아서 내가 아내 방에 가 볼 기회가 도무지 없었다. 그래서 나는 하는 수 없이 변소에 갖다 집어넣어 버리고 만 것이다.

나는 서글픈 마음으로 아내의 꾸지람을 기다렸다. 그러나 아내는 끝내 아무 말도 나에게 묻지도 하지도 않았다. 않았을 뿐 아니라 여전히 돈은 돈대로 내 머리맡에 놓고 가지 않나? 내 머리맡에는 어느덧 은화가 꽤 많이 모였다.

내객이 아내에게 돈을 놓고 가는 것이나 아내가 내게 돈을 놓고 가는 것이나 일종의 쾌감 — 그 외의 다른 아무런 이유도 없는 것이 아닐까 하는 것을 나는 또 이불 속에서 연구하기 시작하였다. 쾌감이라면 어떤 종류의 쾌감일까를 계속하여 연구하였다. 그러나 그것은 이불 속의 연구로는 알 길이 없었다. 쾌감 쾌감, 하고 나는 뜻밖에도 이 문제에 대해서만 흥미를 느꼈다.

아내는 물론 나를 늘 감금하여 두다시피 하여 왔다. 내게 불평이 있을 리 없다. 그런 중에도 나는 그 쾌감이라는 것의 유무를 체험하고 싶었다.

나는 아내의 밤 외출 틈을 타서 밖으로 나왔다. 나는 거리에서 잊어버리지 않고 가지고 나온 은화를 지폐로 바꾼다. 5원이나 된다. 그것을 주머니에 넣고 나는 목적을 잃어버리기 위하여 얼마든지 거리를 쏘다녔다. 오래간만에 보는 거리는 거의 경이에 가까울 만치 내 신경을 흥분시키지 않고는 마지않았다. 나는 금시에 피곤하여 버렸다. 그러나 나는 참았다. 그리고 밤이 이슥하도록 까닭을 잊어버린 채 이 거리 저 거리로 지향 없이 헤매었다. 돈은 물론 한 푼도 쓰지 않았다. 돈을 쓸 아무 엄두도 나서지 않았다. 나는 벌써 돈을 쓰는 기능을 완전히 상실한 것 같았다.

나는 과연 피로를 이 이상 견디기가 어려웠다. 나는 가까스로 내 집을 찾았다. 나는 내 방으로 가려면 아내 방을 통과하지 아니하면 안 될 것을 알고 아내에게 내객이 있나 없나를 걱정하면서 미닫이 앞에서 좀 거북살스럽게 기침을 한 번 했더니 이것은 참 또 너무 암상스럽게 미닫이가 열리면서 아내의 얼굴과 그 등 뒤에 낯선 남자의 얼굴이 이쪽을 내다보는 것이다. 나는 별안간 내어 쏟아지는 불빛에 눈이 부셔서 좀 머뭇머뭇했다.

나는 아내의 눈초리를 못 본 것은 아니다. 그러나 나는 모른 체하는 수밖에 없었다. 왜? 나는 어쨌든 아내의 방을 통과하지 아니하면 안 되니까……

나는 이불을 뒤집어썼다. 무엇보다도 다리가 아파서 견딜 수가 없었다. 이불 속에서는 가슴이 울렁거리면서 암만해도 까무러칠 것만 같았다. 걸을 때는 몰랐더니 숨이 차다. 등에 식은땀이 쭉 내배인다. 나는 외출한 것을 후회하였다. 이런 피로를 잊고 어서 잠이 들었으면 좋았다. 한잠 잘 자고 싶었다.

얼마 동안이나 비스듬히 엎드려 있었더니 차츰차츰 뚝딱거리는 가슴 동기가 가라앉는다. 그만해도 우선 살 것 같았다. 나는 몸을 돌쳐 반듯이 천정[31]을 향하여 눕고 쭉 다리를 뻗었다.

그러나 나는 또다시 가슴의 동기를 피할 수 없게 되었다. 아랫방에서 아내와 그 남자의 내 귀에도 들리지 않을 만치 옅은 목소리로 소곤거리는 기척이 장지 틈으로 전하여 왔던 것이다. 청각을 더 예민하게 하기 위하여 나는 눈을 떴다. 그리고 숨을 죽였다. 그러나 그때는 벌써 아내와 남자는 앉았던 자리를 툭툭 털며 일어섰고 일어서면서 옷과 모자 쓰는 기척이 나는 듯하더니 이어 미닫이가 열리고 구두 뒤축 소리가 나고 그리고 뜰에 내려서는 소리가 쿵 하고 나면서 뒤를 따르는 아내의 고무신 소리가 두어 발자국 찍찍 나고 사뿐사뿐 나나 하는 사

---

31 천정 '천장'의 잘못.

이에 두 사람의 발소리가 대문간 쪽으로 사라졌다.

나는 아내의 이런 태도를 본 일이 없다. 아내는 어떤 사람과도 결코 소곤거리는 법이 없다. 나는 윗방에서 이불을 쓰고 누웠는 동안에도 혹 술이 취해서 혀가 잘 돌아가지 않는 내객들의 담화는 더러 놓치는 수가 있어도 아내의 높지도 얕지도 않은 말소리는 일찍이 한 마디도 놓쳐 본 일이 없다. 더러 내 귀에 거슬리는 소리가 있어도 나는 그것이 태연한 목소리로 내 귀에 들렸다는 이유로 충분히 안심이 되었다. 그렇던 아내의 이런 태도는 필시 그 속에 여간하지 않은 사정이 있는 듯싶이 생각이 되고 내 마음은 좀 서운했으나 그러나 그보다도 나는 좀 너무 피곤해서 오늘만은 이불 속에서 아무것도 연구치 않기로 굳게 결심하고 잠을 기다렸다. 잠은 좀처럼 오지 않았다. 대문간에 나간 아내도 좀처럼 들어오지 않았다. 그러는 동안에 흐지부지 나는 잠이 들어 버렸다. 꿈이 얼쑹덜쑹 종을 잡을 수 없는 거리의 풍경을 여전히 헤맸다.

나는 몹시 흔들렸다. 내객을 보내고 들어온 아내가 잠든 나를 잡아 흔드는 것이다. 나는 눈을 번쩍 뜨고 아내의 얼굴을 쳐다보았다. 아내의 얼굴에는 웃음이 없다. 나는 좀 눈을 비비고 아내의 얼굴을 자세히 보았다. 노기가 눈초리에 떠서 얇은 입술이 바르르 떨린다. 좀처럼 이 노기가 풀리기는 어려울 것 같았다. 나는 그대로 눈을 감아 버렸다. 벼락이 내리기를 기다린 것이다. 그러나 쌔근 하는 숨소리가 나면서 푸스스 아내의 치맛자락 소리가 나고 장지가 여닫히며 아내는 아내 방으로 돌아갔다. 나는 다시 몸을 돌쳐 이불을 뒤집어쓰고는 개구리처럼 엎드리고, 엎드려서 배가 고픈 가운데에도 오늘 밤의 외출을 또 한 번 후회하였다.

나는 이불 속에서 아내에게 사죄하였다. 그것은 네 오해라고…….

나는 사실 밤이 퍽이나 이슥한 줄만 알았던 것이다. 그것이 네 말마따나 자정

전인 줄은 나는 정말이지 꿈에도 몰랐다. 나는 너무 피곤하였다. 오래간만에 나는 너무 많이 걸은 것이 잘못이다. 내 잘못이라면 잘못은 그것밖에는 없다. 외출은 왜 하였더냐고?

나는 그 머리맡에 저절로 모인 5원 돈을 아무에게라도 좋으니 주어 보고 싶었던 것이다. 그뿐이다. 그러나 그것도 내 잘못이라면 나는 그렇게 알겠다. 나는 후회하고 있지 않나?

내가 그 5원 돈을 써 버릴 수가 있었던들 나는 자정 안에 집에 돌아올 수 없었을 것이다. 그러나 거리는 너무 복잡하였고 사람은 너무도 들끓었다. 나는 어느 사람을 붙들고 그 5원 돈을 내어 주어야 할지 갈피를 잡을 수가 없었다. 그러는 동안에 나는 여지없이 피곤해 버리고 말았던 것이다.

나는 무엇보다도 좀 쉬고 싶었다. 눕고 싶었다. 그래서 나는 하는 수 없이 집으로 돌아온 것이다. 내 짐작 같아서는 밤이 어지간히 늦은 줄만 알았는데 그것이 불행히도 자정 전이었다는 것은 참 안된 일이다. 미안한 일이다. 나는 얼마든지 사죄하여도 좋다. 그러나 종시[32] 아내의 오해를 풀지 못하였다 하면 내가 이렇게까지 사죄하는 보람은 그럼 어디 있나? 한심하였다.

한 시간 동안을 나는 이렇게 초조하게 굴지 않으면 안 되었다. 나는 이불을 확 젖혀 버리고 일어나서 장지를 열고 아내 방으로 비칠비칠 달려갔던 것이다. 내게는 거의 의식이라는 것이 없었다. 나는 아내 이불 위에 엎드러지면서 바지 포켓 속에서 그 돈 5원을 꺼내 아내 손에 쥐여 준 것을 간신히 기억할 뿐이다.

이튿날 잠이 깨었을 때 나는 내 아내 방 아내 이불 속에 있었다. 이것이 이 33번지에서 살기 시작한 이래 내가 아내 방에서 잔 맨 처음이었다.

해가 들창에 훨씬 높았는데 아내는 이미 외출하고 벌써 내 곁에 있지는 않다. 아니! 아내는 엊저녁 내가 의식을 잃은 동안에 외출한 것인지도 모른다. 그

---

32 종시 끝까지 내내. 끝내.

러나 나는 그런 것을 조사하고 싶지 않았다. 다만 전신이 찌뿌드드한 것이 손가락 하나 꼼짝할 힘조차 없었다. 책보보다 좀 작은 면적의 볕이 눈이 부시다. 그 속에서 수없는 먼지가 흡사 미생물처럼 난무한다. 코가 콱 막히는 것 같다. 나는 다시 눈을 감고 이불을 푹 뒤집어쓰고 낮잠을 자기에 착수하였다. 그러나 코를 스치는 아내의 체취는 꽤 도발적이었다. 나는 몸을 여러 번 여러 번 비비 꼬면서 아내의 화장대에 늘어선 고 가지각색 화장품 병들과 고 병들이 마개를 뽑았을 때 풍기던 냄새를 더듬느라고 좀처럼 잠은 들지 않는 것을 어쩌하는 수도 없었다.

견디다 못하여 나는 그만 이불을 걷어차고 벌떡 일어나서 내 방으로 갔다. 내 방에는 다 식어 빠진 내 끼니가 가지런히 놓여 있는 것이다. 아내는 내 모이를 여기다 주고 나간 것이다. 나는 우선 배가 고팠다. 한 숟갈을 입에 떠 넣을 때 그 촉감은 참 너무도 냉회[33]와 같이 써늘하였다. 나는 숟갈을 놓고 내 이불 속으로 들어갔다. 하룻밤을 비워 때린[34] 내 이부자리는 여전히 반갑게 나를 맞아 준다. 나는 내 이불을 뒤집어쓰고 이번에는 참 늘어지게 한잠 잤다. 잘-.

내가 잠을 깬 것은 전등이 켜진 뒤다. 그러나 아내는 아직도 돌아오지 않았나 보다. 아니! 들어왔다 또 나갔는지도 알 수 없다. 그러나 그런 것을 삼고하여[35] 무엇 하나?

정신이 한결 난다. 나는 지난밤 일을 생각해 보았다. 그 돈 5원을 아내 손에 쥐어 주고 넘어졌을 때에 느낄 수 있었던 쾌감을 나는 무엇이라고 설명할 수가 없었다. 그러니 내객들이 내 아내에게 돈 놓고 가는 심리며 내 아내가 내게 돈 놓고 가는 심리의 비밀을 나는 알아낸 것 같아서 여간 즐거운 것이 아니다. 나는

---

33 냉회 불기운이 전혀 없는 차가워진 재.
34 비워 때리다 '비워 놓다'를 의미함.
35 삼고하다 세 번 생각하다. 또는 여러 번 생각하다.

속으로 빙그레 웃어 보았다. 이런 것을 모르고 오늘까지 지내 온 내 자신이 어떻게 우스꽝스러워 보이는지 몰랐다. 나는 어깨춤이 났다.

따라서 나는 또 오늘 밤에도 외출하고 싶었다. 그러나 돈이 없다. 나는 엊저녁에 그 돈 5원을 한꺼번에 아내에게 주어 버린 것을 후회하였다. 또 고 벙어리를 변소에 갖다 처넣어 버린 것도 후회하였다. 나는 실없이 실망하면서 습관처럼 그 돈 5원이 들어 있던 내 바지 포켓에 손을 넣어 한번 휘둘러보았다. 뜻밖에도 내 손에 쥐어지는 것이 있었다. 2원밖에 없다. 그러나 많아야 맛은 아니다. 얼마간이고 있으면 된다. 나는 그만한 것이 여간 고마운 것이 아니었다.

나는 기운을 얻었다. 나는 그 단벌 다 떨어진 코르덴 양복을 걸치고 배고픈 것도 주제 사나운 것도 다 잊어버리고 활갯짓³⁶을 하면서 또 거리로 나섰다. 나서면서 나는 제발 시간이 화살 닫듯 해서 자정이 어서 퍽 지나 버렸으면 하고 조바심을 태웠다. 아내에게 돈을 주고 아내 방에서 자 보는 것은 어디까지든지 좋았지만 만일 잘못해서 자정 전에 집에 들어갔다가 아내의 눈총을 맞는 것은 그것은 여간 무서운 일이 아니었다. 나는 저물도록 길가 시계를 들여다보고 들여다보고 하면서 또 지향 없이 거리를 방황하였다. 그러나 이날은 좀처럼 피곤하지는 않았다. 다만 시간이 좀 너무 더디게 가는 것만 같아서 안타까웠다.

경성역 시계가 확실히 자정이 지난 것을 본 뒤에 나는 집을 향하였다. 그날은 그 일각 대문에서 아내와 아내의 남자가 이야기하고 섰는 것을 만났다. 나는 모른 체하고 두 사람 곁을 지나서 내 방으로 들어갔다. 뒤이어 아내도 들어왔다. 와서는 이 밤중에 평생 안 하던 쓰게질³⁷을 하는 것이다. 조금 있다가 아내가 눕는 기척을 엿듣자마자 나는 또 장지를 열고 아내 방으로 가서 그 돈 2원을 아내 손에 덥석 쥐어 주고 그리고 ─ 하여간 그 2원을 오늘 밤에도 쓰지 않고 도로 가

---

36 활갯짓 걸음을 걸을 때에 두 팔을 힘차게 내젓는 것.
37 쓰게질 '쓰레질(비로 쓸어 집 안을 청소하는 일)'을 의미함.

져온 것이 참 이상하다는 듯이 아내는 내 얼굴을 몇 번이고 엿보고 — 아내는 드디어 아무 말도 없이 나를 자기 방에 재워 주었다. 나는 이 기쁨을 세상의 무엇과도 바꾸고 싶지는 않았다. 나는 편히 잘 잤다.

이튿날도 내가 잠이 깨었을 때는 아내는 보이지 않았다. 나는 또 내 방으로 가서 피곤한 몸이 낮잠을 잤다.

내가 아내에게 흔들려 깨었을 때는 역시 불이 들어온 뒤였다. 아내는 자기 방으로 나를 오라는 것이다. 이런 일은 또 처음이다. 아내는 끊임없이 얼굴에 미소를 띠고 내 팔을 이끄는 것이다. 나는 이런 아내의 태도 이면에 엔간치 않은 음모가 숨어 있지나 않은가 하고 적이 불안을 느끼지 않을 수 없었다.

나는 아내의 하자는 대로 아내 방으로 끌려갔다. 아내 방에는 저녁 밥상이 조촐하게 차려져 있는 것이다. 생각하여 보면 나는 이틀을 굶었다. 나는 지금 배고픈 것까지도 긴가민가 잊어버리고 어름어름하던 차다.

나는 생각하였다. 이 최후의 만찬을 먹고 나자마자 벼락이 내려도 나는 차라리 후회하지 않을 것을. 사실 나는 인간 세상이 너무나 심심해서 못 견디겠던 차다. 모든 일이 성가시고 귀찮았으나 그러나 불의의 재난이라는 것은 즐겁다. 나는 마음을 턱 놓고 조용히 아내와 마주 이 해괴한 저녁밥을 먹었다. 우리 부부는 이야기하는 법이 없었다. 밥을 먹은 뒤에도 나는 말이 없이 그냥 부스스 일어나서 내 방으로 건너가 버렸다. 아내는 나를 붙잡지 않았다. 나는 벽에 기대어 앉아서 담배를 한 대 피워 물고 그리고 벼락이 떨어질 테거든 어서 떨어져라 하고 기다렸다.

5분! 10분!

그러나 벼락은 내리지 않았다. 긴장이 차츰 늘어지기 시작한다. 나는 어느덧 오늘 밤에도 외출할 것을 생각하고 있었다. 돈이 있었으면 하고 생각하고 있었다.

그러나 돈은 확실히 없다. 오늘은 외출하여도 나중에 올 무슨 기쁨이 있나. 나는 앞이 그냥 아뜩하였다. 나는 화가 나서 이불을 뒤집어쓰고 이리 뒹굴 저리 뒹굴 굴렀다. 금시 먹은 밥이 목으로 자꾸 치밀어 올라온다. 메스꺼웠다.

하늘에서 얼마라도 좋으니 왜 지폐가 소낙비처럼 퍼붓지 않나, 그것이 그저 한없이 야속하고 슬펐다. 나는 이렇게밖에 돈을 구하는 아무런 방법도 알지는 못했다. 나는 이불 속에서 좀 울었나 보다. 돈이 왜 없냐면서…….

그랬더니 아내가 또 내 방에를 왔다. 나는 깜짝 놀라 아마 인제서야 벼락이 내리려나 보다 하고 숨을 죽이고 두꺼비 모양으로 엎디어 있었다. 그러나 떨어진 입으로 새어 나오는 아내의 말소리는 참 부드러웠다. 정다웠다. 아내는 내가 왜 우는지를 안다는 것이다. 돈이 없어서 그러는 게 아니냔다. 나는 실없이 깜짝 놀랐다. 어떻게 저렇게 사람의 속을 환하게 들여다보는구 해서 나는 한편으로 슬그머니 겁도 안 나는 것은 아니었으나 저렇게 말하는 것을 보면 아마 내게 돈을 줄 생각이 있나 보다. 만일 그렇다면 오죽이나 좋은 일일까. 나는 이불 속에 뚤뚤 말린 채 고개도 들지 않고 아내의 다음 거동을 기다리고 있으니까, 옛소 하고 내 머리맡에 내려뜨리는 것은 그 가뿐한 음향으로 보아 지폐에 틀림없었다. 그리고 내 귀에다 대고 오늘일랑 어제보다도 좀 더 늦게 들어와도 좋다고 속삭이는 것이다. 그것은 어렵지 않다. 우선 그 돈이 무엇보다도 고맙고 반가웠다.

어쨌든 나섰다. 나는 좀 야맹증이다. 그래서 될 수 있는 대로 밝은 거리로 골라서 돌아다니기로 했다. 그러고는 경성역 일이등 대합실 한 겯 티룸[38]에를 들렀다. 그것은 내게는 큰 발견이었다. 거기는 우선 아무도 아는 사람이 안 온다. 설사 왔다가도 곧들 가니까 좋다. 나는 날마다 여기 와서 시간을 보내리라 속으로

---

38 티룸(tea room) 다방. 카페.

생각하여 두었다.

제일 여기 시계가 어느 시계보다도 정확하리라는 것이 좋았다. 섣불리 서투른 시계를 보고 그것을 믿고 시간 전에 집에 돌아갔다가 큰코를 다쳐서는 안 된다.

나는 한 복스[39]에 아무것도 없는 것과 마주 앉아서 잘 끓은 커피를 마셨다. 총총한 가운데 여객들은 그래도 한 잔 커피가 즐거운가 보다. 얼른얼른 마시고 무얼 좀 생각하는 것같이 담벼락도 좀 쳐다보고 하다가 곧 나가 버린다. 서글프다. 그러나 내게는 이 서글픈 분위기가 거리의 티룸들의 거추장스러운 분위기보다는 절실하고 마음에 들었다. 이따금 들리는 날카로운 혹은 우렁찬 기적 소리가 모차르트보다도 더 가깝다. 나는 메뉴에 적힌 몇 가지 안 되는 음식 이름을 치읽고[40] 내리읽고 여러 번 읽었다. 그것들은 아물아물한 것이 어딘가 내 어렸을 때 동무들 이름과 비슷한 데가 있었다.

거기서 얼마나 내가 오래 앉았는지 정신이 오락가락하는 중에 객이 슬며시 뜸해지면서 이 구석 저 구석 걷어치우기 시작하는 것을 보면 아마 닫을 시간이 된 모양이다. 11시가 좀 지났구나, 여기도 결코 내 안주의 곳은 아니구나, 어디 가서 자정을 넘길까, 두루 걱정을 하면서 나는 밖으로 나섰다. 비가 온다. 빗발이 제법 굵은 것이 우비도 우산도 없는 나 고생을 시킬 작정이다. 그렇다고 이런 괴이한 풍모를 차리고 이 홀에서 어물어물하는 수는 없고 에이 비를 맞으면 맞았지 하고 나는 그냥 나서 버렸다.

대단히 선선해서 견딜 수가 없다. 코르덴 옷이 젖기 시작하더니 나중에는 속

---

39 복스 '부스(칸막이한 공간이나 좌석)'를 의미함.
40 치읽다 밑에서 위쪽으로 글을 읽다.

속들이 스며들면서 처근거린다[41]. 비를 맞아 가면서라도 견딜 수 있는 데까지 거리를 돌아다녀서 시간을 보내려 하였으나 인제는 선선해서 이 이상은 더 견딜 수가 없다. 오한이 자꾸 일어나면서 이가 딱딱 맞부딪는다.

나는 걸음을 재우치면서 생각하였다. 오늘 같은 궂은 날도 아내에게 내객이 있을라구. 없겠지 하는 생각이 드는 것이다. 집으로 가야겠다. 아내에게 불행히 내객이 있거든 내 사정을 하리라. 사정을 하면 이렇게 비가 오는 것을 눈으로 보고 알아주겠지.

부리나케 와 보니까 그러나 아내에게는 내객이 있었다. 나는 그만 너무 춥고 척척해서 얼떨김[42]에 노크하는 것을 잊었다. 그래서 나는 보면 아내가 좀 덜 좋아할 것을 그만 보았다. 나는 갑발[43] 자국 같은 발자국을 내면서 덤벙덤벙 아내 방을 디디고 그리고 내 방으로 가서 쭉 빠진 옷을 활활 벗어 버리고 이불을 뒤썼다. 덜덜덜덜 떨린다. 오한이 점점 더 심해 들어온다. 여전 땅이 꺼져 들어가는 것만 같았다. 나는 그만 의식을 잃어버리고 말았다.

이튿날 내가 눈을 떴을 때 아내는 내 머리맡에 앉아서 제법 근심스러운 얼굴이다. 나는 감기가 들었다. 여전히 으스스 춥고 또 골치가 아프고 입에 군침이 도는 것이 씁쓸하면서 다리팔이 척 늘어져서 노곤하다.

아내는 내 머리를 쓱 짚어 보더니 약을 먹어야지 한다. 아내 손이 이마에 선뜩한 것을 보면 신열[44]이 어지간한 모양인데 약을 먹는다면 해열제를 먹어야 하고 속생각을 하자니까 아내는 따뜻한 물에 하얀 정제약 네 개를 준다. 이것을 먹고 한잠 푹 자고 나면 괜찮다는 것이다. 나는 널름 받아먹었다. 씁싸름한 것이 짐작 같아서는 아마 아스피린인가 싶다. 나는 다시 이불을 쓰고 단번에 그냥 죽은 것처럼 잠이 들어 버렸다.

---

41 처근거리다 '처근처근하다'의 잘못. 물기 있는 물건이 약간 끈기 있게 달라붙다.
42 얼떨김 '얼떨결'의 잘못.
43 갑발 도자기를 구울 때 담는 큰 그릇.
44 신열 병으로 인하여 오르는 몸의 열.

나는 콧물을 훌쩍훌쩍하면서 여러 날을 앓았다. 앓는 동안에 끊이지 않고 그 정제약을 먹었다. 그러는 동안에 감기도 나았다. 그러나 입맛은 여전히 소태[45]처럼 썼다.

나는 차츰 또 외출하고 싶은 생각이 났다. 그러나 아내는 나더러 외출하지 말라고 이르는 것이다. 이 약을 날마다 먹고 그리고 가만히 누워 있으라는 것이다. 공연히 외출을 하다가 이렇게 감기가 들어서 저를 고생을 시키는 게 아니냐. 그도 그렇다. 그럼 외출을 하지 않겠다고 맹서[46]하고 그 약을 연복하여[47] 몸을 좀 보해 보리라고 나는 생각하였다.

나는 날마다 이불을 뒤집어쓰고 밤이나 낮이나 잤다. 유난스럽게 밤이나 낮이나 졸려서 견딜 수가 없는 것이다. 나는 이렇게 잠이 자꾸만 오는 것은 내가 몸이 훨씬 튼튼해진 증거라고 굳게 믿었다.

나는 아마 한 달이나 이렇게 지냈나 보다. 내 머리와 수염이 좀 너무 자라서 훗훗해서 견딜 수가 없어서 내 거울을 좀 보리라고 아내가 외출한 틈을 타서 나는 아내 방으로 가서 아내의 화장대 앞에 앉아 보았다. 상당하다. 수염과 머리가 참 산란하였다. 오늘은 이발을 좀 하리라 생각하고 겸사겸사 고 화장품 병들 마개를 뽑고 이것저것 맡아 보았다. 한동안 잊어버렸던 향기 가운데서는 몸이 배배 꼬일 것 같은 체취가 전해 나왔다. 나는 아내의 이름을 속으로만 한번 불러 보았다.

'연심(蓮心)이'

하고…….

오래간만에 돋보기 장난도 하였다. 거울 장난도 하였다. 창에 든 볕이 여간 따뜻한 것이 아니었다. 생각하면 5월이 아니냐.

---

45 소태 소태나무의 껍질로 맛이 아주 쓰다.
46 맹서 '맹세'의 원말.
47 연복하다 약을 일정한 기간 동안 계속하여 복용하다.

나는 커다랗게 기지개를 한번 켜 보고 아내 베개를 내려 베고 벌떡 자빠져서는 이렇게도 편안하고도 즐거운 세월을 하느님께 흠씬 자랑하여 주고 싶었다. 나는 참 세상의 아무것과도 교섭을 가지지 않는다. 하느님도 아마 나를 칭찬할 수도 처벌할 수도 없는 것 같다.

그러나 다음 순간 실로 세상에도 이상스러운 것이 눈에 띄었다. 그것은 최면약 아달린[48] 갑이었다. 나는 그것을 아내의 화장대 밑에서 발견하고 그것이 흡사 아스피린처럼 생겼다고 느꼈다. 나는 그것을 열어 보았다. 똑 네 개가 비었다.

나는 오늘 아침에 네 개의 아스피린을 먹은 것을 기억하고 있었다. 나는 잤다. 어제도 그제도 그끄제도 — 나는 졸려서 견딜 수가 없었다. 나는 감기가 다 나았는데도 아내는 내게 아스피린을 주었다. 내가 잠이 든 동안에 이웃에 불이 난 일이 있다. 그때에도 나는 자느라고 몰랐다. 이렇게 나는 잤다. 나는 아스피린으로 알고 그럼 한 달 동안을 두고 아달린을 먹어 온 것이다. 이것은 좀 너무 심하다.

별안간 아뜩하더니 하마터면 나는 까무러칠 뻔하였다. 나는 그 아달린을 주머니에 넣고 집을 나섰다. 그리고 산을 찾아 올라갔다. 인간 세상의 아무것도 보기가 싫었던 것이다. 걸으면서 나는 아무쪼록 아내에 관계되는 일은 일체 생각하지 않도록 노력하였다. 길에서 까무러치기 쉬우니까. 나는 어디라도 양지가 바른 자리를 하나 골라서 자리를 잡아 가지고 서서히 아내에 관하여서 연구할 작정이었다. 나는 길가의 도랑창[49], 핀 구경도 못 한 진 개나리꽃, 종달새, 돌멩이도 새끼를 까는 이야기, 이런 것만 생각하였다. 다행히 길가에서 나는 졸도 하지 않았다.

거기는 벤치가 있었다. 나는 거기 정좌하고 그리고 그 아스피린과 아달린에 관하여 연구하였다. 그러나 머리가 도무지 혼란하여 생각이 체계를 이루지 않

---

48 아달린 최면제의 상품명.
49 도랑창 지저분하고 더러운 도랑.

는다. 단 5분이 못 가서 나는 그만 귀찮은 생각이 버쩍 들면서 심술이 났다. 나는 주머니에서 가지고 온 아달린을 꺼내 남은 여섯 개를 한꺼번에 질겅질겅 씹어 먹어 버렸다. 맛이 익살맞다. 그러고 나서 나는 그 벤치 위에 가로 기다랗게 누웠다. 무슨 생각으로 내가 그따위 짓을 했나? 알 수가 없다. 그저 그러고 싶었다. 나는 게서 그냥 깊이 잠이 들었다. 잠결에도 바위 틈을 흐르는 물소리가 졸졸 하고 귀에 언제까지나 어렴풋이 들려왔다.

내가 잠을 깨었을 때는 날이 환히 밝은 뒤다. 나는 거기서 일주야[50]를 잔 것이다. 풍경이 그냥 노랗게 보인다. 그 속에서도 나는 번개처럼 아스피린과 아달린이 생각났다.

아스피린, 아달린, 아스피린, 아달린, 맑스[51], 말사스[52], 마도로스, 아스피린, 아달린.

아내는 한 달 동안 아달린을 아스피린이라고 속이고 내게 먹였다. 그것은 아내 방에서 이 아달린 갑이 발견된 것으로 미루어 증거가 너무나 확실하다.

무슨 목적으로 아내는 나를 밤이나 낮이나 재웠어야 됐나?

나를 밤이나 낮이나 재워 놓고 그리고 아내는 내가 자는 동안에 무슨 짓을 했나?

나를 조금씩 조금씩 죽이려던 것일까?

그러나 또 생각하여 보면, 내가 한 달을 두고 먹어 온 것은 아스피린이었는지도 모른다. 아내는 무슨 근심되는 일이 있어서 밤 되면 잠이 잘 오지 않아서 정작 아내가 아달린을 사용한 것이나 아닌지, 그렇다면 나는 참 미안하다. 나는 아내에게 이렇게 큰 의혹을 가졌다는 것이 참 안됐다.

나는 그래서 부리나케 거기서 내려왔다. 아랫도리가 홰홰 내저이면서 어찔어찔한 것을 나는 겨우 집을 향하여 걸었다. 8시 가까이었다.

---

50 일주야 만 하루. 24시간을 이른다.
51 맑스 마르크스(Karl Marx). 공산주의 운동의 창시자로 《자본론》의 저자.
52 말사스 맬서스(Thomas Robert Malthus). 영국의 고전파 경제학자로, 《인구론》과 《경제학 원리》 등의 저자.

나는 내 잘못 든 생각을 죄다 일러바치고 아내에게 사죄하려는 것이다. 나는 너무 급해서 그만 또 말을 잊어버렸다.

그랬더니 이건 참 너무 큰일 났다. 나는 내 눈으로는 절대로 보아서 안 될 것을 그만 딱 보아 버리고 만 것이다. 나는 얼떨결에 그만 냉큼 미닫이를 닫고 그리고 현기증이 나는 것을 진정시키느라고 잠깐 고개를 숙이고 눈을 감고 기둥을 짚고 섰자니까 1초 여유도 없이 홱 미닫이가 다시 열리더니 매무새를 풀어 헤친 아내가 불쑥 내밀면서 내 멱살을 잡는 것이다. 나는 그만 어지러워서 게가 그냥 나둥그러졌다. 그랬더니 아내는 넘어진 내 위에 덮치면서 내 살을 함부로 물어뜯는 것이다. 아파 죽겠다. 나는 사실 반항할 의사도 힘도 없어서 그냥 넙죽 엎드려 있으면서 어떻게 되나 보고 있자니까 뒤이어 남자가 나오는 것 같더니 아내를 한 아름에 덥석 안아 가지고 방 안으로 들어가는 것이다. 아내는 아무 말 없이 다소곳이 그렇게 안겨 들어가는 것이 내 눈에 여간 미운 것이 아니다. 밉다.

아내는 너 밤새워 가면서 도둑질하러 다니느냐, 계집질하러 다니느냐고 발악이다. 이것은 참 너무 억울하다. 나는 어안이 벙벙하여 도무지 입이 떨어지지를 않았다.

너는 그야말로 나를 살해하려던 것이 아니냐고 소리를 한번 꽥 질러 보고도 싶었으나 그런 긴가민가한 소리를 섣불리 입 밖에 내었다가는 무슨 화를 볼는지 알 수 있나. 차라리 억울하지만 잠자코 있는 것이 우선 상책인 듯싶이 생각이 들길래 나는 이것은 또 무슨 생각으로 그랬는지 모르지만 툭툭 털고 일어나서 내 바지 포켓 속에 남은 돈 몇 원 몇십 전을 가만히 꺼내서는 몰래 미닫이를 열고 살며시 문지방 밑에다 놓고 나서는 그냥 줄달음박질을 쳐서 나와 버렸다.

여러 번 자동차에 치일 뻔하면서 나는 그대로 경성역을 찾아갔다. 빈자리와 마주 앉아서 이 쓰디쓴 입맛을 거두기 위하여 무엇으로나 입가심을 하고 싶었다.

커피— 좋다. 그러나 경성역 홀에 한걸음을 들여놓았을 때 나는 내 주머니에는 돈이 한 푼도 없는 것을 그것을 깜빡 잊었던 것을 깨달았다. 또 아뜩하였다. 나는 어디선가 그저 맥없이 머뭇머뭇하면서 어쩔 줄을 모를 뿐이었다. 얼빠진 사람처럼 그저 이리 갔다 저리 갔다 하면서…….

나는 어디로 어디로 들입다 쏘다녔는지 하나도 모른다. 다만 몇 시간 후에 내가 미쓰코시[53] 옥상에 있는 것을 깨달았을 때는 거의 대낮이었다.

나는 거기 아무 데나 주저앉아서 내 자라 온 스물여섯 해를 회고하여 보았다. 몽롱한 기억 속에서는 이렇다는 아무 제목도 불거져 나오지 않았다.

나는 또 내 자신에게 물어보았다. 너는 인생에 무슨 욕심이 있느냐고. 그러나 있다고도 없다고도, 그런 대답은 하기가 싫었다. 나는 거의 나 자신의 존재를 인식하기조차도 어려웠다.

허리를 굽혀서 나는 그저 금붕어나 들여다보고 있었다. 금붕어는 참 잘들 생겼다. 작은 놈은 작은 놈대로 큰 놈은 큰 놈대로 다 싱싱하니 보기 좋았다. 내리 비치는 5월 햇살에 금붕어들은 그릇 바탕에 그림자를 내려뜨렸다. 지느러미는 하늘하늘 손수건을 흔드는 흉내를 낸다. 나는 이 지느러미 수효를 헤아려 보기도 하면서 굽힌 허리를 좀처럼 펴지 않았다. 등어리[54]가 따뜻하다.

나는 또 회탁[55]의 거리를 내려다보았다. 거기서는 피곤한 생활이 똑 금붕어 지느러미처럼 흐늑흐늑 허비적거렸다. 눈에 보이지 않는 끈적끈적한 줄에 엉켜서 헤어나지들을 못한다. 나는 피로와 공복 때문에 무너져 들어가는 몸뚱이를 끌고 그 회탁의 거리 속으로 섞여 들어가지 않는 수도 없다 생각하였다. 나서서 나는 또 문득 생각하여 보았다. 이 발길이 지금 어디로 향하여 가는 것인가를…….

그때 내 눈앞에는 아내의 모가지가 벼락처럼 내려 떨어졌다. 아스피린과

---

53 미쓰코시 일제 강점기에 경성(서울)에 있었던 백화점 이름.
54 등어리 '등'의 방언.
55 회탁 회색빛으로 탁함.

아달린.

우리들은 서로 오해하고 있느니라. 설마 아내가 아스피린 대신에 아달린 정량을 나에게 먹여 왔을까? 나는 그것을 믿을 수가 없다. 아내가 그럴 대체 까닭이 없을 것이니. 그러면 나는 날밤을 새면서 도적질을 계집질을 하였나? 정말이지 아니다.

우리 부부는 숙명적으로 발이 맞지 않는 절름발이인 것이다. 내가 아내나 제거동에 로직을 붙일 필요는 없다. 변해할[56] 필요도 없다. 사실은 사실대로 오해는 오해대로 그저 끝없이 발을 절뚝거리면서 세상을 걸어가면 되는 것이다. 그렇지 않을까?

그러나 나는 이 발길이 아내에게로 돌아가야 옳은가 이것만은 분간하기가 좀 어려웠다. 가야 하나? 그럼 어디로 가나?

이때 뚜우 하고 정오 사이렌이 울었다. 사람들은 모두 네 활개를 펴고 닭처럼 푸드덕거리는 것 같고 온갖 유리와 강철과 대리석과 지폐와 잉크가 부글부글 끓고 수선을 떨고 하는 것 같은 찰나, 그야말로 현란을 극한 정오다.

나는 불현듯이 겨드랑이가 가렵다. 아하, 그것은 내 인공의 날개가 돋았던 자국이다. 오늘은 없는 이 날개, 머릿속에서는 희망과 야심의 말소된 페이지가 딕셔너리 넘어가듯 번뜩였다.

나는 걷던 걸음을 멈추고 그리고 어디 한번 이렇게 외쳐 보고 싶었다.

날개야 다시 돋아라.

날자. 날자. 날자. 한 번만 더 날자꾸나.

한 번만 더 날아 보자꾸나.

(1936년)

---

56 변해하다 말로 풀어 자세히 밝히다.

농우

이근영

이근영 (1910~?)

전라북도 옥구에서 태어나 보성전문학교를 졸업한 뒤 〈동아일보〉 사회부에서 일했다. 그러다 1935년 〈금송아지〉를 발표하면서 창작을 시작했다. 이근영은 일제 식민지 당시 황폐해 가는 농촌 현실에서 가난한 농민들의 삶에 관심을 기울인 작가이다. 지주에 저항하는 소작인들의 모습을 담은 〈농우〉는 농민들의 삶과 농촌의 현실을 소재로 한 대표적인 작품이다. 1947년 말에서 1948년 초 사이에 월북하였다.

1

보리밭에 거름을 모두 내고 난 서 생원은 해가 큰라산 위에 간당간당 매어 달렸을 때에야 집으로 향하였다. 빈 오줌독[1]을 지게로 걸머지고 소를 앞에 몰고 갔다. 길가에서 탐나는 풀을 발견할 때마다 소가 걸음을 멈추면,

"이랴 쪼 쪼 쪼 쫏."

하고 서 생원은 어린애 볼기짝을 두드리듯이 손으로 잘칵하고 두서너 번 아프지 않을 정도로 친다.

소가 길을 조금도 서슴지 않고 가는 것을 생각할 때 그는 힘찬 아들을 앞세우고 가는 것 같은 든든한 마음이 드는 것이었다.

서 생원은 소로 논밭을 갈거나 구루마를 끌거나 할 때 말을 잘 듣지 않더라도 달래서 듣도록 하지 아프게 매질을 하는 법은 도시[2] 없다. 아무리 삯을 많이 받을 경우가 있더라도 소의 힘에 부칠 성싶은 일은 절대로 맡지 않았다. 이것은 그가 본래부터 보드라운 성질을 가진 것도 원인이겠지만, 무엇보다도 서 생원과 소 사이에는 특별한 정이 들었던 것이다. 서 생원은 나이 50이 넘은 지금에도 장사라는 말을 듣지만 한참 당년에는 항우[3]라는 소문이 그 도내(道內)에 쫙 퍼졌던 것이다. 그가 스물네 살 때부터 금씨름판을 찾아다니게 되어 서른일곱 살 때까지 소를 네 필이나 탔었다. 첫 번 세 필을 탈 때까지는 오래야 3년 동안 부리

---

1 오줌독 오줌을 누거나 받아서 모아 두는 항아리.
2 도시(都是) 도무지.
3 항우(項羽) 중국 진(秦) 말기의 무장 이름으로, 힘이 아주 센 사람을 비유적으로 이르는 말.

고서는 팔아넘겨서 주막의 계집과 술 속에 버리다가 끝으로 한 필을 탔을 때부터는 갑자기 마음을 잡고 이번에는 소를 7년이나 부려 먹은 나머지 돌도 못 된 암송아지하고 바꾸었다. 이 송아지의 손자가 바로 지금의 여섯 살 난 황소인 것이다. 씨름으로 소와 인연을 맺은 것이 30년이나 소가 끊이지 않게 되자 '서 생원'을 '소 생원'이라고까지 부르게 되었다.

이런 관계가 있는 만큼 혹 친구 간에 소를 신줏단지⁴같이 위한다고 핀잔을 주는 사람이 있어도 서 생원은 조금도 고깝게 여기지 않았다. 사람 먹을 양식은 떨어지더라도 소가 먹는 여물과 콩은 지금까지 떨어져 본 일이 없었다.

"이랴 쪼 쪼 쪼 쫏."

하고 소를 몰고 가다가 서 생원은 갑자기,

"소 한 필만 있으면 부자라는데……."

하는 생각이 나자 소 궁둥이가 어리어 뵈면서 꽁지를 찾아낼 수 없었다.

육칠 년 전만 하더라도 양식 걱정은 그다지 심하지 않았지만 차차로 생활이 쪼들어지자 소를 팔고 빚을 얻어 쓰고서는 그다음 해에 가서 봄에 논갈이와 가을에 밭갈이와 또 구루마질로 모두 갚는다. 결국 돈을 얻어 쓴 다음 해는 1년 내 공일만 죽게 하여 주게 된다. 그러니 한 해씩 걸러야만 빚이라도 얻어 쓰게 되는데 작년에는 가물에 어거지 농사를 짓는다고 빚만 대추나무 연 걸리듯이 여기저기 걸어 놓게 되어 금년에는 소 핑계로 얻어 쓸 수도 없게 되었다. 빚은 둘째고 우선 급한 것은 보리 날 때까지 갚기로 하고 작년 아내의 병중에 얻어 쓴 빚 30원을 어떻게 갚는가가 큰 문제이다. 더구나 그나마 헌것이라도 있어서 부리던 구루마까지 인제는 영영 송장이 되어 버리고 소를 편편히⁵ 놀리는 때가 많았다.

서 생원이 집 안에 들어서니 아들 문경이는 손바닥만 한 마루에 드러누워서

---

4 신줏단지 죽은 사람이 위패인 신주를 모시는 그릇. 보통 장손의 집안에서 작은 항아리 등에 조상의 이름을 써넣어 모셔 두었다.
5 편편히 아무 일도 하지 아니하고 빈둥거리며 노는 모양.

책을 보면서 이따금씩 콧노래를 섞는 것이 전에 없이 흥이 나는 모양이다.

"너 오늘 가마니 몇 장이나 쳤냐?"

이 말소리에 아들이 벌떡 일어나자 부엌에서 저녁밥을 짓고 있는 옥님이가,

"여태 야학당[6]으로 어디로 쏘다니다가 방금 들어왔대요."

하고 얼굴은 내어 보이지 않는다.

서 생원은 오양깐[7]에 소를 매면서,

"너도 한 길이나 큰 녀석이 야학당만 나다니지 말고 집에서 일 좀 하려무나. 야학당은 밤에나 가는 것이지 머 대낮부터 무슨 지랄들을 하는 거냐? 응." 하고 연해[8] 소리를 질렀다.

아들은 아무런 대답도 못 하고 서 있다가 방으로 슬그머니 들어간다. 서 생원은 한쪽 달아난 옹기그릇에 물을 떠 붓고 손과 발을 씻는다.

이때이다. 윤 면장의 머슴이 헛기침을 하며 들어오더니,

"서 생원 뭘 허시유?"

하고 인사하듯 한다.

"응 자넨가? 다아 저녁때 웬일인가?"

"지금 나으리께서 곧 오시래유."

"왜 무슨 일이간디?"

머슴은 누구를 찾는 듯이 사방을 둘레둘레하고 나서,

"알 수 있간디라우."

하고 머뭇거린다.

서 생원은 씻는 둥 마는 둥 빨리 끝내고 덕쇠 뒤를 따라가면서,

"거 무슨 일일까."

---

6 야학당 밤에 글을 가르치는 곳.
7 오양깐 '외양간'의 방언.
8 연하다 끊임없이 계속 이어지다.

하고 궁금해 뵈었으나 덕쇠는 여전히,

　"글쎄, 저도 잘 모르지라우."

하고 빨리 걷기만 한다.

　서 생원의 궁금한 마음은 더 꼬치꼬치 캐어물을 만한 여유도 없었다. 해마다 이때면 으레 당하는 논 뗀다는 호령일까 그러잖으면 소 잡히고 30원 빚낸 것 때문일까. 여러 가지로 머리를 짜아내었으나 꼭 단정할 수는 없었다. 하여간 반가운 일은 아니겠지 하매 맘은 몹시도 초조하였다.

2

　아니나 다를까 서 생원이 윤 면장 집 마당에 들어서자마자 면장이 눈을 똑바로 뜨고 눈총을 매서롭게 놓고 있다.

　서 생원은 가슴이 콱 막히면서 전신이 어디로 사라져 버리는 것같이 몽롱하여졌다.

　"면장 영감, 저 부르셨습녀?"

하고 서 생원은 손을 마주 잡고 허리를 굽히었다. 면장은 쭈그리고 앉았더니 담뱃대를 입에서 빼어 들었다. 담뱃대는 신장대[9] 모양으로 떨리기 시작하였다.

　"그런 발칙스러운 놈이 어디 있단 말인가."

　"제가 무슨 죄진 일이 있습녀?"

　서 생원은 정말 죄진 것 모양으로 굽실굽실하였다.

　"아무리 어린놈이기로서니, 제 신분이 어떤 놈인지도 모르고 아무 데나 그런담? 수원[10] 못 배운 녀석 같으니."

　"아 게 무 무슨 말씀인죠. 혹 제 자식 놈이 죄를 진 일이 있습녀?"

9　신장대　무당이 신장(神將)을 내릴 때에 쓰는 막대기나 나뭇가지. 여기서는 몹시 부들부들 떠는 모양을 비유적으로 이르는 말이다.
10　수원　순. 주로 좋지 않은 성질을 나타내는 말 앞에서 '몹시' 또는 '아주'의 뜻을 나타내는 말.

"그래 자네는 모른단 말인가?"

"예 예, 혹 철모르고 무슨……."

"철모르다니? 20이 다아 된 놈이 철이 없단 말인가?"

"……."

"우리 집 작은아씨가 방학 때라 내려온 김에 나물을 캐러 갔는데 아 그놈이 함부로 말을 걸고 버릇없이 놀랴고 했다니 그래, 그게 될 말인가! 우선 그런 걸 보고서 내게 말한 사람부터가 남이니 우리 집 망신이 어쩌겠는가?"

하고서는 담뱃대를 마루에 땅땅 치고 담배를 태워 문다.

이 말을 듣자 서 생원은 지금까지와는 다른 충동이 치밀어 올라왔으나,

"예, 제가 단단히 나무라겠습니다."

라고 아니 할 수 없었다.

"한 번만 또 하면 직접 자네가 헌 것으로 책임을 져야 한단 말이네."

하고 면장은 방 안으로 들어가 버렸다.

면장 집을 나오는 서 생원은 자기 발이 어떻게 떼어지는지 지금 자기가 어디로 가는지 정신을 걷잡을 수 없을 만큼 그는 불덩이 같은 화가 복받쳤다. 봄날의 석양 바람이 약간 싸늘하게 얼굴을 스치고 지나갈 때에야 얼음덩이같이 굳었던 정신이 풀리는 것도 같았다.

"흥, 제 신분이 어떤 것인지도 모르고 덤빈다고."

서 생원은 면장의 말을 되풀이하여 보았다. 저놈들은 무엇 말라비틀어진 것이냐? 제가 면장이나 하였으니깐 큰소리를 탕탕 하지 바로 제 놈 아비는 사령 노릇을 하지 않았는가? 지체를 따진다면 우리가 저놈들 같을까? 우리 증조가 선비였고 조부가 진사 급제를 하였고 바로 우리 아버지는 고창 군수를 지냈는데……. 가문의 영락으로 가산이 치패하고[11] 공부도 넉넉히 못 해서 이렇지 아

---

11 치패하다 살림이 아주 결딴나다.

무래도 저놈들 같을까? 서울 일본 사람에게 알랑거려서 사음[12]깨나 하여서 재산 나부랭이나 모았고 그 덕분에 면장까지 하게 되니 바로 제 세상인 줄 아는감? 그저 지금 세상은 재산과 권력만 있으면 똥 친 나무에라도 절을 하게 되니…… 목구멍이 포도청이라고 내가 제 놈의 논만 얻어 짓지 않으면 열 살이나 손아래 되는 놈한테 무엇 때문에 그런 욕을 당한단 말인가?

이런 생각을 할수록 서 생원은 두 눈에서 불이 일어나는 것 같았다.

서 생원은 자기 집에 들어서면서,

"문경이 있나?"

하며 번연히 있는 줄 아는 아들을 성낸 어조로 찾았다.

"예?"

하고 손에 책을 든 채로 나오는 아들은 전에 없이 대로한 부친의 언성에 얼떨떨한 모양이었다.

"너 이놈 면장네 딸에다가 무슨 짓을 하였나? 응 무슨 짓을?"

이 말에 모든 것을 알아챈 아들은 얼굴이 확 붉어지면서 양편 어깨가 내려앉는다. 딸은 부지깽이[13]를 든 채로 눈을 휘둥그리며[14] 부엌에서 빨리 나온다.

"왜 속을 못 채리냐? 응."

하는 소리와 함께 서 생원의 솥뚜껑 같은 손은 아들의 뺨을 벼락같이 때리었다.

이 바람에 아들의 얼굴은 한쪽으로 비틀어지는 것같이 홱 돌아간다.

"이 녀석아, 그까짓 ×××싹뚝 잘라 버려라. 왜 남의 계집애들을 놀리다가 애비 얼굴에 똥칠을 허냐? 응."

"제가 먼점 걸었간디우? 보통학교 때부터 잘 지내다가 이런 책까지 사다가 주었는디우."

---

12 사음(舍音) 지주를 대리하여 소작을 관리하는 사람. 마름.
13 부지깽이 아궁이 따위에 불을 땔 때에, 불을 헤치거나 끌어내거나 거두어 넣거나 하는 데 쓰는 가느다란 막대기.
14 휘둥그리다 '휘둥글리다'의 방언. 놀라거나 두려워서 눈을 크게 뜨고 둥글게 하다.

하고 책 든 손을 간신히 조금 쳐든다.

"어찌어? 그래 네 모양에 연애를 허는 푼수구나?"

하고 서 생원은 책을 채트리더니[15],

"지금 당장 연애를 안 끊으면 다리몽둥이를 끊어 버릴 것이다."

하고 나서 책을 오양간으로 팽개를 쳐 버린다. 소는 책이 먹을 것이나 되는 듯이 코를 씰룩거리며 냄새를 맡는다.

고양이 앞에 쥐 모양으로 서 있는 아들을 한참이나 노려보다가 서 생원은 방으로 들어갔다. 화가 차차로 식어 감을 따라 아들이 한편으로 가긍스럽기도[16] 하였다. 보통학교를 최우등으로 졸업하고도 남의 자식과 같이 공부를 더어 못 시키는 것이 아비의 죄가 아닌가? 사실 생각하면 한 반에서 공부를 한 면장 딸이 자기 아들의 재주 있고 튼튼하고 얼굴 반반한 데서 마음이 쏠린지도 모를 일이다. 여기에 무슨 아들의 죄가 있단 말이냐? 죄가 있다면 부모를 잘못 만난 죄뿐일 것이다. 결국은 모든 것이 돈 없다는 한 가지 이유뿐으로 그런 망신을 당하는 것이라고 생각하매 도적놈같이 족을 친 아들이 한없이 안타까웠다.

그래 서 생원은 저녁 밥상이 들어오자 아들을 불러서 함께 밥을 뜨며,

"다시는 그런 계집애허고는 상관을 말어라. 그저 무엇이구 없는 놈은 없는 놈 끼리 해야 허는 게다."

하고 부드러운 소리로 타일렀다.

"예, 다시는 안 만날게요."

하고 아들은 다소곳이 대답한다.

그리고 사실은 이날 밤에 서 생원은 후처의 맞선을 보러 가기로 하였던 것이다.

---

15 채트리다 '채다'를 강조하여 이르는 말.
16 가긍스럽다 불쌍하고 가여운 데가 있다.

서 생원은 상처한[17] 지 만 1년이 되어 오지만 남달리 양기가 좋아 아내 없는 고독을 항상 느끼었고 또 과년한 딸을 정혼까지 해 놓고도 살림할 사람이 없어 그대로 잡아매 논 형편이다. 그동안 떠돌아다니는 낡은 여자를 세 번이나 갈아 들였지만 웬일인지 살림은 할 줄 모르는 데다가 양식만 구는 것[18]이 아까워서 오래야 열흘 살고서는 내쫓곤 하였다.

얼마 전에 송 참봉 부잣집에는 어느 행세하는 집안의 과부가 개가[19]를 하고자 와서 머물게 되었다. 이 과부는 나이가 서른일곱이고 언어 행동이 점잖다는 소문이 동리 안팎으로 퍼지자 제일 먼저 서 생원의 귀를 솔깃하게 하고 곧 송 참봉의 머슴을 중간에 넣어서 맞선까지 보게 되었다. 그래 피차 합의가 되어서 이날 밤에는 동리 집에서 만나 가지고 정식으로 관계를 약속하기로 하였던 것이다.

그러나 아들의 여자 문제로 자기가 망신을 당하고 또 아들을 꾸짖고 난 지 얼마 되지도 않아서 그 여자를 만나러 간다는 것은 어쩐지 죄를 범하는 것 같은 생각이 들었다. 생각다가 서 생원은 딸을 시켜서 이튿날 밤에 만나기로 하고 이날 밤은 아들을 붙들어 놓고 가마니를 쳤다.

어쩐지 이날 밤은 아버지와 아들의 사이가 훨씬 가까워진 것같이 그들은 웃음 섞어 도신도신[20] 이야기를 하면서 가마니를 쳤다.

3

"날도 참 청성맞다!"

서 생원은 담배를 한 대를 태워 먹고 다시 논으로 들어갈 때 무심코 이렇게 감탄하였다. 그가 젊어서 소 판 돈으로 여자를 찾아다닐 때 자기 맘에 흡족할 정

---

17 상처하다 아내의 죽음을 당하다.
18 양식만 구는 것 양식만 축내는 것.
19 개가(改嫁) 결혼하였던 여자가 남편과 사별하거나 이혼하여 다른 남자와 결혼함.
20 도신도신 '도란도란'의 방언.

도로 이쁘게 생긴 여자를 보면 으레 하는 말이,

"계집도 청성맞게 생겨 먹었다."

하고 도리어 여자한테는 푸념을 받았다.

이렇도록이나 이 날씨는 서 생원에게 좋았다. 며칠 전의 비로 논에는 물이 빼작빼작 괴어서 아직도 발은 쌀랑하고 시리었으나 졸음 오기에 알맞은 따뜻한 봄날이다. 산들바람은 데수기[21]에 부딪혀서 간지러울 때에야 비로소 바람이 부는 줄 알 만큼 고요하고도 부드럽다. 이 바람이 바로 비단결로 변하여 하늘을 엷게 덮은 것같이 하얀 구름을 통하여 푸른 하늘은 소리 없이 웃는다. 멀리서 달아나는 그 육중스러운 기차도 그냥 봄바람에 불려서 가는 것같이 가볍고도 귀엽게 보였다.

"이랴 쪼 쪼 쫏."

하고 서 생원은 주마등같이 생각히는 옛 기억을 떨으려는 듯이 갑자기 소리를 커다랗게 질렀다. 소는 영문도 모르고 기계적으로 빨리 달아나자 흙은 한편으로 파 잦혀진다.

이때 서 생원의 뒤편에서,

"여보게 여보게!"

하고 목멘 소리가 났다.

바로 윤 면장의 아비 윤 진사가 키보다도 높은 지팡이를 짚고 걸어오고 있다.

"저놈의 늙은이가 밤새 환장을 하였나."

하며 욕을 하면서도 서 생원은 속으로 불안을 느끼었다. 어제 일을 늦게야 알고서 부랴부랴 야단을 치러 오는 것이 아닌가 하매 전날의 분이 다시 치밀어 올랐다.

"아, 왜 오늘이 우리 논을 가는 날인데 남의 일만 하나? 응."

---

21 데수기 '어깨'의 방언.

하는 윤 진사는 숨이 턱에 닿아서 헐떡인다.

서 생원은,

"와 - 와 - ."

하여 소를 머무르게 하고 윤 진사가 가차워지기만[22] 기다렸다.

"오늘 하기로 하였다가 진사 영감이 볼일 계시다고 해서 모레로 미루잖었습녀."

"글쎄, 오늘 볼일이 훗날로 미루었는데 모레가 바로 궁술 대회가 있는 날이란 말이네. 내가 꼭 구경을 가야겠으니 그날은 논일을 못 헌단 말일세."

하고 윤 진사는 논둑에서 싸움이나 걸듯이 발을 구르며 야단을 친다.

"그런 사정이야 제가 알었습니까? 오늘 못 하신다고만 하시길래 딴 사람의 일을 맡었지유. 정 그러시면 영감이 안 보시더라도 저 혼자 잘해 드리지요."

"안 된다니께 안 되어. 내가 꼭 지켜 서야지."

하고 윤 진사는 좁은 논길을 급히 내려서다가 바른편 발이 논으로 빠졌다. 하얀 버선이 흙물투성이가 된 것이 잔뜩 마음에 걸린 윤 진사는 흙물을 털고 나서,

"그래 정말로 우리 논일을 못 하겠는가? 정 그렇다면 여러 말 말고 작년에 고지[23] 내 먹은 것은 돈으로 갚고 또 소 잡히고 빚내 쓴 것을 이 당장에 갚게."

하고 몸을 부르르 떨었다.

서 생원은 논 한가운데에서 갓[24]으로 나오면서 여전히 사정을 하였다.

"오늘 영감 댁 일을 허면 더 좋지만 남의 일을 중판메고[25] 그만둘 수 있습니까? 늦지 않으니 훗날로 미루지라우."

"그만두게 그만둬. 저 - 거시키 소만 내놓게, 그럼 내라두 논을 갈 테니께."

"소를 내면 이 논은 어떻게 갈구유?"

---

22 가찹다 '가깝다'의 방언.
23 고지 논 한 마지기에 값을 정하여 모내기부터 마지막 김매기까지의 일을 해 주기로 하고 미리 받아 쓰는 삯. 또는 그 일. 가난한 농민이 농번기에 이르기 전에 식량을 대기 위한 수단으로 사용한다.
24 갓 가장자리.
25 중판메다 '중판매다(하던 일을 도중에 그만두다.)'의 잘못.

"그럼 내 돈일랑 그대로 떼먹을낭가?"

"그럴 리가 있겠습녀? 어이 구만 돌아가시죠."

윤 진사는 할 수 없다는 듯이 서 생원의 얼굴을 맞뚫을 듯이 한참이나 쳐다보더니,

"세상에는 별 도적놈도 다 많다."

하며 돌아서서 씽씽 달아난다.

"미친놈의 영감!"

하고 서 생원은 헛웃음을 아니 칠 수 없었다. 자기가 내어 준 빚만 내세우는 것이 세상 물정을 모르는 어린애의 장난도 같았다. 하여간에 서 생원은 어느 것이나 지난해의 빚을 갚기 위해서 여러 사람의 새중간[26]에 끼여서 이리 내둘리고 저리 내둘리는 자신의 처지가 새삼스럽게도 서러웠다.

뒤도 안 돌아보고 걸어가는 윤 진사를 물끄러미 바라보는 서 생원은,

"저 늙은이가 무슨 심술을 또 부릴라나?"

하고 불안이 예감되었다.

그러나 서 생원은 이 불안이 바로 하룻밤이 지난 날 닥쳐오리라고는 천만의외이었다.

이튿날이 바로 마누라의 제삿날이라 자기가 직접 가마니 20장을 걸머지고 장에 나갔다 전부 중자(中字)를 맞아 2원 40전을 받아서 서 생원은 제삿장[27]을 보아 가지고 집으로 돌아왔다.

집 안에 들어서자 옥님이는 마루에 걸트러 앉아서 훌쩍거리며 울고 있고 문경이는 이마에 밤 덩이만 한 혹이 돋아 가지고 있었다. 서 생원의 눈에서는 불이 번쩍 났다.

---

26 새중간 '사이'를 강조하여 이르는 말.
27 제삿장 '제사장(제사 때에 쓸 제물을 마련하기 위하여 보는 장)'의 잘못.

"웬일들이냐?"

하고 채 묻기도 전에 아들 문경이가,

"면장네 집에서 소를 끌어갔으라우."

하고 울상을 한다.

"뭐였?"

하며 서 생원은 오양간을 쳐다본 다음,

"그래 이 병신들아, 소를 끌어가드락까지 내버려 두었단 말이냐?"

"제가 밖에 나갔다 오니께 이렇게 되었어요. 그래 면장네 집으로 가서 막 소를 끌어오랴니께 윤 진사가 단장[28]으로 치는 통에 이렇게 되었지라우."

하고 아들은 파랗게 먹진 상처를 손으로 가리킨다.

"날보고 도적놈이라더니 원 어떤 놈이 불한당인가 모르겠다. 어디 보자 소를 뺏기는가?"

하며 서 생원은 불끈 쥐어진 손을 한 번 떨더니 힘차게 뒤돌아서 걸었다. 아들도 그 뒤를 따랐다.

오후 4시가 채 못 된 때이라 머슴들도 모두 일 나간 후였고 면장도 아직 돌아오지 않고 윤 진사만이 방 아랫목에 앉아서 담뱃대 문 채로 마당을 내다보고 있었다. 서 생원과 아들은 대문 안에 들어서던 멀로[29] 사방을 둘레둘레 쳐다보며 소를 찾았다.

이것을 알아챈 윤 진사는,

"저 어떤 놈들이냐?"

하고 소리를 버럭 지르더니 버선발로 내달았다.

이때 서 생원과 아들은 소가 도야지 울 옆에 매여 있는 것을 발견하고 그곳으로 가는 것이었다.

---

28 단장(短杖) 짧은 지팡이.
29 멀로 하자마자 곧바로.

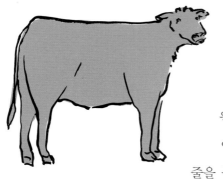

"이놈들 부자끼리 남의 집을 마구 떨어먹을[30] 작정이냐? 왜 남의 집을 함부로 들어오는 것이여?"

하며 서 생원의 팔을 끌어당기자 서 생원은 입 한 번 열지 않고 뿌리쳐 버린다.

이때 아들은 도야지 울의 기둥에 매인 줄을 풀고 소를 끄르려 하는 것을 서 생원은 이것도 믿음직하지 않아서 자기가 소 줄을 아들한테서 뺏어 쥐었다.

"도적놈이야 도적놈이야."

윤 진사는 입에 게버큼[31]을 내면서 이렇게 외치다가 서 생원의 팔을 두 손으로 붙들었다. 서 생원은 있는 힘을 다 내어 앞으로 채트리는 바람에 윤 진사는 넉장거리[32]로 떨어졌다. 서 생원은 소를 뺏었으나 소는 싸움에 놀란 듯이 사람을 쳐다만 볼 뿐 순순히 따라오지 않았다. 그래 서 생원은 소 고삐를 움켜쥐고 끌어서야 소는 따라섰다.

윤 진사는 콧등과 이마가 땅에 스쳐서 피가 나오고 있다. 땅에 주저앉은 채로 사람 죽인다고 소리를 고래고래 질렀으나 며느리, 손자며느리가 달려올 뿐이었다.

서 생원은 소를 자기 집 오양깐에 매어 두고서는 마당가에 서 있는 복숭아 나뭇가지를 꺾어 들고 소를 때렸다.

"아무리 멍청한 놈의 소라도 글쎄 남의 집에 가서 그대로 있단 말이냐? 응 주인이 가야 주인을 알아보는가."

하고 이번에는 목덜미를 때렸다. 30년 동안 처음으로 소에게 매질을 하는 서 생

---

30 떨어먹다 '털어먹다'의 잘못.
31 게버큼 '게거품'의 방언.
32 넉장거리 네 활개를 벌리고 뒤로 벌렁 나자빠짐.

원의 눈에는 눈물까지 글썽글썽하였다. 그는 말 못 하는 소까지가 자기를 업수이 여기는 것 같아서 분하기는 하였으나 매질을 하면서도 느물느물 맞고만 있는 소가 안타깝기도 하였다.

서 생원은 빚 30원을 보리 날 때까지 갚기로 하였으나 어떤 법률을 가지고 오더라도 소를 뺏겼을 리는 없으나 단 한나절 동안이나마 남의 손에 뺏겼던 것이 분하였다. 그는 저녁 밥상을 받고 수저를 쥐었을 때도 손은 그대로 떨리었다.

이날 밤 제사를 지낼 때 아들과 딸들은 서럽게 울었으나 서 생원은 산 마누라에게 하듯 혼자 성을 내 가지고 대답을 했다.

"□□□□ 소까지 잡혀서 약을 써 주었으면 죽은 귀신이라도 그런 줄은 알어야지, 늘 가야 빚만 더 많아지고 인제는 소까지 뺏기게 생겼으니 허다못해 꿈에 선몽[33]이라도 하야 줄 게 아닌가?"

하고 서 생원은 혼자 중얼중얼하였다.

그는 다시,

"제삿밥이라도 잘 얻어먹을려면 산 사람을 잘살게 해야지 글쎄."

하고 말을 더 이으려 하다가,

"아버진 허구한 날 다 두고 하필 제삿날에 이러셔요?"

하고 딸의 울음소리가 와락 커지는 통에 입을 다물었다.

4

이튿날 서 생원이 눈을 뜬 후부터 그는 얼굴에 찬물을 끼얹은 것같이 정신이 번쩍 났다.

전날 면장 집에서 한 일이 꼭 화약에 불을 붙인 것만치나 그는 앞으로 닥쳐올 결과가 무서웠다. 정당한 수속을 밟어서 소를 찾어왔더라면 별일은 없을 것인

---

33 선몽 '현몽(죽은 사람이나 신령 따위가 꿈에 나타남. 또는 그 꿈)'의 방언.

데 하고 후회도 되었다.

이날만은 논갈이를 나가려도 일거리가 없고 집에서 가마니를 치나 머릿속이 뒤숭숭해서 일이 잘 되지 않았다. 이러다가 애써 친 가마니가 모두 불자(不字)만 맞을 것도 같아서 그는 항상 버릇으로 보리밭 구경을 나왔다. 서 생원의 보리밭은 응달진 곳이라 겨울이면 쌓인 눈이 녹을 줄을 모른다. 보리는 눈이 이불이라고 눈에 덮인 것을 마당 다지듯 꾹꾹 밟아 주어 아무리 혹독한 바람이라도 보리 싹과 뿌리를 상하지는 못한다. 작년 겨울의 기후는 근래에 없이 추워서 양달 진 곳은 금방 얼었다가도 금방 풀리고 하는 통에 보리가 뿌리까지 상하여 해동을 기다려서 다시 씨를 뿌렸으니 자라려면 아직도 멀었다. 그러나 서 생원의 보리는 일곱 치나 될 만큼 자라나 그 탐스러운 것이 조롱[34]을 부리는 어린아이같이도 귀여웠다.

마음이 상하다가도 보리만 구경하면 재미가 옥실옥실 나던 서 생원이지만 이번은 보면 볼수록 마음이 더 상하였다. 그렇다고 보리 구경을 않고서는 못 배기었다. 금년만은 보리 농사를 오시란히 하기 전에는 보리 싹 하나도 남에게 주지 않겠다고 결심하였다. 그러나 윤달까지 들은 데다가 양식이 달려서 할 수 없이 송 참봉 집에 가 보리 농사를 잡히고 쌀 한 가마니 얻어 온 것이 바로 사오일 전이었다. 무럭무럭 자라나는 보리를 잡힌 것이 꼭 죄를 지은 것만 같고 겨우내 헛농사만 진 것 같아서 가뜩이나 마음이 아픈 데다가 전날 밤 일로 서 생원은 더욱 괴로웠다. 그래 보리밭을 풀기[35] 없이 한 바퀴 돌고서 바로 내려왔다.

그는 저녁밥을 먹고도 일이 손에 잡히지 않고 윤 진사 집에서 벼락만이 떨어질 것같이 마음이 조마조마하였다. 그래 서 생원은 송 참봉네 널찍한 머슴 사랑을 찾아갔다.

방 안에 들어서자 자욱한 담배 연기 속에서 빨간 한 사람의 얼굴만이 떠돌아

---

34 조롱 '재롱'의 잘못.
35 풀기 드러나 보이는 활발한 기운.

다니는 것같이 몽롱하였다.

"야- 서 생원 오시는구나."

하는 소리와 함께 웃음소리가 와그르 쏟아졌다.

키가 6척 장군인 덕쇠가 와락 달려들어서 서 생원의 팔목을 잡고 아랫목으로 끌면서,

"서 생원 물볼기 맞는담서유?"

하자 웃음소리가 다시 터진다.

"물볼기라니? 미친놈들."

하고 코웃음을 치며 서 생원은 벽에 기대어 앉는다.

열서너 명이나 되는 사람들은 드러누웠다가도 일어나서 서 생원 앞에 바싹 모아 앉았다. 모두 서 생원보다 훨씬 젊은 층이었다. 서 생원이 무식하기는 하면서도 구변[36]이 좋고 정직하고 인정이 많아서 동리 빈농층이나 머슴층에서는 엄지손가락을 꼽는 인물이었다.

"아, 서 생원 윤 진사 댁에서 볼기 친단 말을 못 들으셨수?"

덕쇠가 이렇게 말하자 어쩐지 이번에는 방 안이 갑자기 고요하여졌다. 서 생원도 먼저는 볼기 맞는다는 말이 옛날이야기와도 같이 새삼스럽게 들리었으나 윤 진사라는 말을 듣자 머리끝이 쭈뼛하여졌다. 그는 아무 말도 없이 코앞에 널려 있는 여러 얼굴만 번갈아 쳐다보았다.

"오늘 사정에서 궁술 대회가 있잖었어유? 모두 끝난 뒤에 김 진사가 구경 나온 노소(老所) 영감들을 자기 집으로 데리고 가서 한바탕 먹였지라우. 진탕 그려 먹고 나서 윤 진사가 서 생원 부자한테 봉변을 했다는 이야기를 하자 모두 자기 발에 불덩이나 떨어진 듯이 노발대발하면서 야단이더만?"

하고 다른 사람이 채근채근 말을 한다. 그는 침을 삼키고 다시 계속한다.

---

36 구변 말을 잘하는 재주나 솜씨. 언변.

"그중에도 부안 군수를 지냈다는 양철집 늙은이가 나서더니만 서 생원을 노소 마당에 꿇려 놓고 볼기를 쳐야 한다고 펄펄 뛰겠지라우."

"아이고 그 쥐새끼 같은 늙은이가?"

하고 서 생원 옆에 앉은 사람이 고개를 쑥 내밀며 묻는다.

여러 사람은 서 생원의 얼굴에서 무엇이나 읽을 듯이 자꾸 쳐다보는데도 서 생원은 석고상같이 굳은 표정으로 말하는 사람의 입만 주의해 본다.

"그러자 다른 사람들은 뭐라고 히여?"

하고 한편 구석에서 물으니,

"암 그렇구말구, 그런 버릇없는 놈들이 있냐는 둥 부자가 작당코 노인을 때리다니 하늘이 무섭잖냐는 둥 그만 야단이더만."

하고 먼저 사람이 대답한다.

"그리고 웬 허리를 다쳤다고 엄살을 부리면서도 술은 황소 물 먹듯 허더만 그려."

"그려도 콧등과 이마에는 흰 분가루 같은 걸 발렀어!"

하고 서로서로 자기도 보고 들었다는 듯이 다투어 말한다.

"지금이 어느 세상이라구 볼기 맞는다든가? 미친놈들."

하고 서 생원의 무거운 입 문이 열렸다.

"그럼 볼기 맞을려고 허셨던 그라우?"

"그까짓 윤 진사는 뭣이라는 게여? 가짜 진사를 가지고 돈 있다는 세력으로 남 볼기까지 치는만?"

"뭐니 뭐니 히여도 술 한잔이라도 얻어먹을려고 그 칙살스럽게[37] 구는 늙은이들이 더 미워 죽겠어."

"사실 지체를 따진다면 윤 진사가 노소에 들어갈 자비나 되간?"

---

37 칙살스럽다 하는 짓이나 말 따위가 잘고 더러운 데가 있다.

모두들 자기 일같이 흥분되어 가지고 떠든다. 이런 중에 먼저 말하던 덕쇠가,

"자 – 들 그런 이야기보다도 서 생원이 만일 볼기 맞는 날이면 가난뱅이 우리들 전부가 볼기 맞는 거란 말이여. 그러니 첫대[38]는 서 생원보고 물어봐야지. 맞으시겠는가 안 맞으시겠는가를!"

"암 그렇지."

하고 이구동성으로 찬성한다.

"미친 사람들, 그런 말을 물어서 무엇에 쓴담. 불문가지[39]지."

하고 서 생원이 힘 있게 말한다.

"그런데 만일 안 맞는 날이면 윤 진사가 서 생원의 논을 뗄는지도 모른단 말여."

하고 덕쇠가 더한층 힘을 들여 말하자,

"그러면 가만있을라나?"

"재작년 가을 때만으로 합심해서 덤비지."

"그런 건 걱정 없어."

하고 다 같이 자신 있게 말한다.

방 안에는 힘이 터질 듯이 갑북[40] 차 있는 것같이 모두들 흥분이 되고 밑자리가 들먹거려졌다.

이러다가 서 생원보다 여섯 살 아래인 김 첨지가,

"자네 모레 장가든다지?"

하고 쉰 목소리로 말을 하자 또다시 웃음이 터져 나왔다.

이렇게 화제 머리가 돌려지면서 방 안의 긴장도 차차로 풀려지는 것 같았다.

"참, 옷이랑 무엇이랑 모두 가지고 모레 서 생원 댁으로 온다지요?"

---

38 첫대 첫째로. 또는 무엇보다 먼저.
39 불문가지(不問可知) 묻지 아니하여도 알 수 있다.
40 갑북 '가뜩'의 방언.

하고 덕쇠가 진정으로 물었다.

"그렇다네, 인제 홀애비[41]를 면해야겠는데!"

하고 서 생원도 웃어 보인다.

"그러나저러나 오래 살으야 할 말이지."

"이번 부인네는 참 얌전허다닝께. 아마 영구히 살걸요?"

"글쎄 두고 보야 알지."

하고 서 생원은 좀 겸손하여 보인다.

5

"아버지 아버지, 누가 찾어왔으라우."

하고 딸이 흔들어 깨는 바람에 서 생원은 눈을 떴다. 전날 밤은 닭 울 때까지 잠을 이루지 못하고 머릿속을 썩이다가 겨우 눈을 붙인 것이 해가 동동 떠오른 뒤다.

"누구여?"

하고 서 생원이 기지개를 늘어지게 키고서 방문을 여니 윤 진사 머슴이었다.

"접니다. 웬 잠을 여태까지 주무시유?"

"좀 늦게사 잤더니만……."

서 생원은 모든 것을 직각하고 얼굴이 찌푸려졌다. 윤 진사 머슴은 말을 내놓기가 어려워서 머뭇거리다가,

"저- 그런데 이런 말 전허기가 퍽 안되었습니다만 오늘 저녁때 노소로 오시어서 볼기를 맞으시라는데."

하고 나서 그는 서 생원을 정면으로 쳐다보지 못한다.

"자네 그런 말 전할랴면 우리 집에 당초 오지 말게. 가소 가. 듣기 싫네."

---

41 홀애비 '홀아비'의 잘못.

서 생원은 단번에 몰아낼 듯이 성을 내어 가지고 서둔다.

"뭐 그렇게 제게다 화내실 건 없잖어유? 사실 저도 주인댁을 욕하고 싶지 서 생원을 잘못이라구는 허잖어요. 저는 밥 얻어먹는 죄로 이 말만 전했으니 그리 알으시기라우. 주인 영감태기가 볼기 안 맞을랴면 뒷일을 생각허라고까지 제게다 당부헙데다만 머 하늘이 뚫어지기야 허겠어유?"

"……."

"저도 여러 말 전하기가 싫으니 그리 알으시기라우?"

하고서는 뒤돌아서 나간다.

머슴이 나가자마자 딸과 아들이 겁을 내 가지고,

"아버지 볼기 맞으라니요?"

"아버지 그저께 일 땜에 그렇지요?"

하고 딸은 울려고까지 하는 것을,

"걱정 말고 가 일들이나 하려무나."

하고 서 생원은 귀찮다는 듯이 벌떡 일어났다.

간밤에는 그렇게도 의기충천할[42] 듯 기운이 나더니만 이른 아침 윤 면장 머슴이,

'뒷일을 생각'하라는 말을 남기고 간 후로는 여러 가지 불행한 일만이 번개같이 지나가곤 하였다. 서 생원은 남의 논을 갈아 주면서도 쟁기를 알맞게 댈 줄을 모르고 그저 소가 끌고 가는 대로만 따라가다가 정신을 차리곤 하였다.

기운 저녁때가 가까워졌을 때이다.

"서 생원."

하고 정답게 부르는 소리에 서 생원은 정신을 차려서 돌아다보았다.

의외에도 한 동리 구장이었다. 그전에는 양반 행세를 한다고 '서 서방'이라고

---

42 의기충천하다 의지와 기개가 하늘을 찌를 듯하다.

깍듯이 부르던 것을 웬일인지 이날은 '서 생원'이라고 정답게 불렀다.

"이리 좀 나오구려."

하고 구장이 부르는 대로 서 생원은 논두렁길로 나왔다.

"여까지 웬일이셔유?"

"좀 긴히 헐 말이 있어서…… 오늘은 일기가 매우 좋군! 요새 한참 논갈이할 때라 꽤 분주하겠소그려."

구장은 박람회네 공진회네 요자쿠라[43]네 하는 통에 서울 구경을 몇 번 한 것뿐이건만 말하려면 항상 경조(京調)[44]를 쓰느라고 애를 쓴다.

"바쁘긴 죽게 바쁘지만 어디 실속이 있으야지유. 작년에 고지 얻어먹은 걸 갚니라고 공짜 일만 하여 주는데……."

"자, 저기가 좀 앉아서 말하드라구."

하고 구장이 앞서서 가자 서 생원도 뒤를 따랐다.

조금 올라서서 보리밭 가에 있는 잔디 풀을 방석으로 하고 둘이 앉았다.

"여보 서 생원, 웬 일을 그렇게도 철없이 한단 말요."

하고 구장은 걱정하듯 한다.

"무엇을요?"

"이왕 일이 이렇게 된 이상 가서 볼기 맞는 시늉이라도 허면 되잖소?"

이때야 비로소 구장의 뱃속을 들여다보는 듯하였으나 어쩐지 화를 낼 수도 없을 만큼 구장의 구변은 묘한 힘을 가졌다.

"우리끼리 있으닝께 허는 말이지만 사실 그 진사 영감이 성질은 참 괴팍스럽지. 그전의 상사람[45]이 돈 덕으로 양반 노릇을 허게 되니 그저 양반 대우만 잘 해 주면 좋아하는구려. 선의 옛날 원님 정치가 없어진 후로는 누구 한 사람 볼기 친

---

43 요자쿠라(よざくら) 일본 말로 '밤 벚꽃놀이'를 의미함.
44 경조 서울의 풍습.
45 상사람 예전에, '평민'을 이르던 말.

일이 없는데 자기가 이것을 한번 처음으로 해 보겠다는 호기심이란 말이여. 서생원에게 분풀이한다는 것보다도 다만 이기심이지. 그러니 가서 순순하게 맞어만 보우. 도리어 이후로는 서 생원을 더 생각헐 터니깐."

구장은 흉금[46]을 털어놓고 비밀 이야기나 하는 듯 말소리를 낮추어서 한다.

"만일 끝끝내 안 듣는 날이면 논 떨어질 것은 물론이고 빚으로 소까지 뺏길 건 빤한 일 아니오? 좀 챙피하더라도 실속을 차려야 한단 말이여. 자 어떻소, 어때?"

이때 서 생원 생각으로는 구장의 말 중에서 한마디도 흠잡을 만한 것을 찾아낼 수 없었다. 그렇다고 "그렇겠소." 하고 시원시원 대답하기는 싫었다. 서 생원의 이런 맘을 들여다본 듯이 구장은 일어나더니,

"하여간 잘 생각하였다가 내일 아침에 노소로 나와."
하고 의미 없이 웃어 보인다.

"생각은 하여 보겠습니다만……."

서 생원이 말을 채 끝내기도 전에,

"해 보겠습니다만이 아니라 난 꼭 믿고 가우."
하고 발을 떼어 놓는다.

'남의 일 가지고 저렇게 몸 달을 게 뭐 있단 말인가.'

서 생원은 속으로 이렇게 생각을 하자 구장이 추잡하게 보였다.

서 생원은 이날 밤은 밖에도 나가지 않고 생각하였다. '만일 안 맞는다면?' 하고 그 뒤에 오는 결과를 생각하였다. 논 일곱 마지기가 떨어지고 다른 사람 논 두 마지기만 남게 된다. 그리고 소를 빼앗기게 된다. 그러면 1년 내내 돈 한 푼 돌려쓸 수도 없다. 새로 아내를 맞아들여서 잘 좀 살아 보겠다는 보람은 영영 깨어지고 만다. 아니 네 식구가 바가지를 들고 문전걸식을 하게 될는지도 모를 일

---

46 흉금 마음속 깊이 품은 생각.

이다. 서 생원은 단번에 앞이 캄캄하였다. 윗목에서 검은 *끄름*[47]을 토하는 석유 불이 마치 안개 낀 항구의 뱃불과 같이 몽롱하였다. 볼기 몇 번 맞고 창피당하는 것은 여기에 비하면 그야말로 천양지판[48]이었다.

잠 한소금[49]도 못 이루고 뜬눈으로 날을 샌 서 생원은 아침밥을 함께 먹으면서 아들과 딸에게 이렇게 부탁하였다.

"이따가 나 없는 동안에 새어머니가 오면 어디 급한 볼일이 있어서 나갔다고 그래라. 그리고 잘 대접을 히여."

"예, 이번 오시는 어머니는 참 얌전하다고들 히어요."

하고 딸은 영문도 모르고 반가워한다.

'하필 마누라가 오는 날?'

하고 서 생원은 입맛을 다시면서 오래도록 망설이다가 그는 결심이나 한 듯 벌떡 일어났다. 그는 노소를 향하고 걸어갈 때 오래전 자기가 판 소가 도소장[50]에 끌려간단 말을 듣고 불쌍한 맘으로 쫓아가서 본 것이 떠올랐다. 그때 도소장을 향하고 가던 소와 자기가 무엇이 다르냐? 이렇게도 생각되었다.

노소 대문 앞에 이르러 그는 다시 주저하다가 뒤를 한번 돌아보고 나서야 들어섰다. 노소에는 볼기 치기를 제일 먼저 주장하였다는 전 부안 군수와 서너 명의 늙은이들이 바둑과 장기를 두고 있다.

맨 처음 부안 군수가 서 생원을 보더니,

"음, 오는가?"

하고 나서는 박 서방(노소지기)을 부른다.

"여보게 박 서방, 윤 진사 댁에 가서 서 서방이 왔다고 여쭈고 또 노소 영감님들 모두 오시라구 허게."

---

47 끄름 '그을음'의 방언.
48 천양지판(天壤之判) 하늘과 땅 사이와 같이 엄청난 차이.
49 한소금 '한소끔'의 방언.
50 도소장 '도수장(고기를 얻기 위하여 소나 돼지 따위의 가축을 잡아 죽이는 곳)'의 잘못.

"예이."

하고 박 서방은 허리를 굽히더니 조심성 있게 물러간다.

제일 먼저 달려온 것이 윤 진사와 구장이었다. 윤 진사는 서 생원을 힐끗 보더니 더러운 것이나 본 듯이 얼굴을 홱 돌리고 지나간다. 뒤이어 노소 영감들이 모여들기 시작하여 아홉 명이나 되었다.

구장의 명령으로 뜰 밑에 마당에는 군데군데 떨어진 멍석이 펴졌다. 서 생원은 속으로 '대문이나 걸었으면.' 하였는데 이것 역시 구장의 명령으로 잠가졌다. 그리고 박 서방이 집 모퉁이에서 곤장을 가지고 나오는 것을 보자 서 생원은 가슴이 덜컥 내려앉았다. 그것은 두툼한 판자를 좁게 쪼개어서 손잡이까지 만든 것이다.

늙은이들은 다 각기 원님이나 되는 듯이 높은 마루에 앉아서 파뿌리 수염을 쓰다듬으며 위엄을 보이고 있다. 한가운데는 윤 진사가 버티고 앉아 있다.

"멍석 우에 앉게."

하고 전 부안 군수가 턱으로 가리킨다.

서 생원은 모든 것을 각오한 이상 조금도 주저하지 않고 멍석 위에 꿇어앉았다. 박 서방과 구장은 서 생원을 중간에 두고 양편으로 갈라섰다. 서 생원은 멍석 위에 앉은 채로 땅속의 수만 길 속으로 떨어지는 것같이 정신이 아득하였다. 이때이다. 대문을 발로 차는 소리가 나자마자 와지끈하는 소리와 함께 대문짝이 떨어져 나자빠진다. 그러자 맨 앞에 덕쇠 그다음으로 열댓 명의 청년 장년 노년의 헙수룩한 농군들이 살기가 등등해 가지고 몰려온다.

"저게 어떤 놈들이야?"

하고 늙은이들은 소리소리 지른다. 이것을 본 서 생원은 전기를 통한 것같이 벌떡 일어나더니 덕쇠를 껴안고 그 넓은 가슴에다 얼굴을 파묻는다. 덕쇠는 서 생원을 안은 채 그대로 있고 다른 사람들은 멍석을 한쪽으로 밀어 치우는 둥 널판때기를 뺏어서 팽개치는 둥 법석을 이루었다.

"서 생원을 무엇 땜에 볼기 치는 거냐?"

하고 외치자,

"어째 이놈!"

하더니 구장이 이 사람의 뺨을 잘꽉 쳤다. 여기에 농군들은 더욱 살기가 등등하여져 마당은 수라장이 되고 말았다. 이런 중에도 서 생원은 덕쇠를 붙들고,

"차라리 나를 죽여 주게."

한마디 겨우 하고서는 다시 얼굴을 덕쇠 가슴에 파묻는다.

(1936년)

메밀꽃 필 무렵*

이효석

이효석 (1907~1942)

경성제국대학 법문학부 영문과를 졸업했다. 1928년 〈조선지광〉에 단편 소설 〈도시와 유령〉을 발표하면서 작가로 데뷔하였다. 이효석은 〈메밀꽃 필 무렵〉에서 외롭고 고단한 장돌뱅이의 삶에 대한 애환을 아름다운 배경 묘사와 함께 형상화하고 있다. 그는 인간의 본성과 성(性)의 문제, 자연과의 친화 등을 주제로 탐미주의적·유미주의적 작품을 쓴 작가로 알려져 있다. 〈메밀꽃 필 무렵〉은 주인공 '허 생원'의 삶을 통해 떠돌이 생활의 애환을 그려 낸 현대 단편 소설의 대표작으로, 감각적이고 서정적인 배경 묘사와 문체가 특징이다.

---

* 1936년 10월 <조광>에 발표 당시 제목은 '모밀꽃 필 무렵'이었다.

．

．

여름 장이란 애시당초에 글러서 해는 아직 중천에 있건만 장판은 벌써 쓸쓸하고 더운 햇발이 벌여 놓은 전 휘장 밑으로 등줄기를 훅훅 볶는다. 마을 사람들은 거지반 돌아간 뒤요 팔리지 못한 나무꾼 패가 길거리에 궁싯거리고들[1] 있으나 석유병이나 받고 고기 마리나 사면 족할 이 축들을 바라고 언제까지든지 버티고 있을 법은 없다. 춥춥스럽게 날아드는 파리 떼도 장난꾼 각다귀[2]들도 귀찮다. 얼금뱅이요 왼손잡이인 드팀전[3]의 허 생원은 기어코 동업의 조 선달을 나꾸어보았다.

"그만 걷을까?"

"잘 생각했네. 봉평 장에서 한 번이나 흐붓하게 사 본[4] 일 있었을까. 내일 대화 장에서나 한몫 벌어야겠네."

"오늘 밤은 밤을 새서 걸어야 될걸."

"달이 떴다."

절렁절렁 소리를 내며 조 선달이 그날 산 돈을 따지는 것을 보고 허 생원은 말뚝에서 넓은 휘장을 걷고 벌여 놓았던 물건을 거두기 시작하였다. 무명필과 주단 바리가 두 고리짝[5]에 꼭 찼다. 멍석 위에는 천 조각이 어수선하게 남았다.

다른 축들도 벌써 거진 전들을 걷고 있었다. 약빠르게 떠나는 패도 있었다. 어물 장수도 땜장이도 엿장수도 생강 장수도 꼴들이 보이지 않았다. 내일은 진

---

1 궁싯거리다 어찌할 바를 몰라 이리저리 머뭇거리다.
2 각다귀 남의 것을 뜯어먹고 사는 사람을 비유적으로 이르는 말. 여기서는 '장난치는 아이들'을 말함.
3 드팀전 예전에, 온갖 피륙을 팔던 가게.
4 흐붓하게 사 보다 마음이 흡족하게 팔아 보다.
5 고리짝 고리. 고리버들의 가지나 대오리 따위로 엮어서 상자같이 만든 물건. 주로 옷을 넣어 두는 데 쓴다.

부와 대화에 장이 선다. 축들은 그 어느 쪽으로든지 밤을 새며 육칠십 리 밤길을 타박거리지 않으면 안 된다. 장판은 잔치 뒷마당같이 어수선하게 벌어지고 술집에서는 싸움이 터져 있었다. 주정꾼 욕지거리에 섞여 계집의 앙칼진 목소리가 찢어졌다. 장날 저녁은 정해 놓고 계집의 고함 소리로 시작되는 것이다.

"생원, 시침[6]을 떼두 다 아네…… 충줏집 말야."

계집 목소리로 문득 생각난 듯이 조 선달은 비죽이 웃는다.

"화중지병[7]이지. 연소 패들을 적수로 하구야 대거리가 돼야 말이지."

"그렇지두 않을걸. 축들이 사족을 못 쓰는 것두 사실은 사실이나 아무리 그렇다군 해두 왜 그 동이 말일세, 감쪽같이 충줏집을 후린 눈치거든."

"무어 그 애숭이가 물건 가지고 낚었나 부지. 착실한 녀석인 줄 알았더니."

"그 길만은 알 수 있나…… 궁리 말구 가 보세나그려. 내 한턱 씀세."

그다지 마음이 당기지 않는 것을 쫓아갔다. 허 생원은 계집과는 연분이 멀었다. 얼금뱅이 상판을 쳐들고 대어 설 숫기도 없었으나 계집 편에서 정을 보낸 적도 없었고 쓸쓸하고 뒤틀린 반생이었다. 충줏집을 생각만 하여도 철없이 얼굴이 붉어지고 발밑이 떨리고 그 자리에 소스라쳐 버린다. 충줏집 문을 들어서 술좌석에서 짜장 동이를 만났을 때에는 어찌 된 서슬엔지 빨끈 화가 나 버렸다. 상위에 붉은 얼굴을 쳐들고 제법 계집과 농탕치는 것을 보고서야 견딜 수 없었던 것이다. 녀석이 제법 난질꾼[8]인데 꼴사납다. 머리에 피도 안 마른 녀석이 낮부터 술 처먹고 계집과 농탕이야. 장돌뱅이 망신만 시키고 돌아다니누나. 그 꼴에 우리들과 한몫 보자는 셈이지. 동이 앞에 막아서면서부터 책망이었다. 걱정두 팔자요 하는 듯이 빤히 쳐다보는 상기된 눈망울에 부딪힐 때, 결김[9]에 따귀를 하나 갈겨 주지 않고는 배길 수 없었다. 동이도 화를 내고 팩하게 일어서기는 하였으

---

6 시침 '시치미'의 준말.
7 화중지병(畫中之餠) 그림의 떡.
8 난질꾼 술과 색에 빠져 방탕하게 놀기를 잘하는 사람.
9 결김 화가 난 나머지.

나 허 생원은 조금도 동색[10]하는 법 없이 마음먹은 대로는 다 지껄였다. 어디서 줏어먹은 선머슴인지는 모르겠으나 네게도 아비 어미 있겠지. 그 사나운 꼴 보면 맘 좋겠다. 장사란 탐탁하게 해야 되지, 계집이 다 무어야 나가거라 냉큼 꼴 치워.

그러나 한마디도 대거리하지 않고 하염없이 나가는 꼴을 보려니 도리어 측은히 여겨졌다. 아직도 서름서름한[11] 사인데 너무 과하지 않았을까 하고 마음이 섬짓[12]해졌다. 주제도 넘지 같은 술손님이면서도 아무리 젊다고 자식 낳게 되는 것을 붙들고 치고 닦아셀[13] 것은 무어야 원. 충줏집은 입술을 쫑긋하고 술 붓는 솜씨도 거칠었으나 젊은 애들한테는 그것이 약이 된다나 하고 그 자리는 조 선달이 얼버무려 넘겼다. 너 녀석한테 반했지. 애숭이를 빨면 죄 된다. 한참 법석을 친 후이다. 담도 생긴 데다가 웬일인지 흠뻑 취해 보고 싶은 생각도 있어서 허 생원은 주는 술잔이면 거의 다 들이켰다. 거나해짐을 따라 계집 생각보다도 동이의 뒷일이 한결같이 궁금해졌다. 내 꼴에 계집을 가로채서는 어떡할 작정이었누 하고 어리석은 꼬락서니를 모질게 책망하는 마음도 한편에 있었다. 그러기 때문에 얼마나 지난 뒤인지 동이가 헐레벌떡거리며 황급히 부르러 왔을 때에는 마시던 잔을 그 자리에 던지고 정신없이 허덕이며 충줏집을 뛰어나간 것이었다.

"생원 당나귀가 바[14]를 끊구 야단이에요."

"각다귀들 장난이지 필연코."

짐승도 짐승이려니와 동이의 마음씨가 가슴을 울렸다. 뒤를 따라 장판을 달음질하려니 게슴츠레한 눈이 뜨거워질 것 같다.

---

10 동색 얼굴색이 변하는 것.
11 서름서름하다 다른 사람과 가깝지 못해 서먹하다.
12 섬짓 '섬뜩'의 잘못.
13 닦아세우다 꼼짝 못 하게 휘몰아 나무라다.
14 바 삼이나 칡 따위로 세 가닥을 지어 굵다랗게 드린 줄.

"부락스러운[15] 녀석들이라 어쩌는 수 있어야죠."

"나귀를 몹시 구는 녀석들은 그냥 두지는 않는걸."

반평생을 같이 지내 온 짐승이었다. 같은 주막에서 잠자고 같은 달빛에 젖으면서 장에서 장으로 걸어 다니는 동안에 20년의 세월이 사람과 짐승을 함께 늙게 하였다. 까스러진 목뒤 털은 주인의 머리털과도 같이 바스러지고 개진개진 젖은 눈은 주인의 눈과 같이 눈곱을 흘렸다. 몽당비처럼 짧게 쓸리운 꼬리는 파리를 쫓으려고 기껏 휘저어 보아야 벌써 다리까지는 닿지 않았다. 닳아 없어진 굽을 몇 번이나 도려내고 새 철을 신겼는지 모른다. 굽은 벌써 더 자라나기는 틀렸고 닳아 버린 철 사이로는 피가 빼짓이 흘렀다. 냄새만 맡고도 주인을 분간하였다. 호소하는 목소리로 야단스럽게 울며 반겨한다.

어린아이를 달래듯이 목덜미를 어루만져 주니 나귀는 코를 벌름거리고 입을 투르르거렸다. 콧물이 튀었다. 허 생원은 짐승 때문에 속도 무던히는 썩였다. 아이들의 장난이 심한 눈치여서 땀 밴 몸뚱어리가 부들부들 떨리고 좀체 흥분이 식지 않는 모양이었다. 굴레가 벗어지고 안장도 떨어졌다. 요 몹쓸 자식들 하고 허 생원은 호령을 하였으나 패들은 벌써 줄행랑을 논 뒤요 몇 남지 않은 아이들이 호령에 놀라 비슬비슬 멀어졌다.

"우리들 장난이 아니우. 암놈을 보고 저 혼자 발광이지."

코흘리개 한 녀석이 멀리서 소리를 쳤다.

"고 녀석 말투가."

"김 첨지 당나귀가 가 버리니까 왼통 흙을 차고 거품을 흘리면서 미친 소같이 날뛰는걸. 꼴이 우스워 우리는 보고만 있었다우. 배를 좀 보지."

아이는 앵돌아진 투로 소리를 치며 깔깔 웃었다. 허 생원은 모르는 결에 낯이 뜨거워졌다. 뭇시선을 막으려고 그는 짐승의 배 앞을 가려 서지 않으면 안

---

15 부락스럽다 거친 데가 있다.

되었다.

"늙은 주제에 암샘을 내는 셈야, 저놈의 짐승이."

아이의 웃음소리에 허 생원은 주춤하면서 기어코 견딜 수 없어 채찍을 들더니 아이를 쫓았다.

"쫓으려거든 쫓아 보지. 왼손잡이가 사람을 때려."

줄달음에 달아나는 각다귀에는 당하는 재주가 없었다. 왼손잡이는 아이 하나도 후릴 수 없다. 그만 채찍을 던졌다. 술기도 돌아 몸이 유난스럽게 화끈거렸다.

"그만 떠나세. 녀석들과 어울리다가는 한이 없어. 장판의 각다귀들이란 어른보다도 더 무서운 것들인걸."

조 선달과 동이는 각각 제 나귀에 안장을 얹고 짐을 싣기 시작하였다. 해가 꽤 많이 기울어진 모양이었다.

*

드팀전 장돌이를 시작한 지 20년이나 되어도 허 생원은 봉평 장을 빼논 적은 드물었다. 충주 제천 등의 이웃 군에도 가고 멀리 영남 지방도 헤매이기는 하였으나 강릉쯤에 물건 하러 가는 외에는 처음부터 끝까지 군내를 돌아다녔다. 닷새만큼씩의 장날에는 달보다도 확실하게 면에서 면으로 건너간다. 고향이 청주라고 자랑삼아 말하였으나 고향에 돌보러 간 일도 있는 것 같지는 않았다. 장에서 장으로 가는 길의 아름다운 강산이 그대로 그에게는 그리운 고향이었다. 반날 동안이나 뚜벅뚜벅 걷고 장터 있는 마을에 거지반 가까웠을 때 지친 나귀가 한바탕 우렁차게 울면─ 더구나 그것이 저녁녘이어서 등불들이 어둠 속에 깜박거릴 무렵이면 늘 당하는 것이건만 허 생원은 변치 않고 언제든지 가슴이 뛰놀았다.

젊은 시절에는 알뜰하게 벌어 돈푼이나 모아 본 적도 있기는 있었으나 읍내

에 백중[16]이 열린 해 호탕스럽게 놀고 투전[17]을 하고 하여 사흘 동안에 다 털어 버렸다. 나귀까지 팔게 된 판이었으나 애끓는 정분에 그것만은 이를 물고 단념하였다. 결국 도로아미타불로 장돌이를 다시 시작할 수밖에는 없었다. 짐승을 데리고 읍내를 도망해 나왔을 때에는 너를 팔지 않기 다행이었다고 길가에서 울면서 짐승의 등을 어루만졌던 것이었다. 빚을 지기 시작하니 재산을 모을 염은 당초에 틀리고 간신히 입에 풀칠을 하러 장에서 장으로 돌아다니게 되었다.

호탕스럽게 놀았다고는 하여도 계집 하나 후려 보지는 못하였다. 계집이란 좀 쌀쌀하고 매정한 것이었다. 평생 인연이 없는 것이라고 신세가 서글퍼졌다. 일신에 가까운 것이라고는 언제나 변함없는 한 필의 당나귀였다.

그렇다고는 하여도 꼭 한 번의 첫 일을 잊을 수는 없었다. 뒤에도 처음에도 없는 단 한 번의 괴이한 인연. 봉평에 다니기 시작한 젊은 시절의 일이었으나 그것을 생각할 적만은 그도 산 보람을 느꼈다.

---

16 백중(百中) 음력 7월 보름. 승려들이 재(齊)를 설(設)하여 부처를 공양하는 날로, 큰 명절을 삼았다.
17 투전 노름 도구의 하나. 또는 그것으로 하는 노름.

"달밤이었으나 어떻게 해서 그렇게 됐는지 지금 생각해두 도무지 알 수 없어."

허 생원은 오늘 밤도 또 그 이야기를 꺼집어내려는 것이다. 조 선달은 친구가 된 이래 귀에 못이 박이도록 들어 왔다. 그렇다고 싫증을 낼 수도 없었으나 허 생원은 시침을 떼고 되풀이할 대로는 되풀이하고야 말았다.

"달밤에는 그런 이야기가 격에 맞거든."

조 선달 편을 바라는 보았으나 물론 미안해서가 아니라 달빛에 감동하여서였다. 이지러는 졌으나 보름을 가제 지난 달은 부드러운 빛을 흐붓이 흘리고 있다. 대화까지는 70리의 밤길 고개를 둘이나 넘고 개울을 하나 건너고 벌판과 산길을 걸어야 된다. 길은 지금 긴 산허리에 걸려 있다. 밤중을 지난 무렵인지 죽은 듯이 고요한 속에서 짐승 같은 달의 숨소리가 손에 잡힐 듯이 들리며 콩 포기와 옥수수 잎새가 한층 달에 푸르게 젖었다. 산허리는 온통 모밀[18]밭이어서 피기 시작한 꽃이 소금을 뿌린 듯이 흐뭇한 달빛에 숨이 막힐 지경이다. 붉은 대궁이 향기같이 애잔하고 나귀들의 걸음도 시원하다. 길이 좁은 까닭에 세 사람은 나귀를 타고 외줄로 늘어섰다. 방울 소리가 시원스럽게 딸랑딸랑 모밀밭께로 흘러간다. 앞장선 허 생원의 이야기 소리는 꽁무니에 선 동이에게는 확적히는[19] 안 들렸으나, 그는 그대로 개운한 제멋에 적적하지는 않았다.

"장 선 꼭 이런 날 밤이었네. 객줏집 토방이란 무더워서 잠이 들어야지. 밤중은 돼서 혼자 일어나 개울가에 목욕하러 나갔지. 봉평은 지금이나 그제나 마찬가지나 보이는 곳마다 모밀밭이어서 개울가가 어디 없이 하얀 꽃이야. 돌밭에 벗어도 좋을 것을 달이 너무도 밝은 까닭에 옷을 벗으러 물방앗간으로 들어가지 않았나. 이상한 일도 많지. 거기서 난데없는 성 서방네 처녀와 마주쳤단 말이네. 봉평서야 제일가는 일색이었지."

---

18 모밀 '메밀'의 잘못.
19 확적히 확실하여 틀림이 없이.

"팔자에 있었나 부지."

아무렴 하고 응답하면서 말머리를 아끼는 듯이 한참이나 담배를 빨 뿐이었다. 구수한 자줏빛 연기가 밤기운 속에 흘러서는 녹았다.

"날 기다린 것은 아니었으나 그렇다고 달리 기다리는 놈팽이가 있은 것두 아니었네. 처녀는 울고 있단 말야. 짐작은 대고 있었으나 성 서방네는 한창 어려워서 들고날 판인 때였지. 한집안 일이니 딸에겐들 걱정이 없을 리 있겠나. 좋은 데만 있으면 시집도 보내련만 시집은 죽어도 싫다지…… 그러나 처녀란 울 때 같이 정을 끄는 때가 있을까. 처음에는 놀라기도 한 눈치였으나 걱정 있을 때는 누그러지기도 쉬운 듯해서 이럭저럭 이야기가 되었네…… 생각하면 무섭고도 기막힌 밤이었어."

"제천인지로 줄행랑을 놓은 건 그다음 날이었다."

"다음 장도막[20]에는 벌써 왼 집안이 사라진 뒤였네. 장판은 소문에 발끈 뒤집혀 고작해야 술집에 팔려 가기가 상수라고 처녀의 뒷공론이 자자들 하단 말이야. 제천 장판을 몇 번이나 뒤졌겠나. 하나 처녀의 꼴은 꿩 궈 먹은 자리야. 첫날밤이 마지막 밤이었지. 그때부터 봉평이 마음에 든 것이 반평생을 두고 다니게 되었네. 평생인들 잊을 수 있겠나."

"수 좋았지. 그렇게 신통한 일이란 쉽지 않어. 항용 못난 것 얻어 새끼 낳고 걱정 늘고 생각만 해두 진저리 나지…… 그러나 늘그막바지까지 장돌뱅이로 지내기도 힘드는 노릇 아닌가. 난 가을까지만 하구 이 생애와두 하직하려네. 대화쯤에 조그만 전방이나 하나 벌이구 식구들을 부르겠어. 사시장철 뚜벅뚜벅 걷기란 여간 이래야지."

"옛 처녀나 만나면 같이나 살까…… 난 거꾸러질 때까지 이 길 걷고 저 달 볼 테야."

---

20 장도막 한 장날로부터 다음 장날 사이의 동안을 세는 단위.

산길을 벗어나니 큰길로 틔어졌다. 꽁무니의 동이도 앞으로 나서 나귀들은 가로 늘어섰다.

"총각두 젊겠다 지금이 한창 시절이렷다. 충줏집에서는 그만 실수를 해서 그 꼴이 되었으나 설게 생각 말게."

"처, 천만에요. 되려 부끄러워요. 계집이란 지금 웬 제격인가요. 자나 깨나 어머니 생각뿐인데요."

허 생원의 이야기로 실심[21]해한 끝이라 동이의 어조는 한풀 수그러진 것이었다.

"아비 어미란 말에 가슴이 터지는 것도 같았으나 제겐 아버지가 없어요. 피붙이라고는 어머니 하나뿐인걸요."

"돌아가셨나?"

"당초부터 없어요."

"그런 법이 세상에."

생원과 선달이 야단스럽게 껄껄들 웃으니 동이는 정색하고 우길 수밖에는 없었다.

"부끄러워서 말하지 않으려 했으나 정말예요. 제천 촌에서 달도 차지 않은 아이를 낳고 어머니는 집을 쫓겨났죠. 우스운 이야기나 그러기 때문에 지금까지 아버지 얼굴도 본 적 없고 있는 고장도 모르고 지내 와요."

고개가 앞에 놓인 까닭에 세 사람은 나귀를 내렸다. 둔덕은 험하고 입을 벌리기도 대근하여[22] 이야기는 한동안 끊겼다. 나귀는 건듯하면 미끄러졌다. 허 생원은 숨이 차 몇 번이고 다리를 쉬지 않으면 안 되었다. 고개를 넘을 때마다 나이가 알렸다. 동이 같은 젊은 축이 그지없이 부러웠다. 땀이 등을 한바탕 쪽 씻어 내렸다.

---

21 실심 근심 걱정으로 맥이 빠지고 마음이 산란하여짐.
22 대근하다 견디기 어지간히 힘들고 만만하지 않다.

고개 너머는 바로 개울이었다. 장마에 흘러 버린 널다리[23]가 아직도 걸리지 않은 채로 있는 까닭에 벗고 건너야 되었다. 고의[24]를 벗어 띠로 등에 얽어매고 반벌거숭이의 우스꽝스러운 꼴로 물속에 뛰어들었다. 금방 땀을 흘린 뒤였으나 밤 물은 뼈를 찔렀다.

"그래, 대체 기르긴 누가 기르구?"

"어머니는 하는 수 없이 의부를 얻어 가서 술장사를 시작했죠. 술이 고주래서 의부라고 전 망나니예요. 철들어서부터 맞기 시작한 것이 하룬들 편할 날 있었을까. 어머니는 말리다가 채이고[25] 맞고 칼부림을 당하곤 하니 집 꼴이 무어겠소. 열여덟 살 때 집을 뛰어나와서부터 이 짓이죠."

"총각 낫세론 동이 무던하다고 생각했더니 듣고 보니 딱한 신세로군."

물은 깊어 허리까지 찼다. 속 물살도 어지간히 센 데다가 발에 차이는 돌멩이도 미끄러워 금시에 훌칠 듯하였다. 나귀와 조 선달은 재빨리 거의 건넜으나 동이는 허 생원을 붙드느라고 두 사람은 훨씬 떨어졌다.

"모친의 친정은 원래부터 제천이었던가?"

"웬걸요, 시원스리 말은 안 해 주나 봉평이라는 것만은 들었죠."

"봉평? 그래 그 아비 성은 무엇이구?"

"알 수 있나요. 도무지 듣지를 못했으니까."

그 그렇겠지 하고 중얼거리며 흐려지는 눈을 까물까물하다가 허 생원은 경망하게도 발을 빗디뎠다. 앞으로 고꾸라지기가 바쁘게 몸째 풍덩 빠져 버렸다. 허우적거릴수록 몸을 걷잡을 수 없어 동이가 소리를 치며 가까이 왔을 때에는 벌써 픽으나 흘렀었다. 옷째 졸짝 젖으니 물에 젖은 개보다도 참혹한 꼴이었다. 동이는 물속에서 어른을 해깝게[26] 업을 수 있었다. 젖었다고는 하여도 여원 몸이라

---

23 널다리 널빤지를 갈아서 놓은 다리.
24 고의 남자의 여름 홑바지.
25 채이다 '차이다'의 잘못.
26 해깝다 '가볍다'의 방언.

장정 등에는 오히려 가벼웠다.

"이렇게까지 해서 안됐네. 내 오늘은 정신이 빠진 모양이야."

"염려하실 것 없어요."

"그래 모친은 아비를 찾지는 않는 눈치지?"

"늘 한번 만나고 싶다고는 하는데요."

"지금 어디 계신가?"

"의부와도 갈라져 제천에 있죠. 가을에는 봉평에 모셔 오려고 생각 중인데요. 이를 물고 벌면 이럭저럭 살아갈 수 있겠죠."

"아무렴, 기특한 생각이야. 가을이랬다?"

동이의 탐탁한 등어리가 뼈에 사무쳐 따뜻하다. 물을 다 건넜을 때에는 도리어 서글픈 생각에 좀 더 업혔으면도 하였다.

"진종일 실수만 하니 웬일이오, 생원."

조 선달은 바라보며 기어코 웃음이 터졌다.

"나귀야. 나귀 생각하다 실족을 했어. 말 안 했던가. 저 꼴에 제법 새끼를 얻었단 말이지. 읍내 강릉집 피마[27]에게 말일세. 귀를 쫑긋 세우고 달랑달랑 뛰는 것이 나귀 새끼같이 귀여운 것이 있을까. 그것 보러 나는 일부러 읍내를 도는 때가 있다네."

"사람을 물에 빠치울 젠 딴은 대단한 나귀 새끼군."

허 생원은 젖은 옷을 웬만큼 짜서 입었다. 이가 덜덜 갈리고 가슴이 떨리며 몹시도 추웠으나 마음은 알 수 없이 둥실둥실 가벼웠다.

"주막까지 부지런히들 가세나. 뜰에 불을 피우고 훗훗이 쉬어. 나귀에겐 더운 물을 끓여 주고. 내일 대화 장 보고는 제천이다."

"생원도 제천으로?"

---

27 피마 다 자란 암말.

불러졌다.

이들 열 집의 호주들은 몇 번이나 면사무소에 불려 가고 면사무소에서도 거의 그 수효만큼이나 자주 조사를 나왔다.

3월 스무날 저녁에는 오삼룡이와 제일 친한 강판옥이네 집에서 떠나는 열 친구를 위한 이 동네의 전별 잔치가 있었다. 보내는 사람들의 각 집에서는 쌀이 적어서 떡은 못 하나마 다만 몇 줌씩이라도 모조리 걷어서 밥을 짓기로 하고 쌀은 일제히 형편 따라 부담한 후에 각각 간장, 기름, 나무, 김치, 나물(채소), 이런 것들을 분담해서 저녁밥을 준비하고 주머니들을 다 털어 막걸리 몇 되를 받아 왔다.

동네에서는 제일 크다는 강판옥의 집 방문을 활짝 열어 놓고 방과 마루에 사람들이 콩나물 서듯 들어앉았건만 자리가 좁아서 뜰아래까지 멍석을 펴고 앉게 하였다. 그리고 아직은 겨울 날씨라 하여 마당에다는 불을 피워서 더운 김이 나도록 하였다.

서로 권하느니 사양하느니 하는 와글와글 끓는 소리가 방에서 마루로 마루에서 마당으로 또 마당에서 방으로 마루로 정답게 오고 가고 김이 서리는 부엌 속에서 심부름을 하는 부인들의 오손도손하는 얘기 소리들이 계속하는 동안 그들의 위장은 웬만큼 부요하여졌다.

벼를 베어 낸 논바닥처럼 허하고 쓸쓸하기 짝 없는 이들의 배 속에 틉틉한 막걸리 사발씩이나 들어가 놓으니 그들의 어둡던 가슴은 화촉[1]의 신방같이 훈훈하고 밝아오는 게 봄날의 햇볕처럼 제법 따끈해졌다.

삼룡이 곁에 바싹 다가앉았던 판옥이가 벌떡 일어나서 다들 자기를 주목하라는 듯이 기침을 연방 크게 하였다. 과연 사람들은 판옥의 기침 군호에 고개들을 방으로 돌리고 쳐다보았다.

---

1 화촉(華燭) 빛깔을 들인 밀초. 흔히 혼례 의식에 쓴다.

"허 오늘이 대체 무슨 날인지 마당에다가는 불을 피우고 1년 열두 달 다 가도록 못 먹어 보는 쌀밥을 먹어 보고 막걸리로 반주를 하고 온갖 성찬으로 안주를 하고 떠들썩하게 웃고 지껄이니 남 보기에는 무슨 즐거운 경사나 있는 것같이 보이겠소마는 사실인즉 우리 평생에는 처음 당해 보는 슬프고 슬픈 불길한 날이오."

"암 그렇다마다."

여러 사람은 기도 소리 뒤에 부르는 '아멘' 소리같이 일제히 말을 받았다.

"모레가 되면 우리 동리에서는 열 집 가족 40명이 산 채로 죽어서 나가는 날이오. 허 죽는 것이나 뭣이 다르오? 허……."

판옥이의 목소리는 터지려는 울음 속에 잠겨 버렸다. 귀 밝고 눈 여린 아낙네들의 훌쩍이는 소리가 부엌에서 새어 나왔다.

방 안에서, 마루에서, 마당에서, 코를 불고 입을 불며 울음을 삼키는 대장부들의 억센 숨소리가 들렸다.

"우리 동리에서 무슨 어려운 일이 있든지 항상 대표로만 나가는 삼룡이, 어질고 착한 중권이, 재담 잘하는 옥곤이, 동네 편쌈은 도맡아 놓고 대장 노릇하는 우리 관운장² 상걸이."

판옥의 이 말에 부엌 속에서는 가냘픈 웃음소리(그러나 눈물과 섞인)가 들려왔다.

"공자님같이 유식하고 덕이 많은 윤홍이, 장비같이 시원시원하고 힘 잘 쓰는 영대, 남의 일 잘 봐주는 태술이, 구변 좋은 창곤이, 그리고 나이 어려도 다 천연하고 똑똑한 인수, 종선이, 이렇게 열 사람이 쑥 빠져서 나가 버리니 자네들 가 버린 담에 우리 일은 다 누가 맡아서 해 주고 누가 알아서 처단해 주고 누구하고 의논해서 해 가란 말인가?"

---

2 관운장 중국 삼국 시대 촉한의 무장 '관우'를 이름.

위낙 입담이 좋은 판옥에게 술이란 흥분제가 들어가고 정다운 동무들과 이별한다는 비분강개[3]한 마음이 들어가 놓으니 조리 있게 나오는 말이 흐르는 물같이 술술 흘러나왔다.

"자네들은 살길 찾아서 간다고 가 버리니 우리같이 이렇게야 서운할라던가? 자네들이 없어지면 우리 동네는 눈을 잃고 귀를 잃고 입을 잃고 힘을 잃고 덕을 잃고 왼갖[4] 것을 다 잃어버린 산송장이 돼 버릴 테니 자네들을 보내고 우리는 어떻게 살아가란 말인가? 너무도 야속하고 너무도 모지네그려."

판옥의 나중 말은 애원의 하소연이 되어 떠나려는 열 사람의 가슴을 긁어냈다.

"자네들이 다 멀쩡하게 살아 있을 때도 우리 동네는 압제를 받고, 욕을 당하고, 힘을 못 쓰고, 억울하고 원통하게만 살아왔거든. 자네들이 가 버리고 나면 뼈 부러진 팔다리로 우리는 어떻게 살아가란 말인가 허…… 어떻게 버티고……."

말끝을 흐리더니 판옥이는 우후 하는 울음소리를 내며 방바닥에 펄썩 주저앉았다. 떠나는 열 사람도, 보내는 사람들도 다 소리를 삼키며 울었다.

"삼룡아! 읍에나 면에나 주재소[5]에나 지주댁에나 너하고 나하고 대표로 댕기더니마는 너는 가고 나는 혼자 어쩌란 말이냐? 아이고 기막혀라, 우리 동네는 어째서 너희를 몰아내야만 한단 말이냐? 너희가 가면 우리 입에 그래 쌀밥이 들어갈 것이란 말이냐? 아니 가진 못한단 말이냐? 허 원통하다 원통해!"

판옥이는 방바닥을 주먹으로 탕탕 치며 울음 섞인 넋두리를 하였다. 자리는 온통 울음판이 되었다.

구름이 쓱 지나가면서 둥글고 밝은 보름달을 이들에게 선사하였다. 달빛에 마당이 훤해지자 마당의 울음소리는 더 커졌다.

---

3 비분강개(悲憤慷慨) 슬프고 분하여 마음이 북받침.
4 왼갖 '온갖'의 방언.
5 주재소 일제 강점기에 순사가 머무르면서 사무를 맡아보던 경찰의 말단 기관.

"고향의 달도 마지막이다!"

젊은 인수의 입에서 히스테릭한 비명에 가까운 부르짖음이 나왔다. 무심한 달은 아기의 방싯거리는 웃음과 같이 잡티 없는 웃음을 가득히 싣고 감나무 가지를 타고 넘었다.

삼룡이는 주먹으로 눈물을 씻고 일어난다. 훤칠한 이마에 큰 키였다.

"허 그만들 울으십니다. 우리가 천 리 타향에 간다 할지라도 마음만큼은 고향에 주고 가오. 마음만 서로 통하면 우리가 여기 없어도 우리들 있을 때같이 매사를 해 가실 것이라고 생각하오. 여러분은 우리 없는 동안 고향을 잘 지키시고 고향을 잘 키워 가시오. 멀지 않아서 우리는 다시 우리의 고향을 찾어올 것이오."

"암! 오다마다, 안 와서 쓸 것이라고?"

하는 소리가 여기저기서 튀어나왔다.

그들은 모두 일어났다. 누가 부르는지 모르게 그들은 요즘의 유행 노래(이 동네에만 유행하는)를 부르기 시작하였다.

여보소 이 사람 어디를 가나

산 높고 물 깊어 길 험하다네

강서가 예서도 일천오백 리

나는 새라도 사흘 간다네.

    에라 둥둥 내 사랑이야

    너를 놓고는 내 못 살리라.

"다음 것은 자네들만 하소."

하고 판옥이가 노래 틈에 말을 끼웠다.

아니 가고 어이를 하리

정들인 고향이 날 몰아내데

땅 좋고 물 좋아 살기 좋대도

내 고향 안 잊혀 어이를 가리.

　　에라 둥둥 내 사랑이야

　　너를 놓고는 내 못 살리라.

구름은 다시 달을 가린다. 이들의 울음 섞인 노래를 알아나 들은 듯이…….

3월 22일 오전 10시! 학다리(鶴橋) 정거장은 일백 호의 가족 400명의 이민(移民)과 그들을 전송하는 이백 오륙십 명의 (정거장 생긴 이후 처음 되는) 굉장하게 많은 손님들을 가져 보았다.

그들을 위하여 임시로 마련한 독차가 연기를 뿜고 돌아다니며 먼 길 떠날 준비를 하다가 어서들 올라오란 듯이 꼬리를 공손하게 대령하고 서 있건만 독차를 타고 갈 손님들의 행장들이란 지저분하고도 허름하였다.

작고 퇴색한 검은 보에다가 터지도록 싸 놓은 침구의 양 귀퉁이가 삐죽하게 나와서 남루한 몰골을 보이고 있고 참기름이나 피마자기름병인 듯한 맥주병이 가뜩이나 작은 보자기에 염치없이 끼워 있었다. 물에 담갔다가 정하게 씻었으련만 그 보람도 없이 시꺼멓게 그을린 대석작[6] (아마 그 속에는 사발, 접시, 이런 것들이 들어 있겠지.) 위에와 옆에는 크고 작은 바가지를 엎어서 새끼로 동였고 거의 다 떨어진 부담상자[7]와 농짝들도 각각 수하물(手荷物) 행세를 하느라고 면 이름과 성명을 적은 꼬리표를 달고 있었다.

이러한 짐짝들이 짐차 칸으로 실리고 실리는 동안 군중들의 떠드는 말소리들은 울음판으로 변하였다.

---

6 대석작 대나무를 가늘게 쪼개어 엮어 만든, 뚜껑이 있는 네모난 상자.
7 부담상자 말에 실어 나를 물건을 넣는 상자.

차 속에 가면서 먹을 밥 보퉁인[8] 듯한 꾸러미들을 들고 아기들을 업고 서 있는 부인네들의 앞뒤에는 전송 나온 부인들이 한두 사람씩 붙어 있고 남자들은 좀 큰 아이들을 안고 또 무엇인가를 들고 차례차례 인사를 하며 돌아다녔다.

외할머니인 듯한 노인이 딸이 업고 있는 외손자에게 눈깔사탕의 봉지를 쥐어 주며 소리를 내어 울고 남편의 친구인 듯한 사람들은 떠나는 어린애들에게 엿과 마메콩(왜콩)을 사서 들려 주었다.

한편에서는 빚쟁이들이 떠나는 사람들의 행구를 붙잡아 놓고 주고 가라는 최후의 호령들을 하였다. 그러나 떠나는 사람들의 일행이 각각 빚쟁이들을 둘러싸고 마구 욕설을 퍼부으며 역성을 하였다.

"허 그군 참 더럽다. 이 짐짝이 그렇게 욕심이 나거든 가지고 우리 대신 강서까지 가게, 누가 말리는가?"
하는 말쯤은 온순한 편이지만,

"죽으러 가는 놈의 관 벗기는 놈은 저승에 가서 사자 노릇도 못 해 먹느니라."
하는 욕설은 좀 과격한 편이었다.

그러나 빚쟁이 역시 지려고는 하지 않았다. 역성꾼들을 떠밀며,

"이놈들이 왜 이 모양이어? 밝은 세상 아래 뉘 돈을 먹고 달아나겠다고 응! 어림없제, 안 돼, 안 돼, 이것은 두고 가야 한다."
하고 눈을 부라리며 짐짝을 끌어당긴다.

"요놈이 마지막으로 우리 손때 맛을 보고 싶은 것이로구나. 전에는 우리가 느 그 앞에서 목을 바치고 살았지마는 지금쯤 당해서는 죽으러 가는 놈에게 염치가 있을 리 없다. 남의 것 잘라먹는 도둑놈들은 배가 항아리만 하게 더 잘살더라, 이놈 안 놔? 에라 이놈!"
하고 그들은 주먹으로 빚쟁이의 등을 갈겼다.

---

8 보퉁이 물건에 보를 싸서 꾸려 놓은 것.

각 면에서 나온 면장들과 주재소 순사부장들은 이날에 한해서만 떠드는 사람들에게 최후 발악을 허락해 준 듯 좋은 말로,

"자아들 어서들 차례차례 타시오."

하고 차에 오르기를 재촉하였다.

사람들이 차에 오르기 시작하자 울음소리가 여기저기서 그악스럽게 크게 났다. 그중에서 가장 용기 있는 패들은 칠팔 세 되는 남녀 어린이들이었다. 그들은 우르르 뛰어들어 가서 호기심이 가득한 눈으로 찻간을 둘러보았다.

"꼭 방 속 같다 응? 선반도 있어야!"

하고 속삭이기까지 하면서…….

삼룡이와 판옥이는 술집에서 나왔다.

"너하고 나하고 술잔을 바꾸기도 오늘이 마지막이다. 죽지 않으면 다시 만날 테니 몸이나 잘 돌보아."

판옥이는 삼룡의 손목을 잡더니 소매를 잡아당겨 으슥한 데로 끌고 가서,

"이것은 우리 집 딸 몫으로 있는 흰 돼지를 판 것인데, 돈이야 얼마 될라는가마는 생사의 정에서 주고받는 표적으로 받아 주게."

하고 지전 한 장을 쥐어 줬다.

"허 이거 무슨 짓인가? 5원? 5원이라니, 5원을 가지고 자네네 1년 거름값을 하지 않겠는가? 나야 이왕 가는 놈인데 돈이 당할 소린가? 자 어서 너 두게, 내가 되려 자네 딸 혼인에 저고리 한 감도 못 떠 주게 됐는데 시집갈 밑천인 돼지를 뭣 하러 팔았는가? 자 어서 너 두게, 그런 망령 난 소리 하지 말고……."

삼룡이는 굳세게 거절하였다.

"아니 왜 이러기냐? 내가 아무리 사람값에는 못 가는 버러지같이 된 인생이다마는 사내자식이 그래 친구를 영이별하는 자리에서…… 허 안 될 말이어. 허 그 사람 참, 자 어서들 오라고 면장이 저기서 손짓하네, 얼른 받아."

판옥이는 삼룡의 조끼 틈에 5원 지폐를 넣었다.

남자들은 대개 송정리 정거장을 지나면서부터 마음을 가라앉히고 동무들끼리 얘기를 하였으나 아낙네들은 원망스러운 듯이 창밖을 내다보며 대전역에 닿을 때까지 눈물을 걷지 않았다.

독차로 가는 길인지라 정거장마다 정거할 필요가 없으며 기차는 쉬지 않고 줄곧 달리기만 하였다. 기차를 평생에 처음 타 보는 부인들은 차멀미를 하여서 자리에 꽉 엎드려 가지고 일어나지도 못하였다. 황홀한 전등불이 찬란한 빛을 내고 있는 경성 시가를 바라보며 그들은 경성을 지나서 다시 북으로 가는 것이었다.

"참 서울이란 넓고도 좋은 데로구나. 우리 생전에 서울 구경도 못 할 줄 알았더니 서울을 지내서 가는 데가 어디메냐?"

하는 삼룡이의 큰 소리가 애조[9]를 띠고 나오자 여러 사람의 가슴은 납덩이를 삼킨 듯이 뭉클하고 답답해졌다.

타향의 밤과 밤이 적막하게 이어져 있는 그 차고 쓸쓸한 어둠을 뚫고 이민을 실은 기차는 북으로 북으로 달려가건만 그들은 가엾은 꿈은 남으로 남으로 뒷걸음을 쳤다. 아기들을 재우느라고 남녀가 번갈아서 눈을 좀 붙이노라면 귓가에서는 부모 친척과 동행 친지들의 통곡하는 소리가 그들의 흔들리는 꿈을 깨고 말았다.

창밖에서는 어두움과 추움이 수레를 습격하고 한숨과 탄식의 소리가 가득한 찻간에서는 고향에 두고 온 환상들이 이들의 고달픈 머리를 뒤흔들었다.

한창 매운 바람이 귀를 갈기는 새벽 2시에 이들은 말로만 들어 보던 평양 정거장에 내려서 또 다른 기차를 바꿔 타고 정작 강서를 향하여 떠났다.

그 이튿날 첫새벽에 기양(岐陽) 정거장에 내리니 짐자동차와 또 그렇게 짐자동차같이 커다랗게 생긴 자동차가 그들을 기다리고 있었다.

---

9 애조(哀調) 구슬픈 곡조.

몇 대가 되는지도 알 수 없으리만큼 수많은 자동차이건만 자동차마다에 사람이 첩 놓이다시피 빽빽하게 들어앉아서 또 얼마를 산길로 달려갔다.

"아이고 인제는 우리를 갖다가 산 채로 산속에다 묻어 버릴란갑다. 인제 정말 우리는 죽고야 마는구나."

하는 여인들의 두려움에 떠는 소리는 남자들의 마음까지도 움직여 놓았다.

"옛날에 귀양살이도 못 보내는 놈은 몰아다가 때려 죽인다더니 인제 우리를 잡아다가 죽일라는가 보다. 아이고 우리는 무슨 죄로 고향에서도 못 죽고 천 리 타관[10] 이름도 모르는 산속에 와서 죽는단 말이냐!"

어떤 부인은 이런 넋두리를 하며 울었다.

"요망스럽게 울기는 왜 울어."

삼룡이는 자기 아내를 꾸짖었으나 앞뒤 자동차에서 들려오는 여인들의 느껴 우는 울음소리에는 자기의 철석 같은 간장도 끊어지는 듯하여 그는 입을 다물고 한숨만 푹푹 내쉬었다.

얼마쯤 가노라니 이번에는 바다가 멀리 바라다보인다. 자동차가 달릴수록 바다는 가깝게 닥쳐왔다.

"인제는 우리를 몰아다가 바닷속에다가 처넣어 죽이랴나 보다."

하는 말소리가 튀어나오자,

"정말로 인제 우리는 바다귀신이 되어 놓았네."

하고 남자들도 청승맞은 한탄을 하면서 눈물을 흘렸다.

"죽을 때 죽더래도 미리 겁부터 내지 말고 맘들을 단단히 먹으시오."

삼룡이가 기운차게 외치는 소리에 사람들은 울음을 뚝 그쳤다.

삼룡이네 일행이 떠난 지도 한 달이 지났다. 그들이 떠난 후에는 불암동에서

---

10 타관 타향. 자기 고향이 아닌 고장.

한때 유행하던 이민 노래(그들은 이민 노래라 하였다.)가 차차로 없어져 버렸다.

판옥이는 삼룡이네 살던 집을 지나다닐 때마다 삼룡이를 생각하고 한숨을 쉬었다. 삼룡이네가 데리고 있던 개를 판옥이가 맡아서 기르고 있는데 판옥이가 속상하다고 머리도 돌려 보지 않고 그냥 지나다니는 옛 주인집을 검둥이는 지나다닐 때마다 들어가 보고 나왔다.

지금 새로 들어 있는 집주인의 말을 들으면 검둥이는 마당으로 쭈르르 들어와서 먼저 부엌문에서 기웃거려 보고 다음 툇마루 밑에 서서 방 안을 들여다본 후 대추나무 밑을 한 바퀴 돌아서 나가는 것이라 하였다.

"미물의 짐생[11]인 너도 옛 주인을 못 잊어 그러하거든 삼룡이야 얼마나 고향생각을 간절히 하고 있겠느냐?"

판옥이는 앞산을 바라보며 눈물을 머금었다.

"강남 갔던 제비도 옛집 찾아 돌아오고 앞산에는 진달래가 만발했건만, 삼룡이네 대추나무에도 새싹이 파릇파릇 봄바람에 나부끼고 삼룡이네 배추밭에는 배추꽃이 피었건만 삼룡이는 어디 가 이런 줄을 모르는가?"

판옥이는 노래 부르듯이 이런 말을 중얼거리며 갈아 놓은 검은 논을 멀거니 내려다보았다.

"금년에는 저 논에서 몇 말이나 얻어먹어 보게 될려는가?"

그는 다시 눈을 들어 흰 구름이 유유하게 밀려가는 북쪽 하늘을 바라보았다.

"강판옥이 편지 받소."

논둑길을 걸어오는 우편배달부가 판옥이를 부르며 편지 한 장을 전했다. 판옥이는 발신인의 이름을 보면서 달리다시피 집으로 뛰어갔다.

"어디서 왔소? 아마 덕근 아배한테서 왔는감만, 저리도 좋아하게."

마누라가 방에서 고개를 내밀었다.

---

11 짐생 '짐승'의 방언.

"덕근 어메도 잘 있고 덕근이 남매도 잘 있다고 했소?"

그 역시 판옥이만큼 바쁜 모양이었다.

"허 그 여편네 무척 급했네, 읽어 봐야 알지 안 읽어 보고도 아는 재주가 있는가?"

판옥이는 빙긋이 웃으며 떠듬떠듬 편지를 내려 읽어갔다. 한참만에야,

"그러면 그렇지, 우리같이 없는 놈이 어디 가면 별수 있을라고."

하고 판옥이가 편지를 접으면서 혼잣말을 하였다.

"아이고 갑갑하구만. 원 얘기나 좀 시원스럽게 해 주시오그려."

마누라는 마루로 나와서 쪼그리고 앉으며 남편의 입을 쳐다보았다.

"당초에 모든 형편이 말 아니라네."

"어째서 그럴까? 지어 논 집에 논 스무 마지기씩 주고 소 한 마리씩 주고 왼통 농사 기계 다 주고 그런다는디."

"그 집이라는 것, 말이 아니래어. 방 한 칸 정제(부엌) 한 칸에다가 양철때기만 얹어서 집이라고 만들어 놓고 흉악한 초석자리[12] 한 닢에 50전씩 깎드라고 안 하는가?"

"저런!"

"그리고 장난같이 생긴 삽 하나, 소시랑[13] 하나, 괭이 하나, 호미 하나씩 주고 농장에서 본값보다도 비싸게 깎어 버리드라네그랴."

"아갸……?"

"그것도 그렇고 왼갖 것을 다 그렇게 비싸게 감하는디 요새 안즉 땅이 덜 풀려서 일을 못 하니께 농장에서 주는 돈 10원으로 한 달을 살어갈랴니께 죽겠다고 덕근 어무니는 날마당 울고 있다고 안 하는가?"

"저를 어짜까? 망할 놈의 곳도 있다. 여기는 봄도 한창인디 안즉 땅이 안 풀

---

12 초석자리 '돗자리'의 방언.
13 소시랑 '쇠스랑'의 방언.

리다니. 아니 한 사람 앞에 일백 얼마씩 기부했다더니만 왜 그럴게라우?"

"흥, 당구 3년에 음풍월이라더니 작년내- 하도 이민 이민 하고 기부 기부 하는 덕에 우리 마누라까지 썩 유식해졌네."

판옥이는 쓰디쓰게 웃었다.

"덕근 어매가 불쌍해. 어째 울지 않겠소? 날마다 고향 생각 나서 못 견딜 것인디. 그나저나 정부에서 보내는 것인께 아무 염려 없이 잘살 것인디 물건값은 왜 그리 비싼고?"

"물건값이 비싼가 어디? 농장에서 되거리로 그렇게 비싸게 받어먹지."

"좀도둑이라더니, 그 불쌍한 속에서 뭣을 남겨 먹을라고 그런 짓을 할까?"

"자네 같으면 다 성인 되게? 잔소리 그만하고 어서 저녁밥이나 하소."

판옥이는 편지를 들고 밖으로 나갔다.

"허 무슨 날이 이렇게 비만 와 쌌는고 몰라. 고향에는 비가 안 와서 모를 못 내고 기우제를 지내고 물쌈이 나고 인심이 뒤집혀져서 야단이라는데 여기는 쓰는 데 없이 비만 오거든."

"글쎄 말이오, 이 비를 그리로 쫓아 보낼 재주는 없을까? 비가 잘 오고 농사를 잘 지어야 하루바삐 우리도 고향으로 가 버릴 텐디……. 아니 오늘 불암서 무슨 소식이 왔소?"

삼룡이 처가 감자를 깎으며 방으로 들어오는 남편을 쳐다보며 물었다.

"응, 오늘 판옥이한테서 편지가 왔어. 그나저나 그렇게 가물어서 큰일 났네. 작년에는 홍수로 못 먹었으니 금년에나 농사들을 잘 지어야 할 것인디……."

삼룡이는 이맛살을 찌푸리며 담배 한 대를 담았다.

"아이고 갑갑해라, 이놈의 곳은 어쩐 일로 마루를 못 맨든고 몰라. 마루를 놓다가 제 할미가 거꾸러졌는가 집집마다 다 봐야 좋다는 집에도 마루가 없으니 참 흉한 놈의 곳이란게. 이 방구석에서 여름은 또 어떻게 날 것인고?"

마누라는 방문을 탁 열어젖히며 중얼거렸다.

"어서 여름 전에 고향에 가 버려야지, 아이고 지긋지긋한 이놈의 땅!"

"지금은 여름이 아니고 봄인가? 그만저만 욕도 하소. 우리가 없어서 여기까지 굴러왔지 땅이 무슨 죈가?"

"원 아무리 없어서 굴러왔데래도 사람이 살 만한 데라야지, 여기서는 못 살아, 그릇이라고 모도 기와 그릇밖에 없고, 나무 한 단에 30전을 주고 사도 밥 한 끼밖에 못 하니. 장이라고 15리나 25리씩 걸어가서 살라고 보면 모도 여편네들 장이라 무슨 말을 하는지 말소리도 못 알아듣겠고 비싸기는 똥 싸게 비싸고 간장 된장이 어찌 맛이 없는지 원 음식을 해 놓으면 무슨 맛이 있는가?"

"잘 나온다, 또?"

삼룡이는 마누라의 말 중간을 타고 들었다.

"이것 되지 못한 해변이라고 밭떼기도 못 벌어먹으니께 왼갖 푸성가리[14]까지 다 사 먹게 되니 어디 살겠소? 고향에서는 호박이니 풋고추니, 솔파, 마늘 그저 김칫거리, 상추, 쑥갓 왼 동네 다 먹고도 남더니마는 여기서는 그런 것을 꼴 볼 수가 있는가?"

"고향에 암만 들어 쌨으면 뭘 해? 다 그림의 떡이지, 고향이 좋으면 떠나왔을라던가?"

삼룡이는 가만한 한숨을 내쉬었다.

"여기 오면 참 잘살게 된다길래 왔지 이럴 줄 알았으면 오막살이남둥 뭔 지랄한다고 내어 버리고 이리 굴러올까? 죽어도 고향에서 죽을 것인디 공연히 당신이 못 와서 발광을 하더니만……."

"또 내 탓 나온다. 하구많은 날 내 탓도 너무 하니까 듣기도 인제 싫증 나네."

"들어도 싸지 뭣. 사내가 잘났으면 처자를 데리고 이런 흉악한 데로 굴러왔을

---

14 푸성가리 '푸성귀'의 방언. 사람이 가꾼 채소나 저절로 난 나물 따위를 이르는 말.

까? 그렇게 진정서를 총독부에 보내라고 해도 남 다 보내는 진정서를 왜 안 보내고그래? 그저 내가 여기서 고꾸라지는 것을 봐야……."

하고 악을 바락 쓰는 바람에 낮잠 자던 덕근이 남매가 부스스 일어났다.

"미친 여편네 또 미친증 나오는가 부다."

"왜 내가 미쳐? 세상에 물만 조금 좋아도 참고 살아갈 테여. 물이 그냥 소금 맛이니 어찌 살어. 밥을 하면 쌀에가 간이 피어서 밥이 넘지를 못하고 그냥 지글 지글 지져 내 버린께는 이것은 밥도 죽도 아니고 익은 밥도 선밥[15]도 아니제? 빨래를 해서 널어놔도 그냥 간이 피어서 이틀씩 말려도 축축하게 그대로 있으니 이런 흉악한 데서 어찌 살아가는가 말이오, 응? 고향에를 못 가게 된다면 나는 차라리 죽어 버리지 여기서는 안 살라우."

마누라는 독이 나서 얼굴이 새파래졌다.

"뒤어질라거든 뒤어져 버리려믄."

삼룡이는 밖으로 뛰어나왔다. 흥분한 판이니 공자님이란 별명을 듣는 윤홍이나 찾아가서 속 풀릴 얘기나 들어 볼까 하고 삼룡이는 윤홍이가 살고 있는 농장 회사 뒤편으로 나지막하게 모여 있는 새 동리를 바라보았다.

그러나 그 동리까지 가자면 흙탕이 찰떡처럼 짓이겨 있는 논둑길을 걸어야 하고, 차진 흙이 고무신 운두[16]를 넘어 들 것을 생각하여서 그만두기로 하였다.

"가면 윤홍이만 만날 수 있어야지, 윤홍이 마누라 그 사팔뜨기 발악하는 꼴을 또 어떻게 보라고? 이 집에 가나 저 집에 가나 여편네들 못 살겠다고 들이대는 통에 그만 숨도 제법 크게 못 쉬겠으니……."

가는비[17]가 머리털 위에 방울방울 맺혀졌다가 그의 얼굴로 줄줄 흘러내리건만 삼룡이는 비를 닦을 생각도 집에 들어갈 생각도 하지 않고 그 비를 다 맞으며

---

15 선밥 충분히 익지 않은 밥.
16 운두 그릇이나 신 따위의 둘레 높이.
17 가는비 '가랑비'의 방언.

집 앞 언덕에 서 있었다.

"귀한 비니 맞어나 두자. 여기는 흔한 비지만 내 고향에는 오죽이나 귀한 빗방울이냐? 아직도 이종[18]을 못 하고 있다니."

삼룡이는 고향에서 제일 큰 들인 학다리 들판을 생각해 보았다.

"금년이나 농사를 잘 지어야 우리 동물들이 살아갈 텐데……. 하기야 잘 지으면 뭘 하나? 잘 지으나 못 지으나 평생에 쌀밥 못 얻어 보기는 매일반이지…… 고향! 고향! 정 뗀 고향을 생각하면 뭣 해?"

그는 머리를 흔들면서 고향을 잊으려고 눈을 감았다. 그러나 감았다 뜨는 눈앞에 보이는 것은 역시 가물가물하는 빗발 속에 후줄근하게 젖었다가 물이 흥건하게 괴어 있는 학다릿벌의 논이었다.

아니 지금 삼룡의 눈앞에 열려 있는 강서 농장의 박답[19]이 고향의 옥토처럼 그렇게 보이는 것이었다. 바다를 막고 원을 쳐서 논을 이룬 이 농장은 볼품이야 학다릿벌만큼 넓고 크지마는 해기(海氣)[20] 나고 간수[21]가 피어서 파종을 두 번이나 했건만 반의 반도 못 건졌고 이종도 몇 번씩 했건만 뿌리째 간물[22]에 녹아져 버렸다.

'말이야 좋지, 논 스무 마지기씩? 흥 이따위 논이야 스무 섬지기면 뭣 해? 우리 여편네 지랄하는 것도 저만 나무랄 수 없어. 말이야 다 옳은 말이지, 하나나 그른 말이야 있나? 집집마다 여편네들이 못 살겠다고 발광 치는 것도 당연하지, 당연해.'

삼룡이가 농장을 바라보며 이런 생각을 하고 섰을 때 그 마누라가 부엌문에서 내다보며 소리쳤다.

"덕근 아버지!"

---

18 이종 모종을 옮겨 심음.
19 박답(薄畓) 기름지지 못하고 메마른 논.
20 해기 바다 위에 어린 기운.
21 간수 습기가 찬 소금에서 저절로 녹아 흐르는 짜고 쓴 물.
22 간물 소금기가 섞인 물.

삼룡이는 못 들은 체하고 그대로 서 있었다.

"덕근 아버지! 손님 오셨소."

"뭐 손님? 누구 왔는가?"

삼룡이는 그제야 고개를 돌려 보며 마주 소리쳤다.

"어서 와 보시오그려. 봐야 알지 않소?"

마누라의 머리는 벌써 부엌문께서 사라졌다.

"손님이 어디 있어?"

방 안에 들어온 삼룡이는 눈을 굴리며 손님을 찾았다.

"아니 여보, 글쎄 빨래해서 말리기가 얼마나 어려운 줄 알고 일부러 비를 맞고 그러고 서 있소? 옷 먼저 벗으시오."

"빗물인께 이대로 말리면 얼른 마르지 않겠는가? 간수도 안 필 테고……."

"헤헤 참 대체 그렇겠소."

마누라는 비로소 웃어 보였다.

"그래서 손님 왔다고 거짓말했는가?"

"옛소. 감자나 자셔 보시오."

마누라는 김이 무럭무럭 나는 감자 그릇을 방 안에 들여놨다.

"흐흥, 이놈들은 벌써 한 개씩 차지했구만, 자네도 들어와 먹소."

조금 전에 씩둑깍둑 말다툼했던 그들은 감자 그릇 앞에서 썩 의좋게 도란거렸다.

강서 농장으로 옮겨 온 이민들은 전부 고향에 돌아가게 해 달라는 진정서를 총독부에 보내고 날마다 회사에 가서 속히 가게 해 달라고 졸라 댔다.

"금년은 첫해니까 이렇지마는 내년은 돈 벌기가 훨씬 나아갈 테니까 그대로 견뎌 가며 살아 보라."

고 회사 측에서는 달래 보았으나 그들이 필사적으로 덤비는 것에는 어쩔 수도 없을 뿐 아니라 사실 농작물이 없는 터이라 그 많은 식구를 겨울 동안 먹여 살릴 일이 딱한 듯싶어서 이민들의 귀향을 주선하여 주었다.

이리하여 8월 중순에 그들은 꿈에까지 잊지 못하고 그리워하던 그의 고향에 다시 돌아가게 되었다.

불암리에서 온 열 집 가족도 물론 귀향하기로 작정하고 부인들은 모여만 앉으면 고향의 얘기로 꽃을 피우고 기뻐하였으나 삼룡이는,

"흥 자네가 가면 고향이라고 누가 자네를 그리 반갑게 맞어 줄 줄 아는가?"
하고 빈정거렸다.

"아이고 참, 아모리 고향이 나쁘다 해도 여기보다는 낫지라우. 겨울에 여기서 살다가 죽느니보다는 진작 고향에라도 가서 붙어살어 보다가 굶어 죽든지 말든지……."

다른 부인들은 신이 나서 삼룡의 말대답을 하였다.

귀향한다는 새로운 희망에서 그들은 고생을 낙으로 삼고 밤과 낮을 맞고 보내며 어서 그날이 닥쳐오기만 손꼽아 기다렸다.

그러나 떠나기로 작정한 사흘 전날 오삼룡이는 강판옥에게서 이러한 긴 편지를 받았다.

자네들 간 후로는 날마다 자네들 생각하기에 못 살아갈 것 같더니 그래도 자네들 대신으로 자네들 열 사람의 행세를 할 군들이 생겨서 우리는 재미있게 합심해서 잘 살아왔네. 그러나 진짜 배곯는 고생이야 누가 대신해 줄 사람이 있던가? 만일 금년에 농사만 잘 지었더라면 우리는 세상없어도 자네들을 도로 불러오려고 했더니, 그랬더니 하늘이 무심하여 작년에는 홍수로 자네들을 몰아내고 금년에는 개벽[23] 이래로 두 번도 없는 큰 가뭄이 우리들을 마저 죽

---

23 개벽(開闢) 세상이 처음으로 생겨 열림.

여 고향에서 쫓아내네그려. 저번 편지에도 여기 소식을 말했거니와 그 후로 오늘까지 비 한 번 아니 와서 모판은 말러지고 겨우 이종했던 나락(벼)들도 다 죽고 말았다네. 우리 고향의 보배인 학다리 그 큰 들은 이종도 못 해 보고 벌건 채로 그대로 자빠져 있네.

이러니 흙에다가만 목을 매고 살아가는 우리는 어떻게 되겠는가? 작년 홍수 때보다도 몇백 곱이나 인심이 흉흉하고 온갖 병이 다 돌아다니네. 그래서 고향을 내버리고 타관으로 떠나가려는 사람들이 날마다 늘어 간다네.

삼룡이, 오늘도 우리 앞 동네 정골에서 20호 일백 세 사람이 함경북도 고무산(古茂山)에 있는 시멘트 공장으로 떠나가는데 정말 눈에서 피가 떨어지데. 삼룡이, 나는, 이 강판옥이는 9월 초순에 함경북도 나진(羅津)이라는 땅으로 노동자 노릇을 하러 가게 됐네. 우리 동네서는 옥곤이네 큰형네하고 태술이네 삼촌 영전이네, 형돌이네, 그리고 강판옥이 합해서 다섯 집 스물여섯 사람이 죽어 나가기로 했네. 인제는 우리 동네에 옛날 사람은 다 없어지고 다른 동네서 살러 온 사람밖에 없겠네그려.

삼룡이, 고향이 대체 무슨 쓸데 있는 것인가? 자네들 보내고 나서 뚝 끊어졌던 노래가 요새는 다시 살아나서 야단이네. 정답던 고향이건만 묵은 채로 자빠져 있는 논을 보면 인제는 그만 정이 뚝 떨어지고 어서 하루바삐 타관으로 가서 고향의 참혹한 꼴을 안 보고 싶네. 말을 들으니 자네들도 다시 고향에 오려고 생각한다네마는, 자네들이 왔자 누가 하나 반갑게 자네들을 맞아 줄 사람이 없겠네.

삼룡이, 인제 우리는 정말 죽어서 저승에 가서나 만나 보겠네. 자네나 내나 더욱 좋은 일만 하세. 좋은 일을 하면 극락에 간다고 않는가? 둘이 다 극락에를 못 가겠거든 차라리 똑같이 지옥에나 가세. 고향에서 쫓겨나는

로 돌려 숨기고,

"이거 뭔데."

조금 전 영이 할머니가 신문지에 떡을 사 들고 들어간 것과 영이가 투정을 하던 것까지 아는 일이니까, 노마는 그 손에 감춘 것이 무언지 의심날 게 없는 터다. 그러나,

"구슬이지 뭐야."

"아닌데 뭐."

"물부리⁴지 뭐야."

"아닌데 뭐."

"석필⁵이지 뭐야."

"이거라구."

마침내 영이는 자신이 먼저 깜짝 놀라는 표정을 하고 턱 밑에 인절미 한 쪽을 내민다. 금세 노마는 어색해진다. 두어 번 어깨를 젓더니 슬며시 뒷짐 진 손이 풀려 받는다.

영이보다 먼저 먹어 버리지 않을 양으로 적은 분량을 잘게 씹어 천천히 넘기며 차츰 노마는 곰보를 부르던 소리는 기실 아버지가 저를 부르던 음성이던 것을 깨달아 간다. 그러나 일부러 대답지 않은 그 일이 목을 넘어가는 떡 맛보다 더 고소하다.

아버지보다는 어머니에게 하는 반항이다. 날마다 아침에 집을 나갈 때 어머니는 노마에게 이르는 말이 있다.

"아버지 곁에서 떠나지 말고 시중 잘 들어라. 아버지 마음 상하게 하지 말고."

그러나 이 말은 어머니 자신이 할 일이지, 노마가 할 일은 아니다. 자기가 할

---

4 물부리 담배를 끼워서 빠는 물건.
5 석필(石筆) 글씨를 쓰거나 그림을 그리는 데 쓰는 기구.

일은 노마에게 맡기고 어머니는 한종일 좋은 데 나가 멋대로 지내다가 해가 저물어서야 돌아온다. 그동안 아버지나 노마가 얼마나 자기를 기다렸던 거나 그 하루가 얼마큼 고초스러웠던가는 조금도 아랑곳하려고도 않는다. 다만 봉지에 저녁 쌀을 가지고 온 것이 큰 호기다. 그리고 바람에 문풍지가 떨어진 것까지 노마의 잘못으로 눈을 흘긴다. 실로 야속하다. 이런 어머니가 이르는 말쯤 어기었기로 그리 겁날 것이 없다.

그러나 노마 저는 모르지만 여기엔 자기네답지 않게 어머니만이 인조견[6]이나 무늬 있는 비단옷을 입고 다니는 것이며 선창에 나가 많은 사람에게 귀염을 받는 여기 대한 반감과 샘이 크다. 어머니는 이른바 '항구의 들병장수[7]'다.

노마는 이런 어머니를 보았다. 몰래 어머니의 뒤를 밟아 선창엘 갔었다. 그러다 선창 마당 가운데서 어머니를 잃었다. 다시 찾았을 때 노마는 좀 더 놀랐다. 목선 쌓아 올린 볏섬 위에 올라앉아서 어머니는 사오 인 사나이들과 섞여 희롱을 하고 있다. 어깨에 팔을 걸고 몸을 실린 조선 바지에 양복저고리를 입은 자에게 어머니는 술잔을 입에다 대 주려 하고 그자는 손바닥으로 막으며 고개를 젓고 그리고 술을 받아 마시고 나서 또 빈 잔에다 술병 아가리를 기울이는 어머니를 제 무릎 위에 앉히려 하고 아니 앉으려 하고 나머지 사람들도 모두 어머니를 중심으로 희희낙락하는 것이었다. 노마는 그런 어머니를 전혀 꿈에도 본 적이 없다. 어머니는 그곳에 와서 어린애처럼 어리광을 떨고 일찍이 노마 자신도 한 번 받아 보지 못한 귀염을 뭇사람에게 받는 것이 아닌가. 자기 어머니가 그처럼 소중한 존재라는 것은 몰랐다. 노마는 저도 갑자기 층이 오르는 듯싶었다. 모든 사람에게 저와 어머니의 관계를 크게 알려 주고도 싶었다. 노마는 어머니를 불렀다. 두 번 세 번. 그러나 햇볕을 손으로 가리고 찌그시 노마를 보던 어머니는 점점 자기 집 부엌에서 흔히 볼 수 있는 일그러진 얼굴로 변했다. 같은 얼굴로

---

6 인조견 사람이 만든 명주실로 짠 비단.
7 들병장수 병에 술을 담아 이고 다니면서 술을 파는 사람.

어머니는 노마를 창고 뒤로 끌고 가 말없이 머리를 쥐어박는다. 이런 때 등 뒤로 배에 있던 양복저고리가 나타나서 좋았다. 그는 어머니를 안아 뒤로 밀고, 양복 저고리에서 밤을 꺼내 노마 머리 위에 흘려 떨어뜨리며 웃었다. 붉은 얼굴에 밤송이 같은 털보였다.

집에 있을 때 어머니는 담벼락같이 말이 없고 간나위[8]가 없다. 노마를 나무라도 말보다 손이 앞서 소리 없이 꼬집거나 쥐어박거나 할 뿐, 언제든 성이 안 풀려 몽총히[9] 입을 오므린다. 남편이 부르면 대답은 없이 얼굴만 내놓는다. 그를 대하고는 아버지도 멍추[10]가 된다. 어쩌면 아버지는 아내가 보는 데서는 일부러 더 앓는 시늉을 하는 것인지도 모른다. 고개를 돌려 벽을 향하고 눕거나 이불을 들쓰고 될 수 있는 대로 아내에게서 눈을 감으려 한다. 그러나 어머니가 나가고 없으면 일어나 앉아 이불도 개 올리고 노마를 상대로 이야기도 한다.

"노마야, 노마야."

가랑잎이 다그르 굴러 내리며 지붕 너머로 아버지의 가느다란 음성이 넘어온다. 방 안에서 들창을 향해 부르는 소리리라. 노마는 살금살금 앞으로 돌아간다. 필시 요강을 가시어 오라고 창문 밖에 내놓았을 것이니 살며시 부시어다[11] 들고 갈 작정. 왜냐하면 노마는 요강을 가시느라고 지금까지 거레[12]를 한 것이지, 결코 부르는 소리를 듣고도 모른 척한 것이 아니라는 변명을 삼으련다. 그렇지 않아도 아버지는 요즈음으로 노마를 곁에서 잠시라도 떠나지 못하게 한다. 오줌이 마려워 일어서도 벌써 "어디 가니." 그리고 영이하고도 놀지 말고 아무하고도 놀지 마라, 만날 아버지와 같이 방 안에만 있어 달라는 거다. 그러니까 노마는 아버지가 잠드는 틈을 엿보지 않을 수 없고, 그러나 잠이 깨기 전에 돌아와 앉기는 쉬운 일이 아니어서 흔히 날벼락을 맞는다.

---

8 간나위 간사한 사람이나 간사한 짓을 낮잡아 이르는 말.
9 몽총하다 붙임성과 인정이 없이 새침하고 쌀쌀하다.
10 멍추 기억력이 부족하고 매우 흐리멍덩한 사람을 낮잡아 이르는 말.
11 부시다 그릇 따위를 씻어 깨끗하게 하다.
12 거레 까닭없이 지체하며 매우 느리게 움직임.

노마는 앙가슴을 헤치고 볕을 쪼이고 앉았는 아버지와 마주친다. 갈가리 뼈가 드러난 가슴이다. 그 가슴을 남에게 보이는 때면 공연히 화를 내는 아버지니까 노마는 또 한 가지 죄를 번 셈이다. 지레 울상을 하고 손가락을 입에 문다.

"노마야, 이리 온."

그러나, 고개를 쳐들게 하고 코밑을 씻기더니,

"저리 가, 앉어 봐라."

비탈을 찍어 판 손바닥만 한 붉은 마당에 오지항아리 몇 개가 섰고, 구기자나무 그림자가 짙은 한편은 볕이 당양하다[13]. 아들을 땅바닥에 주저앉히고 아버지는 묵묵히 바라다보기만 한다. 장독 뒤로 한 포기 억새가 작은 바람에 쐐쐐 하고 어디서 귀뚜라미도 운다. 몰랐더니 여기는 흡사 고향집 울안 같은 생각이 났다.

추석 가까운 날 맑은 어느 날 어린 노마가 양지쪽에 터벌거리고 앉아 흙장난을 하는 그런 장면인 성싶은 구수한 땅내까지 끼친다. 지금 아내는 종태기[14]에 점심을 담아 뒤로 돌려 차고 뒷산으로 칡넝쿨을 걷으러 갔거니.

"노마야, 너 절골집 생각나니?"

"응."

"너두 가 보구 싶을 때 있니?"

"응."

밭가에 주춧돌만 남은 절터가 있는 작은 마을이 있다. 멧갓[15]에는 나무가 흔하고 산답[16]이나마 땅이 기름지고, 살림이 가난하다 하여도 생이 욕되지는 않았고, 대추나무가 많아 가을이면 밤참으로 배불리었다. 다 고만두고라도 거기는 너 나 사정이 통하고 낯이 익은 이웃이 있고 길가의 돌 하나 밭둑길, 실개천 하나에도 어릴 때 발자국을 볼 수 있는 땅이다.

---

13 당양하다 햇볕이 잘 들어 밝고 따뜻하다.
14 종태기 '종다래끼'의 방언. 양쪽에 끈을 달아 허리에 차거나 멜빵을 달아 어깨에 메기도 하는 작은 바구니.
15 멧갓 나무를 함부로 베지 못하게 가꾸는 산.
16 산답 한 사람의 소유로 여기저기 흩어져 있는 논.

그러나 몇 해 전은 지금 여기서처럼 진절머리를 내던 그 땅이었고 그때는 지금처럼 이 잘난 곳을 못 잊어 하지 않았던가.

사실은 그때 영이 할머니의 편지를 믿는 구석이 없었다면 그처럼 단판씨름으로 지주가 보는 앞에서 마름 김 오장의 멱살을 잡지는 못하였을 것이다.

그 덕에 나머지 작인들은 지주에게서 나오는 비료대도 제대로 찾아 먹을 수도 있었고, 예에 없이 마름 집 농사에 품을 바치는 폐단도 면하였지만, 자기는 그 동티[17]로 이내 땅을 뜯기고 말았다. 지금 생각하면 모두 편지 사연대로 쉽게 쫓기 위하여 일부러 자기를 막다른 길로 몰아넣으려고 한 짓 같기도 하였다.

'선창 벌이가 좋아. 하루 이삼 원 벌이는 예사고 저만 부지런하면 아이들 학교 공부시키고 땅섬지기 장만한 사람도 적지 않다.'

이 말을 다 곧이들은 것은 아니지만 땅 없이는 살 수 없는 살림이요, 그 꼴을 김 오장에게 보이기가 무엇보다 싫었다. 하기는 처음 떠나온 얼마 동안은 그 말이 사실인 성싶은 생각도 없지 않았다.

선창에 나가 소금을 져 나를 때도 그렇다. 200근들이 바수거리[18]를 짊어지고 도급[19]으로 맡은 제시간 안에 대느라고 좁다란 발판 위를 홑몸처럼 달음질치는 일을 닷새 이상을 붙박이로 계속하면 장사 소리를 듣는다는 그 고역을 노마 아버지는 남 위에 없이 꿋꿋이 배겨 냈다. 본시 부지런한 것이 한 가지 능으로 감독의 눈에 든 바 되어 매일 일을 얻을 수 있던 노마 아버지라, 자기 말고도 얼마든지 곪이 나기를 기다리고 있는 배고픈 얼굴들에 위협이 되어서뿐만이 아니다. 영이 할머니의 편지에 말한 바 아들자식 학교 공부시키고 땅섬지기 장만하려는 애초에 고향을 떠날 때 먹은 결심이 광고판처럼 눈앞에 가로걸려 악지[20]를 썼다.

---

17 동티 건드려서는 안 될 것을 공연히 건드려서 스스로 걱정이나 해를 입음. 또는 그 걱정이나 피해.
18 바수거리 '발채(짐을 싣기 위하여 지게에 얹는 소쿠리 모양의 물건)'의 잘못.
19 도급(都給) 일정한 기간이나 시간 안에 끝내야 할 일의 양을 도거리로 맡거나 맡김.
20 악지 잘 안될 일을 무리하게 해내려는 고집.

그러나 그 아들놈에게 학생 모자 하나를 사 주겠다고 벼르기만 하면서 노마 아버지는 먼저 몸이 굴했다.

점점 배에서 뭍 위로 건너가는 발판이 제게 한해서만 흔들리는 것 같고, 그 아래 시퍼런 물이 무서워졌다. 아래서 쳐다보이는 허연 산 소금 더미가 올라가기 전에 먼저 어마어마해 기가 질렸다. 무릎에 손을 짚어야 하게쯤, 허리는 오그라들고 걸음은 뒷사람의 길을 막고 핀잔을 맞는다. 밤에는 식은땀에 이불이 젖고 밭은기침이 났다.

마지막 되던 날 그는 전일 하던 대로 소금 더미 위로 올라서서 부삽으로 가리키는 장소에 기우뚱하고 한편으로 몸을 꺾어 소금을 쏟는 동작에서 그는 몸을 뒤치지 못하고 그냥 엎으러져 두어 칸통 씨르르 미끄러져 내렸다. 몸에 조그만 상처도 없으면서 그는 전신의 맥이 탁 풀려 사지를 가둥거리지 못했다. 한 자가 장난처럼 팔을 잡아채는 대로 허청으로 몸을 실리었다. 그리고 노마 아버지는 이내 선창과 연을 끊었다. 몸살이거니 하고 며칠만 쉬면 하던 병은 점점 골수로 깊어 갔다.

"노마, 너 소금 선창에 나가 봤니?"

"응."

"중국 호렴(胡鹽)[21] 배 들어찼디?"

"응."

"소금 져 날르는[22] 사람 들끓구?"

"응."

잠시 노마를 내려다보던 추연한 얼굴이 흐려지더니,

"보기 싫다. 보기 싫어, 저리 가거라."

자기가 먼저 발을 들어 구중중한 방 안으로 움츠러들이자, 방문을 닫는다. 그

---

21 호렴 중국에서 나는 굵고 거친 소금.
22 날르다 '나르다'의 잘못.

러나 조금 후 노마를 불러들인다. 아버지는 잔말이 많다.

"영이 할머니 집에 있디?"

"응."

"영이두?"

"있어."

"뭘 해?"

"놀아."

"너두 놀았지?"

"……."

"바가지 목소리 숭내[23] 내는 놈 누구냐?"

"수돗집 곰보라니까."

"그놈 어디 사는 놈인데?"

"수돗집 살어."

"수돗집이 어디지?"

"……."

어제도 그제도 묻던 소리를 또 묻는다.

바가지는 성이 박가래서 부르는 별명만이 아니다. 주걱턱인데 밤볼이 지고[24] 코까지 납작하고 빤빤한 상이 바가지 같다. 그는 홀아비다. 노마 집에서 지붕 둘 높이로 올라앉은 움집, 쪽 일그러진 문엔 언제나 자물쇠가 채워 있다. 그는 두루마기 속에 이발 기계를 감추어 차고 선창으로 나갔다. 커다란 구두를 신고 그것이 무거워 그러는 듯이 뻗정다리로 질질 끈다. 그러나 선창에 그 많은 사람 가운데서 머리 깎을 자를 골라내는 수는 용하다. 그럴듯한 사람이면 꾹 찍어 창고 뒤, 잔교 밑 으슥한 곳으로 끌고 가 채를 벌인다. 그는 막깎는 머리 이상

---

23 숭내 '흉내'의 방언.
24 밤볼이 지다 입속에 밤을 문 것처럼 볼록하게 볼의 살이 찌다.

의 기술은 없다. 그러나 5전 10전 주는 대로 받는 이것으로 객을 끈다. 그는 남에게 반말 이상의 대우를 받지 못하는 대신 저도 남에게 허우 이상의 말을 쓰지 않는다.

팔짱을 찌르고 직수굿이[25] 머리를 맡기고 앉았는 검정 조끼 입은 자는 이발 기계를 놀리는 바가지에게 말을 건다. 노마 어머니 얘기다.

"털보는 뭐여! 그게 번서방[26]인가?"

"번서방이 뭐유, 생때같은 서방은 눈을 뜨고 앉았는데, 뭐 하나뿐인 줄 아슈. 선창 바닥에 잡놈이란 잡놈은 모두지."

"자넨 그 여자하구 장가든다면서 정말여?"

"흐흐흐흐."

그러나 바가지와 노마 어머니는 사이가 옹추[27]다.

배방장 밖에 남자 고무신에 하얀 여자 고무신만이 놓여 있을 바엔 묻지 않아도 알 일이로되, 바가지는 체면을 모른다. 하늘로 난 문을 구둣발로 찬다.

"어물리 김 서방 예 있수."

저도 사나이에게 볼일이 있다는 것이지만, 머리 깎을 사람을 인도해 가는 곳이 가마 곳간 구석, 떡집 뒤 의지간[28] 같은 노마 어머니가 자리를 잡았을 듯한 장소를 골라 다니며 헤살[29]을 놓는 데는 좀 심하다. 또 짓궂은 자는 일부러 바가지를 그런 곳으로 들여보내기도 한다.

"저리 야깡집 뒤로 돌아가 보슈. 누가 머리 깎으러 오랍디다."

남들이 킥킥킥 웃음을 죽이는 장면에 바가지는 침통한 얼굴을 하고 돌아서 나온다. 그러나 어색한 것은 사나이다.

"없네 없어. 누가 좋아서 먹은 술인가베, 억지로 떠 너서 먹은 술값 거 너무

---

25 직수굿하다 저항하거나 거역하지 아니하고 하라는 대로 복종하는 태도를 보이다.
26 번서방 '본서방(본디 남편)'의 방언.
27 옹추 늘 싫어하고 미워하는 사람 또는 그런 관계를 비유적으로 이르는 말.
28 의지간 원래 있던 집채에 더 달아서 꾸민 칸.
29 헤살 일을 짓궂게 훼방함. 또는 그런 짓.

조르는데."

여자를 으슥한 곳으로 이끌던 같은 방법으로 사나이는 조끼 주머니를 움켜쥐고 경정경정 놀리듯 떨어져 간다.

"날 좀 보슈. 날 좀 보슈."

노마 어머니는 후장 걸음으로 따라가다는 남자가 마당 군중 가운데 섞이자 멈춘다. 볏섬을 진 자, 떡 목판을 벌이고 선 자, 지게를 벗어 놓고 걸터앉은 자, 노마 어머니를 둘레로 적은 범위의 사람이 음하게[30] 웃을 따름 그리 대수롭지 않다.

현장에서 좀 떨어져 노마 어머니는 바가지의 앙가슴을 움켜잡는다.

"넌 나허구 무슨 대천지원수[31]루 남의 뒤만 졸졸 따라다니면서 장사허는 데 헤살이냐. 이 요 반병신아."

"헤살은 누가 헤살여, 임자가 헤살이지. 임자만 장사구, 난 장사 아닌 줄 알어."

옳거니 그르거니 옥신각신하다가 종말은,

"난 허가 없이 머리를 깎어 주구 임자는 허가 없이 술을 팔구. 헐 말이 있거든 저리 가 헙시다, 저기 가 해."

우마차가 연달아 먼지를 풍기며 가는 큰길 저편 끝 수상경찰서 지붕을 머리로 가리킨다. 하기야 피차가 크게 떠들지 못할 처지다.

때로는 털보가 사이를 뻐기고 들어서 남자의 멱살을 잡고 민다. 마찻길을 피해 담배 가게 옆으로 밀고 가 넉장거리로 땅에 눕힌다. 허리에 손을 걸고 내려다보고 섰다가 허위적거리고 상체를 일으키면 발로 툭 차 눕히고 눕히고 한다. 둘레에 아이들이 모이고 제 행동이 남의 눈에 표가 나게쯤 되면, 좌우를 돌아보며 털보는 변명이다.

---

30 음하다 마음이 엉큼하고 검다.
31 대천지원수 하늘을 함께 이지 못한다는 뜻으로 이 세상에서 같이 살 수 없을 만큼 큰 원한을 가짐을 비유적으로 이르는 말.

"대로상에서 젊은 여자의 멱살을 잡고, 이눔 병신이 지랄한다구, 쌍스러 그 꼴은 보구 있을 수가 없거던."

그곳 마당지기 앞잡이 노릇으로 그렇지 않아도 세도와 주먹이 센 털보다. 그와는 애초에 적수가 안 된다. 얼음에 자빠진 쇠 눈깔 그대로 바가지는 그만 맥을 놓는다.

그러나 바가지는 노마 어머니에게 앙가슴을 잡힐 때처럼 복장이 두근거리는 때는 없고 그가 자기 아닌 딴 사나이와 가까이하는 것을 보는 때처럼 쓸쓸한 때는 없다. 그럼 노마 어머니에게 바가지는 정을 두는 거라 할 터이나 번히 저도 남처럼 돈으로 살 수 있는 상대고 보니 한번 얼러라도 볼 것이로되 그렇지 않다. 다만 이런 날이면 술을 마시는 거고 술이 취하면 으레 노마 아버지를 찾아가 앞에 앉는다. _끄물끄물_ 침침한 등잔불 아래다. 앉은키는 선키보다 음전하고 그래도 노마 아버지에게 비하면 바깥바람에 닦여 난 생기가 있다. 무릎 사이에 턱을 괴고 우그리고 앉았는 그 앞에서만은 새꽤기[32] 같은 팔목도 홍두깨만큼 실해지는 모양. 바가지는 연해 가냘픈 팔뚝을 걷어 올린다.

"내 얼굴이 어떠우. 눈이 없수 코가 없수. 남 있는 거 못 가진 거 없지. 노마 아버지 보기두 나 병신으로 보이우."

하고 바가지 같은 상판을 더 그렇게 보이게 다그쳐 든다. 한편으로 불빛을 받고 검붉은 얼굴은 그럴듯이 험하다.

"헐 수 없어 머리는 깎어 줘두, 그눔 뱃놈들보담야 뭘루두 기울 것 없는 나유."

그렇잖소, 하고 방바닥을 탁 붙이었던 손바닥으로 다시 제 가슴을 때린다. 같은 짓을 몇 번이고 되풀이한다. 그래도 부족해서,

"뭐 돈벌이를 남만 못하우. 외양이 병신유."

"그렇지, 그래."

---

32 새꽤기 갈대, 띠, 억새, 짚 따위의 껍질을 벗긴 줄기.

노마 아버지의 건성으로 하던 대답이 나중에는,

"아, 그렇다니깐두루."

하고 퉁명스러진다. 그래도 바가지는 만족지 못한다. 보다 확적한 대답이 듣고 싶어서 또 그렇잖소. 급기야는 뒤를 보러 가는 척 노마 아버지는 밖으로 나가 서성거린다. 그러나 바가지는 얼마고 직수굿이 머리를 숙이고 기다리고 앉았다가는 또 가슴을 때리었다.

이 동네 아이들은 제법 눈치가 빠르다. 골목으로 꼽쳐 돌아서는 노마 어머니 등 뒤를 향해 바가지의 음성 그대로를 흉내 낸다.

"내 얼굴이 어때여. 눈이 없나 코가 없나. 털보 그놈보다 못생긴 게 뭐여."

수돗집 곰보가 선봉이다. 노마 어머니 모양이 멀찍이 사라지자, 다른 아이들도 여기 합한다.

"다리는 뻗정다리라두 머리 기계만 잘 놀리구, 돈 잘 벌구, 술 잘 먹구."

털보는 때로 노마 집으로도 왔다. 검정 모자를 눈을 덮어 눌러쓰고 턱을 쳐들어 밖에 서서 방 안을 둘러보며 서슴는다. 모양으로 주름살이 억척인 다듬은 두루마기를 입었다. 그 안에는 여전히 양복저고리. 방 안에 들어와서도 그는 모자를 손에서 놓지 않는다. 아랫목에 도사리고 앉았는 노마 아버지에게 하는 조심이리라. 곧 돌아갈 사람처럼 엉거주춤 발을 고이고 앉았다. 슬며시 노마 아버지는 몸을 일으킨다. 침을 뱉으려는 것처럼 허리를 굽혀 방문 밖에 머리를 내놓더니, 발 하나가 나가 신발을 더듬자 객은 주인을 붙든다.

"권, 어딜 가슈. 같이 앉아서 노시지 않구."

"요기 좀 갈 데가 있어서. 편히 앉아서 노슈."

그러나 털보는 아버지가 누웠던 자리에 요를 엎어 깔고 다리를 뻗고 앉는다. 그는 두루마기를 벗고 노마 어머니는 소반 귀에 촛불을 붙인다. 방 안은 갑자기 환해진다. 아버지가 털보로 바뀐 변화보다 노마는 이것이 더 크다. 윗목 구석으로 보꾹으로, 난데[33]처럼 스스러워진다[34]. 도리어 제집에 앉은 듯이 털보는 스스럽지 않다. 촛불 붙인 소반에 김치보시기 새우젓 접시의 술상을 차린다. 어머니는 말없이 술을 따르고 말없이 털보는 받아 마실 따름, 전일 선창에서처럼 희롱치 않는다. 그러나 털보는 맥쩍게 노마를 보더니, 이끌어 가까이 앉힌다. 양복 주머니에 손을 넣더니 노마 머리 위에 무엇을 얹는다. 남북이 나온 장구 머리다. 눈을 희번덕이며 머리를 젓는다. 값싼 과자 한쪽이 떨어진다. 노마는 짐짓 놀란다. 털보는 흐흐흐 울상으로 웃는다. 문어발이 나온다. 밤이 나온다. 담배 딱지가 나온다. 나중에는 손바닥이 딱 머리를 때리고,

"손대지 말고 떨어뜨려 봐라. 떨어뜨려 봐."

머리를 젓는다. 앞뒤로 끄덕인다. 떨어지는 것이 없다. 빈탕이다. 동떨어진 웃음소리가 잠시 왁자하였다가 꺼진다. 더 심심해진다. 멀뚱멀뚱 얼굴만 서로 보다가, 털보는 문득,

"요새 군밤 좋드라. 너 좀 사 오겠니."

"어디 국숫집 앞 말이지."

"싸리전 거리 구둣방 앞 말야. 거기 밤이 크고 많드라."

하고 어머니가 가로챈다. 거기는 길도 서투르고 또 밤이 무섭다. 그리고 노마는 거기 말고도 근처에서 얼마든지 구할 수 있는 것을 먼 데를 가야 하는 불평도 있다. 두 사람을 번갈아 보며 구원을 청한다. 어머니는 눈을 흘기고 털보는 외면을 한다.

꿈에 가위를 눌리는 때처럼 밤길은 뒤에서 무어가 쫓아오는 것만 같다. 걸음을 빨리 노면 놀수록 오금이 붙고, 개천에 허방을 빠질까 꺼린 데면 모두 건너뛰는 우물 앞 골목길이 더욱 그렇다. 골목을 빠지면 큰길, 거기서부터는 가리킨 대로 오른편으로 가기만 하면 된다. 그러나 급기야 구둣방 앞에서 굽는 밤은 도리

---

33 난데 집의 바깥.
34 스스러워지다 조심스러워지다.

어 잘다. 몇 번이고 지나 놓고 온 것이 굵고 많을 성싶다. 노마는 다시 그런 놈을 찾으러 다닌다.

돌아오는 길은 정말 무서운 밤이 된다. 컴컴한 골목에서 밝은 거리로 나올 때보다 밝은 데를 버리고 컴컴한 속으로 들어가게 되는 무서움이란 또 유별하다. 노마는 우물 앞 골목을 들어서 눈 감은 개에게 들키지 않으려는 것처럼 가만가만 발자취를 죽인다. 그러나 발소리보다 더 똑똑하게 가슴이 두근거린다. 반대로 거칠게 발을 구른다. 목청을 뽑아,

"순풍에 돛을 달고……."

맞은편 양철 지붕을 울리는 그 소리가 또 노마 아닌 딴 목청 같아 무섭다.

이런 때 한번은 허연 것이 전선주 뒤에서 나와 앞을 막았다. 커다란 손이 어깨를 잡아끌었다. 가등(街燈)[35] 밑 가까이 왔다. 아버지였다.

"더럽다. 그거 버려라, 버려."

까닭을 모르게 아버지는 사지를 부들부들 떨도록 노하였다. 노마는 고개를 숙이고 종이 봉지를 발아래 떨어뜨린다. 아버지는 발로 차 개천으로 굴린다. 몇 개 길바닥에 흩어진 것까지 발로 뭉갠다. 퉤퉤 침을 뱉고 더러운 그 물건에서 멀리하듯이 노마의 팔을 이끈다. 집과는 반대로 언덕 저편 뒤 사정(射亭)[36] 있는 편으로 향해 길을 더듬는다. 아버지는 숨이 가빠 헉헉한다. 터져 나오는 기침에 몸을 오그린다. 사정 밑 아카시아 나무 아래 이르자 그는 더 걷지 못했다. 나무에 몸을 실리고 늘어뜨리고 서서 굵은 숨을 내쉰다. 노마는 조마조마 다음에 일어날 행동을 기다리며 발발 떤다. 아버지는 호흡이 차츰 졸아들며 평조로 가라앉는다. 그러나 움직이지 않는 아카시아 나무와 한가지로 아버지는 어느 때까지나 미동도 없다. 거칠게 들고나는 숨 그것 때문에 성미가 모두 풀리었는지 모른

---

35 가등 거리 등.
36 사정 활터에 세운 정자.

다. 노마는 좀 싱거워진다. 그 아버지가 묵연히[37] 내려다보는 컴컴한 바다 저편에는 등대가 이따금씩 끔벅일 뿐 밤은 괴괴하다.

이튿날 아침, 노마 아버지는 옷을 갈아입고 나갈 차비를 차리는 아내에게서 술병을 빼앗아 깨뜨리었다. 댓돌에 떨어져 강한 소리를 내고 병은 두 동강이 났다. 눈에 노기가 없었다면 그가 그랬을 듯싶지 않게 아버지는 팔짱을 끼고 방 한 구석에 맥을 놓고 섰다. 어머니는 돌아앉아 입었던 나들이옷을 벗는다. 인조견 치마저고리를 찌든 헌털뱅이[38]로 바꿔 입으면 고만, 이웃집에 쌀을 꾸러 갈 때, 그만 정도의 싫은 얼굴도 못 된다. 입가에는 비웃음 같은 것이 돈다.

"누군 좋아서 그 노릇 하는 줄 알우. 모두 목구녕이 포두청이지. 남의 가슴 아픈 사정은 모르고."

"굶어 죽드래두 그만두란밖에."

"이눔 저눔에게 갖은 설움 다 받구 하루 열두 번두 명을 갈구 싶은 것을 참구……."

잠시 울음 없는 눈물을 코로 푼다.

"아아, 글쎄 그만두란밖에 무슨 말야……. 굶어 죽드래두 그만두란밖에."

나도 생각이 있다 싶은 노마 아버지의 호기 찬 소리는 별것이 아니었다. 그는 아랫집 춘삼네를 통해 성냥갑 붙이는 재료를 얻어 왔다. 그 집은 아들이 조합에 든 인부여서 밥을 굶는 형편은 아니나 늙은이 양주가 심심소일로 성냥갑을 붙여 살림에 보탠다. 그러면 혹은 대 끝에 올라 여기다 목숨을 걸고 바재면 아니 될 것도 같지 않다. 하기야 하루 만 개 가까이만 붙였으면 공전이 1원 50전, 그만하면 우선 급한 욕은 면하겠고 그리고 노마 어미에게 할 말도 하겠고, 하루 만 개! 그러나 궁하면 통하는 법이니 인력으로 아니 되란 법도 없으리라. 오냐 만

---

37 묵연히 잠잠히 말이 없이.
38 헌털뱅이 '헌것'을 속되게 이르는 말.

개만 붙여라. ― 번히 그는 열에 동하기 쉬운 성품이어서 매무시를 졸라매며 서둘렀다.

그러나 곰상스러운[39] 일에 익지 않은 손가락은 셋에 하나는 파치[40]를 내어 뭉쳐 버린다. 풀칠을 너무 많이 해서 종이가 묻어난다. 사귀가 맞지 않고 일그러진다. 마음이 바쁜 반대로 손은 곱은 듯이 굼떠진다. 다른 때 없이 오줌이 잦아 몇 번이고 일어난다. 부엌 뒤로 돌아가 낙일(落日)[41]을 바라보며 몸을 떨고 부지런히 돌아가 다시 일을 붙잡는다. 하지만 밤 어둑한 등불 아래 그림자가 크고 꽤 많이 쌓인 것 같아 세 보면 단 오백을 넘지 못했다.

그보다는 아내가 손톱 하나 까딱지 않고 종시 코웃음으로 보려는 것이 괘씸하다. 그가 거들어 주었으면, 못해도 오백의 갑절은 성적이 나올 것이 아닌가. 그러나 그편에 얄미운 경쟁심이 있는 것을 알고야 권하기는 아니꼽다. 앰한 노마만 볶는다.

"코를 질질 흘리고 넌 구경만 헐 테냐. 요 인정머리 없는 자식 같으니."

그리고 물을 떠 오너라, 풀을 개 오너라, 아내가 할 일을 시킨다. 잘난 솜씨를 자식에게 본보기를 보이며 가르친다. 노마는 아버지의 시늉을 내어 무릎 하나를 올려 턱을 괴고 앉아 손등으로 코를 문대며 뺨에 풀칠을 한다.

그러나 부자의 힘을 모아 하루의 성적은 천을 한도로 오르내리었다.

"이것두 기술인데 하루 이틀에 될라구. 차차 졸업[42]이 되면……."
하고 장래를 둔다고 하여도 며칠에 한 번 모아서 아내가 머리에 이고 나갔다가 돌아올 때면 하찮게 몇십 전 은전을 손수건에서 풀어 내었다. 그래도 생화[43]라고 여기다 세 식구가 입을 대야 했고, 그들 하루 소비량에 비하면 그것은 황새걸음에 촉새로 따르지 못할 경주였다.

---

39 곰상스럽다 성질이나 행동이 잘고 꼼꼼한 데가 있다.
40 파치 깨어지거나 흠이 나서 못 쓰게 된 물건.
41 낙일 지는 해.
42 졸업 어떤 일이나 기술, 학문 따위에 통달하여 익숙해짐.
43 생화(生貨) 먹고 살아가는 데 도움이 되는 벌이나 직업.

밤이 깊어서 노마 어머니가 문득 잠이 깨어 떠 보면, 그때까지도 남편은 이불을 들쓰고 앉아서 쿨룩쿨룩 어깨를 들먹거리며 손을 놀리고 있다. 가슴에 찔려 거들까 하다는, 그는 못 본 척 돌아눕고 만다. 번연히 생화가 안 되는 노릇을 공연한 고집을 쓰는 남편이고 보매, 일찍이 지쳐 자빠지기를 기다리는 편이 옳다 싶었다.

딴은 그대로 되고 말았다. 그는 동네 이 사람 저 사람 선창과 인연이 있는 사나이를 만나는 대로 농을 주고받는다. 마당에서 바가지 움집을 쳐다보고 말을 건다.

"요새 벌이 많이 했소, 여보."

문 앞에 구부리고 열쇠 구멍을 찾다 바가지는 돌아다보고 어리둥절해한다.

"지금 돌아오는 길유? 선창에 자거리배 약산배 들어왔습디까?"

그러나 노마 어머니의 전에 못 보던 상냥한 얼굴에 의아하여 바가지는 내려다보기만 한다.

"아, 새우젓 선창에 가 봤었어? 자거리배 들어왔습디까?"

창밖에서 아내는 근심 없이 웃고 지껄인다. 그 소리에서 아내의 선창을 못 잊어하는 마음을 노마 아버지는 자기 자신의 그것처럼 느끼며 순간 일손을 놓고, 슬며시 벽을 향해 몸을 실리었다. 피대[44]가 벗어진 기계처럼 갑자기 가슴의 맥이 높고 느즈러진다. 오장이 그대로 목을 치밀어 넘어오려는 덩어리를 이를 악물고 막는다. 급기야는 한 모금 한 모금 입 밖에 선짓덩이를 끊어 냈다.

가을 하늘과 같이 깊고 가라앉은 눈으로 노마 아버지는 윗목에 돌아앉은 아내를 누워서 고개만 들고 본다. 연분홍 치마저고리를 검정 함에서 꺼내 하나하나 내 입고 얼굴에 분첩을 두들긴다.

'오냐 두 달만 참아라.'

---

44 피대 두 개의 바퀴에 걸어 동력을 전하는 띠 모양의 물건.

하고 노마 아버지는 아내의 등을 향해 말없이 변명을 한다.

'몸을 추스르는 대로 나두 하던 일을 계속하겠고, 하루 천이 되든 2천이 되든 붙이는 대로 쓰지 않고 모으면 새끼 꼬는 기계 한 틀쯤은 장만할 밑천은 모일 게 구. 그것 한 틀만 가졌으면 앉아서도 아내가 하는 하루 벌이는 나도 능히 벌 수 있겠고. 오냐 두 달만 참아라.'

곁눈으로 남편의 안색을 살피는 아내의 눈을 피해 그는 고개를 돌린다. 아내의 그 눈에도 노마 아버지는 눈물이 났다.

*

해가 저물면 아침에 나갔던 사람들이 각기 제 나름대로 컴컴한 얼굴로 돌아오고 이 집 저 집 풀떡풀떡 풀무질하는 소리와 매캐한 왕겨 때는 연기가 온 동네를 서린다.

노마 어머니가 늦게 돌아오는 날은 영이 할머니가 저녁을 지어 주러 왔다. 재물재물한[45] 눈을 인중을 늘이며 비집어 뜨고 풀무질을 하랴 아궁이에 왕겨를 한 줌씩 던져 넣으랴 주름살 많은 깜숭한 얼굴을 더욱 오그린다. 그러나 노마 아버지는 알은체도 않는다. 밥쌀[46]을 내라고 바가지를 내밀어도 얼굴이 보기 싫어 고개를 돌이키지 않는다. 저 늙은이가 저녁을 짓는 때문으로 아내가 늦게 돌아오게 되기나 하던 싶다. 아니라 해도 아내의 밤늦게 돌아오는 그 일에 분명 노파의 짬짜미[47]가 있으리라. 이것만이 아니다. 노마 아버지 자기가 당하는 오늘날의 불행 전부, 자기가 불치의 병을 얻어 눕게 된 것도, 아내를 들병장수로 내보낸 것도 모두 — 부엌에서 영이 할머니의 홀짝홀짝 코를 마시는 소리에도 비위가 상했다.

---

45 재물재물하다 얼굴이나 눈이 좀스럽게 생기다.
46 밥쌀 밥을 지을 쌀.
47 짬짜미 남모르게 자기들끼리만 짜고 하는 약속이나 수작.

"저녁 그만두슈."

"웨."

하고 노파의 빨간 눈이 방 안을 들여다보며 재물거린다.

"우린 걱정 말구, 댁 저녁이나 가 보슈."

"또 속이 아픈 게로군그래, 어째."

"먹든 안 먹든 우리가 할 테니, 당신은 가요, 가."

그러나 이만 말에 뇌까리지 않을 만큼 면역이 된 영이 할머니려니와 말을 한 당자도 오래 선금을 세우지 못했다. 본시 모두가 앞뒤 절벽으로 답답한 제 운명—이것은 더욱이 아내를 거리로 내보내 밤을 새우게 하는 사실로 나타나 속을 뒤집어 놓는다.—에 대한 제 입술을 깨물 때 같은 암상[48]이 충동이는 때문이다. 조금 지나 영이 할머니가 밥상을 받쳐 들고 들어올 때쯤 되어서는 그에게 아랫목을 권하리만큼 노마 아버지는 마음을 돌린다.

그러나 영이 할머니는,

"아닐세, 여기두 좋구먼."

"아 글쎄, 이리 내려와 앉으라니깐두루."

"아닐세 아닐세."

노파는 좀 더 제 모가치[49]의 밥그릇을 밀며 모로 앉는다.

"아 글쎄, 거긴 차다니께두루."

소리는 다시 퉁명스러워진다. 밥상을 거칠게 앞으로 당긴다. 모래알을 씹는 상으로 맛없이 밥을 떠 넣는다. 그 얼굴이 좀 풀릴 만해서 영이 할머니는 코를 홀짝홀짝 뚝배기 바닥을 긁더니,

"노만 그래두 어멜 잘 둬서."

하고 아랫목 편을 흘낏 보고,

---

48 암상 남을 시기하고 샘을 잘 내는 마음.
49 모가치 몫으로 돌아오는 물건.

"여편네 손으로 밥 걱정, 땔 걱정 안 시키구, 그건 수월헌가. 맘성이구 인물이구 마당에 나오는 여자치곤 아깝지 아까워."

노파는 그 말이 노마 아버지의 성미를 긁게 될 줄은 꿈밖이다. 젓가락 짝으로 소반 귀를 두들기는 서슬에 놀라 입을 봉한다. 노마 아버지에겐 아픈 데를 꼬집는 말이다. 그러나 그는 아내가 자기를 향해 배를 채는 큰소리라 하여 괘씸해하는 거다. 이내 밥상을 밀어낸다. 까닭을 모를 이런 경우에는 모두 제 잘못으로 접고 마는 영이 할머니는 우두망찰해[50] 어쩔 줄을 모른다. 만약에 노마 아버지가 돌부리에 발을 차이고 화를 냈다 하여도 노파는 역시 제 잘못으로 안심찮아[51] 하리라.

노마 아버지는 이불을 쓰고 눕더니, 갑자기 이불자락을 젖히고 뻘겋게 상기한 얼굴을 든다.

"모두 그놈의 편지 땜야. 그게 아니드면 이놈의 고장이 어디 붙었는 줄이나 알았습디까. 뭐, 하루 이삼 원 벌이는 예사구."

그가 편지 때문이라는 것은 곧 영이 할머니 탓이란 말이다. 그러나 한 고향에서 아래윗집 사이에 지내던 정분으로도 그에게 해를 입히고 싶어서 부른 것은 아니다. 갑자기 의지하고 살던 아들을 여의고 선창에 나가 품을 파는 자기 아들과 같은 사람들을 볼 때 그 가치가 갑절 돋보였을 것도 무리는 아니다. 하나 노마 아버지는 좀 더 심악하게[52],

"노마 어밀 쓰레기꾼으로 꼬여 낸 건 누구구. 들병장수로 집어넌 건 대체 누구여?"

"그건 앰한 소릴세. 첨 날 따라 나올 때두 난 열 손으로 말리지 않았든가, 웨, 젊은 사람은 할 노릇이 못 된다구."

모두 선창에 나가 영이 할머니는 낙정미[53]를 쓸어 모으는 쓰레기꾼, 노마 어머니는 잔술을 파는 들병장수, 일터를 같은 마당에 가진 탓으로 듣는 억울한 소리다.

　하기는 노마 어머니가 처음 쓰레기꾼으로 마당엘 나오자 영이 할머니는 은근히 반기었다. 그는 인물보다 맨드리[54]가 쓰레기꾼 축에 섞이기는 아까웠다. 번히 쓰레기꾼이란 정작 볏섬도 산으로 쌓이고 낙정미도 많이 흘려 있는 지대 조합 구역 내에는 얼씬도 못하고, 목채[55] 밖에 지켜 섰다가 벼를 싣고 나오는 마차가 흘리고 가는 나락을 쓸어 모은다. 그러나 기실은 구루마 바닥에 흘려 있는 나락을 쓸어 담는 척하고 볏섬에다 손가락을 박고 치마 앞자락에 후비어 내는 것을 본직으로 꼽는다.

　그러다 들키면 욕바가지를 들쓴다. 쓰레받기 몽당비를 빼앗긴다. 앙가슴은 떠다박질리고[56] 채찍으로 얻어맞는다. 그러나 마차 뒤에 달라붙은 여인들을 향해 채찍을 든 마차꾼도 노마 어머니를 대하고는 그대로 멈춘다. 머리에 숙여 쓴 수건 아래 수태[57]를 품고 고개를 숙인 미목[58]이 들어앉은 아낙네가 노상 봉변을 당한 때 싶다. 마차꾼은 금세 언성이 숙는다. 욕이 농으로 변한다.

　차츰 노마 어머니는 이력이 나서 자기가 먼저 선손[59]을 건다.

　"아제, 내 이것 가져다가 돌절구에 콩콩 빻아 가는체로 받쳐서 대추 박어 꿀떡 해 놀 테니 부디 잡수러 오슈."

하고 마차꾼의 뒤로 실리는 등판을 떠다민다. 그 틈에 나머지 여인들은 볏섬에 달라붙어 오붓이 긁어모은다.

　선창 사나이들은 노마 어머니에게 실없이 굴었고 노마 어머니는 그들이 만만

53　낙정미(落庭米) 되나 말 따위로 곡식을 되다가 땅에 떨어뜨린 곡식.
54　맨드리 옷을 입고 매만진 맵시.
55　목채 말뚝 따위를 박아 만든 울타리.
56　떠다박질리다 마구 떠다밀려 넘어지다.
57　수태 부끄러워하는 태도.
58　미목 아름답게 생긴 눈매.
59　선손 남이 하기 전에 앞질러 하는 행동. 선수.

히 보였다. 여봐란듯이 쓰레받기를 내흔들며 노마 어머니만은 지대 조합 구역 내를 출입해도 무관했다. 쓰레기꾼을 쫓는 것이 소임인 털보도 그에게는 막대기를 들지 않았다. 뒷짐을 지고 슬슬 따라다니며 실없이 지근덕거리었다. 차츰 노마 어머니는 쓰레기꾼들에게서 멀어 갔다. 얼굴에는 분을 바르고 인조견 치마를 흘게[60] 늦게 끌었다.

그가 누구 발림으로 들병장수가 되었는지 영이 할머니는 도시 알지 못하는 일이다. 그를 자기가 꼬였단 말은 참 얨하다.

그렇지 않아도 아들을 노마 아버지와 같은 병으로 여읜 영이 할머니는 아들에게 해 보지 못한 한을 노마 아버지에게 풀기나 하는 듯이 남의 일 같지 않게 음으로 양으로 마음을 쓰는 것이나 노마 아버지는 그 뜻을 받아 주지 않는다. 아마 영이 할머니가 인복이 없는 탓인가 보다.

그러나 이유는 하여튼 까칠한 귀밑, 어복[61]이 떨어진 다리, 엄나무 가시같이 피골이 맞붙은 아들의 몰골대로 되어 가는 노마 아버지를 대하고는 불쌍한 생각은 곧 자신에게 무거운 죄밑[62]이 되어 내리덮어 할 말도 못 한다. 다만,

"남의 얨한 소리 말구, 자네 몸만 깪이네. 화가 나두 참어야 하네. 참어야 해."

그러나,

"제발 내 눈앞에 뵈이지 좀 말라니께두루. 그럼 내가 먼저 피해 나가야겠수."

하고 노마 아버지는 경망스레 일어나 대님을 친다 하여 그예[63] 노파를 쫓아낸다. 머리에 썼던 수건을 벗어 들고, 어린애처럼 면난쩍어[64] 하며 방문 밖을 나갔다. 그 팔짱을 오그린 알스연스러운[65] 어깨가 길 아래로 사라지자, 노마 아버지는 문득 일어나서 방 밖에 머리를 내민다.

---

60 흘게 매듭 따위를 단단하게 조인 정도나, 어떤 것을 맞추어서 짠 자리.
61 어복 종아리의 살이 불룩한 부분. 장딴지.
62 죄밑 지은 죄로 인한 마음의 불안.
63 그예 마지막에 가서는 기어이.
64 면난쩍다 무안하거나 부끄러운 마음이 있다.
65 알스연스럽다 '안쓰럽다'의 방언.

"영이 할머니, 영이 할머니."

조금 전과는 음성도 딴판으로 안타깝다. 대답은 없다. 끙 하고 자리에 몸을 담아 누우며 쓰게 눈을 감는다. 어미 없는 어린 영이를 업고 울타리 밑에서 호박잎을 헤치고 섰던 영이 할머니. 아들을 앞세우고는 밖에 나갔다 길을 잃어버리기 잘하는 영이 할머니. 뉘우치는 것은 아닐 텐데 영이 할머니의 이런 장면도 머리에 얼씬거린다.

그러지 말자 해도 영이 할머니의 얼굴을 보면 노마 아버지는 그예 비위가 상한다. 늙은이가 박복해 아들 며느리 다 앞세우고 같은 운명으로 호리려고 노마 아버지를 가까이한다. 아니라 해도 그를 보기는 싫다. 그러나 하루라도 아니 보면 공연히 기다려지는 영이 할머니다.

며칠 발을 끊어 아주 노했구나 하였더니 영이 할머니는 전에 없이 신바람이 나서 왔다. 그는 제멋대로 드나드는 방문 위에 부적 한 장을 붙여 놓았다. 또 있다. 검정 보자기를 끌러 무엇을 내놓는데, 난데없는 남생이[66] 한 마리다. 요술쟁이처럼 노파는 호기 차게 노마 아버지를 쳐다본다. 남생이 등에도 노란 종이에 붉을 주 자를 흘려 쓴 부적이 붙어 있다.

"금강산에서 공부를 하구 나온 사람이라는데, 아무데 누구두 이걸루 10년 앓든 속병이 씻은 듯이 떨어졌대여."

그러나 노마 아버지는 마이동풍[67]으로 웅등그리고[68] 앉았더니 남생이를 윗목으로 밀어 버리고 이불을 들쓰는 거다. 영이 할머니는 어안이 벙벙하고 만다. 남생이는 항아리 뒤로 들어가 기척도 없다. 한참 그놈이 나오기를 기다리는 듯이 치마 고름을 말며 앉았더니 영이 할머니는 소리 없이 돌아갔다. 얼마 후 노마 아버지는 부스럭부스럭하는 소리에 고개를 돌이켰다. 남생이다. 그는 난데없는

---

66 남생이 거북과 비슷하나 작으며, 등은 진한 갈색의 딱지로 되어 있고 네발에는 각각 다섯 개의 발가락이 있는데 발가락 사이에는 물갈퀴가 있다.
67 마이동풍(馬耳東風) 말의 귀에 동풍이 불어도 아랑곳하지 아니한다는 뜻으로, 남의 말을 귀담아듣지 아니하고 지나쳐 흘려버림을 이르는 말. 이백의 시에서 유래한 말이다.
68 웅등그리다 춥거나 겁이 나서 몸을 움츠리다.

것을 처음 보는 듯이 신기하게 고쳐 본다. 부스럭부스럭 남생이는 어둑한 함 뒤를 돌아 벽과 반짇고리 사이에서 기웃이 머리를 뽑아 들고 좌우를 살핀다.

"잡귀를 쫓고 보신을 해 주고, 있는 병은 떨어지고 없는 병은 붙지 않고, 남생이 이놈만큼 무병장수를 하리라."

남들이라 영험을 보았겠나 하고 영이 할머니가 옮긴 말 그대로를 남생이 이놈도 그 징글징글한 상판에 말하는 듯싶다. 느럭느럭 방바닥을 긁으며 남생이는 천 근들이 무거운 잔등어리[69]를 짊어지고 가까스로 몸을 옮긴다. 알 수 없는 무엇을 전할 듯이 음흉스레 노마 아버지에게로 가까이 온다. 그는 숨을 죽이고 누워 지켜본다. 남생이가 베개 밑 가까이 이르는 대로 조금씩 몸을 일으켜 마주 노리다가 살며시 일어앉는다. 가만히 남생이를 집어 손바닥에 올려놓는다. 남생이는 머리와 사지를 옴츠러뜨린다. 차돌과 같이 묵직한 무게다. 아니 전혀 차돌이다. 산 물건치고는 이렇게 고요할 수가 없다. 방 전체의 침묵을 남생이는 삼킨다. 한참 만에 조심조심 머리를 내민다. 손바닥을 흔든다. 도로 차돌이 된다. 알 수 없는 신비한 힘이 뭉친 덩어리다. 그것은 하루 저녁에 묵은 씨앗에서 새움이 트는 그런 힘이리라. 여기다 노마 아버지 자신의 시들어 가는 가지를 접붙여서 남생이의 생맥[70]이 그대로 자기에게도 전해 올 듯싶다.

"영물의 즘생이라, 사람의 일은 모르는 걸세."

이번에는 노마 아버지 자신이 무심중 영이 할머니의 말을 입에 옮기어 본다.

이튿날 영이 할머니는 부적을 맡아 가지고 와서 내놓지를 못하고 망설이는데, 의외로 노마 아버지는 두 손으로 받다시피 하여 대견하였다. 까닭에 그는 부적 한 장을 구하는 데 은전 한 닢이 드는 것과 매일 한 장씩을 써야 한다는 말을 쉽게 말할 수 있었다. 그러나 노마 아버지는 불에 태워서 그 재만 정한수[71]에 타

서 먹으라는 부적을 ─ 이것이 또한 영이 할머니에게 하는 단 한 가지 고집이리라. ─ 맞은편 바람벽에 붙여 놓고 바라보는 것이다.

남생이가 생긴 후 아버지는 노마에게 범연해졌다[72]. 한종일 눈에 아니 보여도 부르지 않았다. 노마는 제 세상을 만났다. 아버지가 싫어서 그러는 것이 아니라 남생이가 무서워 피하는 것이니까 노마는 한종일 밖에 나가 놀아도 구실이 되었다.

먼저 영이에게 까치걸음으로 뛰어가 얼마든지 놀아도 좋은 몸임을 자랑한다. 창문 앞 양지짝에 앉아서 영이는 할머니가 선창에서 쓸어 온 흙에 섞인 나락을 고른다. 그 앞에서 노마는 혼자 팔방치기를 한다. 길바닥에 금을 긋고 될 수 있는 대로 손을 저고리 소매 속으로 넣으려니까 팔죽지[73]를 새 새끼처럼 하고 깡충깡충 뛰며 돌을 찬다.

"오랴. 이랴."

"걸렸다."

노마는 곧잘 일인이역을 한다. 한편은 노마, 또 한편은 영이다. 되도록 저편의 골을 올리려고 거르는 때는 전부 영이 쪽으로 꼽는다. 그러나 영이는 대척[74]도 않는다. 여전히 저 할 일만 한다. 키에 담아 두 손으로 비비어 흙을 가루가 되게 한 후 바람에 날린다. 다음 모래와 나락이 남은 데서 모래를 골라내는 것이 아니고 모래 틈에서 나락 알을 골라내는 거다. 손에 융 헝겊을 감아쥐고 모래 위를 눌렀다가 떼면, 누릇누릇 나락 알만이 붙어 오른다. 그것을 둥구미[75]에 털며 영이는 능청맞게 웃더니,

"너희 어머닌 그런다지."

---

72 범연하다 차근차근한 맛이 없이 데면데면하다.
73 팔죽지 어깻죽지에서 팔꿈치 사이의 부분.
74 대척 말대꾸. 마주 응하거나 맞섬.
75 둥구미 짚으로 둥글고 울이 깊게 걸어 만든 그릇. 주로 곡식이나 채소 따위를 담는 데에 쓴다.

"뭐."

달아날 준비로 담 모퉁이에 붙어 서서 고개만 내놓고 영이는 해해거리며,

"너희 어머닌 그런다지."

그리고 담 저쪽 모퉁이로 달아나 아웅거린다. 노마는 바지 괴춤[76]을 움켜쥐고 머리를 저으며 쫓아간다. 쫓기며 쫓으며 네모진 영이 집 둘레를 두고 맴을 돈다. 거진 거진 잡힐 듯해서 영이는 숨이 턱에 차,

"아니다 아니다."

굴뚝 구석에 머리를 박고 오그린다. 노마는 양어깨를 찌그러이 누르며,

"이래두. 이래두."

"안 그럴게. 안 그럴게."

그러나 영이는 몇 걸음 물러서 머리카락을 다듬어 올리며 정색을 한다.

"너, 바가지가 그러는데 너희 어머닌 달어난대."

"거짓부렁."

"정말이다. 너, 너희 아버지 앓기만 하구 벌이두 못하구 하니까."

"그럼, 좋지. 나두 쫓아다니며 구경하구."

"누가 달어나는 사람이 널 다리고 가니, 얘 쉬라."

"그럼 어머니 혼자."

"아니래, 너 털보하구래."

"거짓부렁 말어."

"정말이다, 너."

"거짓부렁야."

"정말이다, 너."

"거짓부렁. 거짓부렁."

---

76 괴춤 '고의춤'의 준말.

옆에 고무래[77] 자루를 집어 들고 다가선다. 그 얼굴에 장난이 아닌 정색을 보자 영이는 겁이 난다.

"그래 아니다. 아니다."

그러나 노마는 안심이 안 된다. 요즈음으로 더 아침은 일찍이 나가고 저녁에는 늦게 돌아오는 어머니는 이렇게 야금야금 노마와 집에서 떨어져 가는 시초[78]인지도 모른다. 아버지와도 사이가 더 차고 노마에게도 쌀쌀해진 어머니. 그렇다면 집에는 노마하고 아버지만 남게 되겠고— 그때엔 노마가 대신 벌지 그까짓 거, 그러나 무섭다.

영이의 그 아니다 소리를 좀 더 분명히 듣고 싶어서, 노마는 고무래 자루를 둘러메고 달아나는 영이를 부엌 뒤로 쫓아간다.

문득 노마는 걸음을 멈춘다. 어쩐지 그동안 집에 무슨 변고가 났을까 싶은, 사실 다른 때 같으면 아버지는 벌써 열 번도 노마를 찾았을 것이 아니냐. 어쩌면 지금도 그랬는지 모를 일. 그것을 못 듣고 장난에만 팔려 있었던 것인지 뉘 알리요.

노마는 살금살금 방문 밖에 가 귀를 기울인다. 아무 기척도 없다. 문구멍으로 방 안을 살핀다. 아버지는 무릎을 꿇고 앉아 먼 소리를 듣는 사람의 모양으로 두 손을 한편 쪽 귀에다 몰아 대고 있다. 손바닥 안에는 남생이가 들어 있다. 맞은편 바람벽에는 여남은 장의 부적이 가지런히 붙어 있다.

*

잿더미가 쌓인 토담 모퉁이 양버들 나무는 노마의 이름으로 하나 꼭 찼다. 노마는 두 손에 침을 바르고 단단히 나무통을 안는다. 두어 자 올라갔다는 주르르 미끄러져 내린다. 허리띠를 조르고 다시 붙는다. 또 주루루 머리를 기웃거리며

---

77 고무래 곡식을 그러모으거나 펴거나, 아궁이의 재를 긁어 모으는 데 쓰는 기구.
78 시초(始初) 맨 처음.

아래위로 나무를 살핀다. 상가지에 구름이 걸린 듯이 높다. 한데 수돗집 곰보는 단숨에 저 끝까지 올라가니 놀랍다 아니할 수 없다. 그리고 기차가 보인다, 윤선이 보인다, 큰 소리다. 노마가 곰보에게 따르지 못  하는 거리는 이것만이 아니다. 제법 곰보는 어른처럼 그들의 세계를 아이들 말로 해석해 들린다. 선창에 관한 동화 같은 소문을 알린다, 유행가를 전한다, 활동사진 시늉을 낸다. 또 어른처럼 돈을 잘 쓴다. 마음이 내키면 1전에 하나짜리 눈깔사탕을 매 아이 하나씩 돌리고도 아깝지 않아 한다. 그러나 그 돈의 출처를 묻는 때만은 자랑을 피한다. 다만 "저 나무도 못 올라가는 바보가." 하고 어깨를 씰기죽한다[79]. 그는 헌 양복에 캡을 젖혀 쓰고 어른과 함께 선창에 나가 해를 보낸다.

노마는 틈틈이 나무 올라가기에 열고가 난다[80]. 볼따구니를 긁혀 미고 손바닥에 생채기를 내고 바지를 찢기고, 그래도 노마는 그만두지 않는다. 장난이 아닌 거다. 곰보가 가진 높이까지 이르는 그 사이를 가로막은 장벽이 곧 이놈이었다.

이 고비를 넘기기만 하였으면 금방 거기는 선창이 있고, 활동사진이 있고, 돈이 있고, 그리고 능히 어른의 세계에 한몫 들 수 있는 딴 세상이 있다. 그때에 노마는 자기 아니라도 족히 아버지 모시고 잘 살 수 있는 노마임을 여봐란듯이 어머니에게 보여 줄 수도 있으련만 아아!

노마는 두어 간 떨어져 달음박질해 나무에 달라붙는다. 서너 자 올라간다. 한 간 길이쯤 올라간다. 옹이 뿌리를 딛고 손바닥에 침칠을 한다. 찍 미끄러지며

---

79 씰기죽하다 물체가 한쪽으로 천천히 조금 기울어지거나 비뚤어지다.
80 열고가 나다 열이 나서 바삐 서두르다.

쿵 땅바닥에 엉덩방아를 찧는다. 저절로 울음이 터지는 것을 꽉 입을 다물고 아픔이 삭기를 기다린다.

뒤에서 호호호 웃음소리가 나며 누가 목뒤를 잡아 일으킨다. 바가지다.

"임마, 나무엔 뭣 하러 올라가는 거여?"

그리고,

"너 떡 사 줄련?"

"……."

"너 나 따라오면 떡 사 주지."

"어디 말야."

"선창 마당꺼지."

떡 아니라도 반가운 소리다. 금방 아픈 것이 낫는다.

두루마기 아구리[81]에다 손을 넣어 뒷짐을 지고 바가지는 앞으로 쓰러질 듯이 구두를 끈다. 노마가 천천히 걸어도 그 걸음은 뒤떨어져 노마를 부른다.

"너 아버지가 좋으냐, 어머니가 좋으냐?"

"다 좋지 뭐."

네거리를 건너서 구둣방 옆을 지나며 바가지는,

"너 마당에 있는 털보 알지. 그게 누군데……."

"……."

"너희 집 아랫목에 누워 있는 사람이 정말 아버지냐, 털보가 정말 아버지냐?"

"……."

"정말 아버진 털보지, 털보여, 응."

노마는 저고리 소매로 코를 문댄다. 모자점 유리창 안의 발가숭이 인형에 눈이 팔려 못 들은 척한다. 혼자 바가지는 호호호 웃음을 참지 못한다.

---

81 아구리 '아가리'의 방언. 물건을 넣고 내고 하는, 병·그릇·자루 따위의 구멍의 어귀.

선창 칠통 마당 어귀에 이르렀다. 갑자기 엉덩이를 들이대며 바가지는 노마의 다리를 잡는다.

"업혀라, 업혀."

어린애 아닌 노마를, 그리고 제 걸음도 바로 걷지 못하는 꼴불견이 아닌가. 노마는 싫다고 등을 내민다. 그러나 업혀야지 떡을 사 준다는 거다.

시커먼 화물차가 한참 지나가고 훤하게 앞이 열리자, 건너편 일대는 전부 볏섬이 더미더미 산을 이루었다. 말구루마 소구루마가 길이 미어 나온다. 볏섬 사잇길을 왼편으로 꺾어 나서면 바다, 제2 잔교서부터 제3 잔교 일폭은 크고 작은 목선이 몸을 비빌 틈이 없이 들어찼다. 꾸벅꾸벅 고개를 빼고 볏섬을 져 나르는 자, 섬에다 색대[82]를 찔렀다 빼며 "다마금[83]요, 은방요." 허청대고 외는 자, 뒷짐을 지고 서서 두리번거리는 모직 두루마기를 입은 자, 그리고 지게를 벗어 놓고 볏섬 위에 혹은 가에 무더기무더기 입을 벌리고 앉았는 자, 그들의 무심한 눈은 거의 한곳으로 모인다. 가운데 무럭무럭 오르는 더운 김과 시큼한 냄새를 휩싸고 섰는 한 덩어리가 있다. 각기 젓가락과 사발을 들고 고개를 쳐들어 먼 산을 바라보며 입을 쩍쩍거린다. 바가지는 그들 사이를 삐기며 소리를 친다.

"여기두 탁배기[84] 한 사발 노슈. 그리구 시루떡 한 조각허구."

앞에 선 자가 팔을 내리자, 노마는 수건을 오그려 쓰고 시루의 떡을 베는 여자의 모습이 익다. 남 아닌 자기 어머니였다. 떡을 들고 내밀던 손이 멈칫한다. 잠깐 낭패한 빛이 돌더니 태연하다. 노마 아닌 남을 보는 거나 다름없다. 노마는 차마 손을 내밀어 받지 못한다.

뒤에서 노마 머리에 손을 얹으며 굵은 음성이,

"얘가 누구요?"

---

82 색대 가마니나 섬 속에 들어 있는 곡식이나 소금 따위의 물건을 찔러서 빼내어 보는 데 사용하는 도구.
83 다마금 벼의 품종.
84 탁배기 '막걸리'의 방언.

"내 아들놈여."

하고 바가지는 다 들어 보라는 음성으로,

"머리는 장구통이라두 이눔 신통헌 눔여. 제 에민 노점[85]을 앓구 자빠졌구 애비 이 모양으로 난봉이 나 다니구, 집에서 어미 병 고신이며 부엌 설거지까지 이눔이 혼자 허는데 해두 잘허거든."

노마 어머니는 손구루마 한 채에다 한편에는 시루떡, 한편에는 막걸리 항아리 모주 냄비를 걸어 놓고 사발에 술을 부으랴 보시기에 모주를 놓으랴 (이렇게 하여 노마 어머니는 바가지의 의기를 꺾으려는 것인지도 모른다.) 바쁘게 손을 놀린다.

더부살이는 아닐 텐데 여기 털보가 시중을 든다. 일일이 술값을 받아 목걸이를 해 앞에 늘인 주머니에 넣는다. 막걸리 통을 날라 온다. 냄비에 부채질을 한다. 바가지는 노마를 내려놓고 앞으로 어머니의 정면에 서게 한다. 그는 한층 목청을 높인다.

"이 녀석 에미 말 좀 들어 보슈."

하고 여자 음성으로 고쳐서,

"나야 오늘 죽을지 내일 죽을지 모르는 몸이께 날 버리구 맘대루 딴 계집을 얻든 살림을 배치하든 상관없지만 이 자식은 무슨 죄로 굶주리게 하는 거냐. 선창엔 그렇게 드나들면서 그 흔헌……."

털보가 앞치마에 손을 씻으며 뒤로 돌아와 바가지의 구두를 툭 치고 턱으로 건너편을 가리킨다.

"나두 내 돈 내구 술 사 먹는 사람유. 어째 함부루 툭툭 치구 내모는 거여."

"누가 내모는 건가 이 사람아. 나허구 헐 얘기가 있으니 저리 좀 가잔 말이지."

"헐 말이 있거던 예서 해."

---

85 노점 몸이 점점 수척해지고 쇠약해지는 증상.

하고 이건 뭐냐 어깨를 잡은 손을 툭 쳐 버리고 몸을 뒤로 채기는 했으나, 너무 지나쳐 뒷사람의 팔을 쳐 술 사발을 엎지르고 쓰러졌다. 와아 하고 웃음소리가 높아진다. 둘레가 터져 더러 젓가락을 든 자가 그편으로 둘러선다. 잠시 땅을 짚고 주저앉아 바가지는 눈을 지릅떠[86] 털보를 노리더니 한번 해볼 양으로 일어선다. 몇 보 걸음을 옮기자, 그가 앉았던 자리에서 한 자가 보자[87] 하나를 집어 들고 쳐든다. 허리에 찼던 이발 기계를 싼 보자다. 바가지는 기겁을 해 돌아서 손을 벌린다. 그러나 먼저 털보의 손으로 넘어간다. 그리고 일은 우습게 되고 말아, 보자 한끝을 털보가 잡고 한끝은 바가지가 매달려,

"이리 내어, 이리 내어."

"이리 좀 와, 이리 좀 와."

털보가 끄는 대로 바가지는 달려서 건너편 창고 뒤로 사라진다. 벌어졌던 자리는 다시 오므라들었다. 겹으로 울립[88]을 한 사람 가운데 노마 어머니의 모양은 파묻히었다.

그편을 멀찍이 등지고 돌아서, 그러나 어머니의 시야에서 벗어나지 않을 거리를 두고 노마는 뒷짐을 지고 섰다. 제2 잔교 위 엿목판 옆이다. 어머니가 노마를 노마 아니로 보아 준 야속함은, 노마도 어머니를 어머니 아니로 보아 주었으면 고만이다.

너무 잔잔해 유리 같은 바다다. 놀라움밖에 더 표현할 줄 모를 커다란 기선 이 떠 있다. 가난한 사람처럼 해변 쪽으로는 목선이 겹겹이 모여서 떠돈다. 잔교 한편에 여객선이 붙어 서서 사람과 짐을 모아들인다. 통통통 고리 진 연기를 뽑으며 발동선[89]이 우편으로 물살을 가르며 달아난다. 저 배가 보이지 않거든 노마는 고만 집으로 돌아가리라 한다. 마침내 발동선은 시커먼 중국 배 뒤로 사라

---

86 지릅뜨다 고개를 수그리고 눈을 치올려서 뜨다.
87 보자 물건을 싸서 들고 다닐 수 있도록 네모지게 만든 작은 천. 보자기.
88 울립(鬱立) 빽빽이 들어섬.
89 발동선 내연 기관의 모터를 추진기로 사용하는 배.

진다. 그러나 어쩐지 미진해 다시 이번에는 여객선이 사람을 다 태우고 움직이기 시작하거든 하고 노마는 자리를 뜨지 못한다. 어머니를 기다리는 것이다. 그 배가 움직이기 전에 어머니는 왔다. 그러나 건너편 세관 앞을 오면서부터 눈을 흘기고,

"뭣 허러 까질러 다니니. 배라먹게."

하고 노마의 머리를 쥐어박고,

"아버지에게 말하면 이거다, 이거여."

주먹을 쥐어 우리는 시늉을 내다가, 그 손바닥을 펴 돈 한 닢을 보이며 어머니는 눙친다.

"바가지가 오재두 듣지 말구, 아버지 시중 잘 들고 있어, 응 착하지. 그리구 아예 나 봤단 소리 말구, 응."

어머니는 등을 두들기며 음성이 다정하다. 노마는 낯을 찌푸린다. 그 속은 어쩐지 울음이 나와 참는 것이다.

이날처럼 노마에게 집의 아버지가 불쌍하고 쓸쓸하게 생각된 때는 없다. 아버지는 쓰레기통 옆의 다리 병신보다 더 가엾고 노마 자신보다 더 작고 쓸쓸하다. 오늘도 아버지는 앞가슴에 남생이를 올려놓고 누웠으리라.

노마는 지나가는 가게마다 기웃거리며 손아귀의 돈 한 푼과 그곳에 놓인 물건과를 비교한다. 사과, 귤, 감, 유리병 속에 든 과자, 모두 엄청나다. 골목길로 들어서 늙은이가 앉았는 구멍가게에서 노마는 붕어과자 하나와 바꾼다. 아버지에게 드릴 생각이다. 아버지는 노마 이상으로 이런 것들에 군침이 나리라.

조금 후 눈으로 박은 콩알이 떨어져 손에 잡힌다. 할 수 없으니까 노마는 먹는다. 비위가 동한다. 이번에는 제 손으로 지느러미를 떼어 먹는다. 이런 것은 없어도 붕어 모양이 틀려지는 것이 아니니까 표가 안 난다. 그러나 꽁지만 먹자는 것이 야금야금 절반을 녹이고 만다.

노마는 차츰 무거운 마음에서 풀어져 즐거워진다. 멀리 떨어지면 항구는 마치 커다란 소꿉장난 판 같다.

*

노마가 급기야 토담 모퉁이 양버들 나무를 올라갈 수 있던 날 노마 아버지는 세상을 떠났다.

그날은 실로 이상한 날이다. 그렇게 어렵던 나무가 힘 안 들이고 서너 간 높이 쌍가지 진 데까지 올라가졌다. 거기서부터는 손 잡을 데 발 놀 데가 다 있어 한 층 두 층 곰보 이놈도 이만큼 높이는 못 올랐으리라.

그 내려다보이는 시야가 결코 뒤 언덕 위에서 보는 때보다 그리 넓지도 멀지도 못하다 할지라도 이렇게 늘 보던 길, 집, 사람 들이 아주 달라 보이도록 나무 상가지에서 거꾸로 보기는 노마 아니면 할 수 없다.

"곰보야, 곰보야."

제법 큰 소리로 별명을 부를 만도 하다. 저 아래서 조그맣게 영이 할머니가 울상을 하고 쳐다본다. 이런 데서 거꾸로 보는 사람의 얼굴이란 저런 게다. 음성까지 울음에 섞여 손짓을 한다. 오늘 노마의 성공은 영이 할머니를 울리다시피 장한 것인지도 모를 일. 그런데 노마 집 문 앞에는 동넷집 여인들이 중기중기 큰일 난 얼굴로 모여 섰다. 한 번도 들어 보지 못한 그러나 어머니 음성이 분명한 곡성이 모깃소리만큼 가늘다.

모두 거짓부렁이다. 참 설움에서 우러나오는 울음이고야 목청만이 노래 부르듯 청승맞을 수 없다. 치마폭에 얼굴을 싸고 엎드리었다. 문득 낯을 드는 때 어머니가 굴뚝 뒤로 돌아가 털보와 수군수군 공동묘지를 쓸 것인가 화장을 할 것인가 손가락을 꼽으며 구구를 따지는데, 어머니는 영이 할머니보다도 예사롭다.

만약에 노마 아버지의 뒤축 끊어진 커다란 고무신을 전대로 방문 앞 댓돌 위에 놓아만 두었으면 한잠 깊이 든 때 아버지나 다름없다. 그것을 신을 임자가 없다는 듯이 뒷간 옆에 내던져 굴리는 고무신을 볼 때만 노마는 언짢은 생각이 들어 도로 제자리에 집어다 놓는다. 그러면 어머니는 고질을 떼어 버리듯이 한 짝씩 집어 멀리 길 아래 쓰레기 더미가 있는 편으로 팽개쳤다.

영이 할머니는 노마를 집 뒤 들창 밑 아무도 없는 데로 끌고 가 은근히 묻는다.

"노마, 너 남생이 어디 간 거 아니?"

"어제는 보았어두 오늘은 몰라."

"거 참 심상헌 일이 아니다."

하고 잠시 눈을 크게 뜨더니, 남생이가 없어졌음으로 해서 그런 일이 생기었다는 듯이 갑자기 울음에 자지러진다.

저녁때 길목을 막고 헤갈[90]을 하고 서서 바가지는 노마 집 편을 향해 고래고래 소리를 질렀다.

"네 서방은 속여두 난 못 속인다. 담벼락에 붙여 논 건 뭐구, 남생이는 다 뭐여. 멀쩡하게 산 사람을 앉혀 놓고 연놈이 방자[91]를 해. 방자대루 돼서 좋겠다."

아이들 머리 너머로 어른들도 팔짱을 찌르고 우뚝우뚝 서자, 바가지는 기세가 높아진다.

"모두 그눔의 농간야. 그눔이 뒤에 앉아서 방자두 놓게 하구 그리구……."

그리고 저녁밥에 필시 못 먹을 독을 탔을 것이다. 아니면 멀쩡하게 같이 앉아서 이야기를 하던 사람이 별안간 요강 요강 선짓덩이를 쏟아 놀 리가 없지 않으냐.―그러나 바가지가 취중이 아니고 성한 정신으로 한 사람을 붙잡고 넌지시 하는 말이라 하여도 곧이들을 사람은 없을 것이다. 바가지 자신의 처신이 글러 그런 것만이 아니다. 남의 집 일에 발 벗고 나서서 초상비 일동일정[92]을 대고 백

---

90 헤갈 허둥지둥 헤맴. 또는 그런 일.
91 방자 남이 못되거나 재앙을 받도록 귀신에게 빌어 저주하거나 그런 방술(方術)을 쓰는 일.
92 일동일정 하나하나의 동정. 또는 모든 동작.

지 한 장을 사려도 손수 비탈을 오르고 내리고 하는 털보에게 일반은 인정 많은 사람이라 지목이 돌았다.

저녁에 노마는 잠자리를 영이 집으로 옮기었다. 방울 등잔을 가운데 두고 앉아서 노마는 영이에게 전에 없이 다정히 군다. 위하던 호루라기를 저고리 고름에서 풀어 영이에게 주어도 아깝잖다. 이런 때 노마에게 호루라기 이상의 무슨 귀중한 것이 있었더면 좋았다. 왜냐하면 노마는 어떻게 영이에게 착한 일을 하고 싶으나 그 방법을 몰라 한다.

그날 동네 여인들은 변으로 노마에게 곰살궂게[93] 하였다. 이 사람 저 사람 머리도 쓰다듬고 떡 같은 것도 갖다준다. 측은해하는 낯색으로 노마의 얼굴을 들여다본다. 노마는 그들이 하는 대로 풀 없는 낯으로 고개를 숙인다. 그러나 그 속은 어쩐지 겉과 같지 않은 것이 있어 외면을 하는 거다.

"넌 울지두 않니? 남들이 숭보라구."

어머니는 눈을 흘기며 노마에게 울기를 권한다. 그러나 자기처럼 아니 나오는 울음을 소리만 높여 울면 더 흉이 되지 않을까, 노마는 남부끄러 못 운다. 그러나 영이 할머니가 진정으로 자기가 먼저 울어 보이며 권하는 때도,

"어떻게 울어."

노마는 사실 제 식으로 진정 울려 해도 도시 울음이 나지 않는다. 거기 실감이 따르지 않는다.

호젓한 집 뒷담 밑으로 돌아가 노마는 짐짓 시르죽은[94] 표정을 한다. 담벼락의 모래알을 뜯어 내며 "아버지는 영 죽었다." 하고 입 밖에 내어 외워 본다. 그리고 되도록 울음이 나오라고 슬픈 생각을 만든다. 하나 머릿속에는 담배물부리를 찾느라 방바닥을 더듬는 아버지가 나타난다. 거미 발 같은 손가락이다. 창밖에서 쿵쿵 발을 구르며 먼지를 터는 아버지가 나타난다. 그러나 아무리 해도 얼

---

93 곰살궂다 태도나 성질을 부드럽고 친절하게 하다.
94 시르죽다 기운을 차리지 못하다.

굴은 형용[95]을 잡을 수 없다. 그보다는 오늘 노마가 나무 올라가기에 성공한 그 장면이 똑똑히 나타나 덮는다. 갑자기 노마의 키가 자라난 듯싶은 그만큼 보는 세상이 달라지는 감이다. 노마는 부지중[96] 마음이 기뻐진다. 어쩔 수 없는 기쁨이다. 아아, 그러나 이것은 아버지에게 죄스러운 마음이다. 어떻게 무슨 커다란 착한 일을 하기나 하지 않으면 무얼로 이 마음을 씻을 수 있으리요.

"영이야."

"응."

노마는 빤히 영이의 얼굴을 마주 본다. 이처럼 영이가 어여뻐 보이기는 처음이다. 눈두덩 위의 곁두데기까지 무척 귀엽다. 노마는 불시에 두 팔로 영이 목을 끌어당겨 흔든다. 다시 무릎 사이에 넣고 꾹꾹 누른다.

"아이 아이 아이."

뜻에 반하여 노마는 그만 영이를 울리고 만다.

(1938년)

---

95 형용(形容) 사람의 생김새나 모습.
96 부지중 알지 못하는 동안.

던 생각이 난다.

현은 평양이 10여 년 만이다. 소설에서 평양 장면을 쓰게 될 때마다, 이번에는 좀 새로 가 보고 써야, 스케치를 해 와야, 하고 벼르기만 했지, 한 번도 그래서 와 보지는 못하였다. 소설을 위해서뿐 아니라 친구들도 가끔 놀러 오라는 편지가 있었다. 학창 때 사귄 벗들로, 이곳 부회 의원[5]이요 실업가인 김(金)도 있고, 어느 고등보통학교에서 조선어와 한문을 가르치는 박(朴)도 있건만, 그들의 편지에 한 번도 용기를 내어 본 적은 없었다. 이번에 받은 박의 편지는 놀러 오라는 말이 있던 편지보다 오히려 현의 마음을 끌었다. ─내 시간이 반이 없어진 것은 자네도 짐작할 걸세. 편안하긴 허이. 그러나 전임으론 나가 주고 시간으로나 다녀 주기를 바라는 눈칠세. 나머지 시간이라야 그리 오래 지탱돼 나갈 학과 같지는 않네. 그것마저 없어지는 날 나도 그때 아주 손을 씻어 버리려 아직은 찌싯찌싯[6] 붙어 있네.─하는 사연을 읽고는 갑자기 박을 가 만나 주고 싶었다. 만나야만 할 말이 있는 것은 아니지만 손이라도 한번 잡아 주고 싶어 전보만 한 장 치고 훌쩍 떠나 내려온 것이다.

정거장에 나온 박은 수염도 깎은 지 오래여 터부룩한 데다 버릇처럼 자주 찡그려지는 비웃는 웃음은 전에 못 보던 표정이었다. 그 다니는 학교에서만 찌싯찌싯 붙어 있는 것이 아니라 이 시대 전체에서 긴치 않게 여기는, 찌싯찌싯 붙어 있는 존재 같았다. 현은 박의 그런 찌싯찌싯함에서 선뜻 자기를 느끼고 또 자기의 작품들을 느끼고 그만 더 울고 싶게 괴로워졌다.

패강랭[*]

이태준

이태준 (1904~?)

한국 현대 소설의 기법적 바탕을 이룩한 작가로 평가받고 있다. 〈패강랭〉은 기회주의자로 인해 우리 고유의 것이 사라져 가는 것에 대해 비애와 분노를 느끼는 인물을 그린 작품이다. 이처럼 이태준은 일제에 의한 근대화 과정 속에서 사라져 가는 전통적 가치의 중요성을 강조했다. 6·25 전쟁 이후 함경남도 노동신문사 교정청에서 일했으나 이후의 행적은 알려지지 않았다.

* '패강'은 대동강을 다르게 이르는 말. '패강랭'은 '패강이 얼었다'는 뜻이다.

"나 좀 혼자 걸어 보구 싶네."

하였다. 그래서 박은 저녁에 김을 만나 가지고 대동강가에 있는 동일관(東一館)이란 요정으로 나오기로 하고 현만이 모란봉으로 온 것이다.

오면서 자동차에서 시가도 가끔 내다보았다. 전에 본 기억이 없는 새 빌딩들이 꽤 많이 늘어섰다. 그중에 한 가지 인상이 깊은 것은 어느 큰 거리 한 뿌다귀에 벽돌 공장도 아닐 테요 감옥도 아닐 터인데 시뻘건 벽돌만으로, 무슨 큰 분묘(墳墓)[7]와 같이 된 건축이 웅크리고 있는 것이다. 현은 운전사에게 물어보니, 경찰서라고 했다.

또 한 가지 이상하다 생각한 것은, 그림자도 찾을 수 없는, 여자들의 머릿수건이다. 운전사에게 물으니 그는 없어진 이유는 말하지 않고,

"거, 잘 없어졌죠. 인전[8] 평양두 서울과 별루 지지 않습니다."

하는, 매우 자긍하는 말투였다.

현은 평양 여자들의 머릿수건이 보기 좋았다. 단순하면서도 흰 호접과 같이 살아 보였고, 장미처럼 자연스러운 무게로 한 송이 얹힌 댕기는, 그들의 악센트 명랑한 사투리와 함께 '피양내인'들만이 가질 수 있는 독특한 아름다움이었다. 그런 아름다움을 그 고장에 와서도 구경하지 못하는 것은, 평양은 또 한 가지 의미에서 폐허(廢墟)라는 서글픔을 주는 것이었다.

현은 을밀대(乙密臺)로 올라갈까 하다 비행장을 경계함인 듯, 총에 창을 꽂아 든, 병정이 섰는 것을 발견하고는 그냥 강가로 내려오고 말았다. 마침 놀잇배 하나가 빈 채로 내려오는 것을 불렀다. 주암산까지 올라갔다가 내려오자니까 거기는 비행장이 가까워 못 올라가게 한다고 한다. 그럼 노를 젓지는 말고 흐르는 대로 동일관까지 가기로 하고 배를 탔다.

---

7 분묘 무덤.
8 인전 '인제(이제에 이르러)'의 방언.

걸려 있을 뿐, 새 한 마리 앉아 있지 않았다. 고요한 그 속을 들어서서 다만 들어[?]나 찢는 것 같아 현(玄)은 축대 아래로만 어정거리며 다락을 우러러본다. 질펀하게 굵은 기둥들, 힘 내닫는 대로 밀어 던진 첨차[2]와 촛가지[3]의 깎음새들, 이조(李朝)의 문물(文物)다운 우직한 순정이 군데군데서 구수하게 풍겨 나온다.

다락에 비겨 대동강은 너무나 차다. 물이 아니라 유리 같은 것이 부벽루에서도 한 뼘처럼 들여다보인다. 푸르기는 하면서도 마름[水草]의 포기 포기 흐늘거리는 것, 조약돌 사이사이가 미꾸리라도 한 마리 엎디었기만 하면 숨 쉬는 것까지 보일 듯싶다. 물은 흐르나 소리도 없다. 수도국 다리를 빠져, 청류벽(淸流壁)을 돌아서는 비단 필이 훨쩍 펼쳐진 듯 질펀하게 깔려 나갔는데, 하늘과 물은 함께 저녁놀에 물들어 아득한 장미꽃밭으로 사라져 버렸다. 연광정(練光亭) 앞으로부터 까뭇까뭇 널려 있는 매생이와 수상선 들, 하나도 움직여 보이지 않는다. 끝없는 대동벌에 점점이 놓인 구릉(丘陵)들과 함께 자못[4] 유구한 맛이 난다.

현은 피우던 담배를 내어던지고 저고리 단추를 여미었다. 단풍은 이제부터 익기 시작하나 날씨는 어느덧 손이 시리다.

'조선 자연은 왜 이다지 슬퍼 보일까?'

현은 부여(扶餘)에 가서 낙화암(落花巖)이며 백마강(白馬江)의 호젓함을 바라보

---

1 편액 종이, 비단, 널빤지 따위에 그림을 그리거나 글씨를 써서 방 안이나 문 위에 걸어 놓는 액자.
2 첨차(檐遮) 삼포(三包) 이상의 집에 있는 꾸밈새. 초제공, 이제공 따위의 가운데에 어긋나게 맞추어 짠다.
3 촛가지 초제공, 이제공 따위에 쑥쑥 내민 쇠서받침.
4 자못 생각보다 매우.

나뭇잎처럼 물 가는 대로만 떠가는 배는 낙조[9]가 다 꺼져 버리고 강물이 어두워서야 동일관에 닿았다.

이 요릿집은 강물에 내민 바위를 의지하고 지어졌다. 뒷문에 배를 대고 풍악 소리 높은 밤 정자에 오르는 맛은, 비록 마음 어두운 현으로도 적이 흥취 도연해짐을[10] 아니 느낄 수 없다.

'먹을 줄 모르는 술이나 이번엔 사양치 말고 받어먹자[11]! 박을 위로해 주자!'
생각했다.

박은 김을 데리고 와 벌써 두 기생으로 더불어 자리를 잡고 있었다. 김의 면도 자리 푸른 살진 볼과 기생들의 가벼운 옷자락을 보니 현은 기분이 다시 한번 개인다.

"이 사람, 자네두 김 군처럼 면도나 좀 허구 올 게지?"

"허, 저런 색시들 반허게!"
하고 박은 씩 웃는다.

"그래 요즘 어떤가? 우리 김 부회 의원 나리?"

"이 사람, 오래간만에 만나 히야카시[12]부턴가?"

"자넨 참 늙지 않네그려! 우리 서울서 재작년에 만났던가?"

"그렇지 아마…… 내 그때 도시 시찰로 내지 다녀오던 길이니까…….'"

"참 자넨 서평양인지 동평양인지서 땅 노름에 돈 좀 잡았다데그려?"

"흥, 이 사람! 선비가 돈 말이 하관고?"

"별수 있나? 먹어야 배부르데."

"먹게, 오늘 저녁엔 자네가 못 먹나 내가 못 먹나 한번 해 보세."

"난 옆에서 경평대항전 구경이나 헐까?"

---

9 낙조 저녁에 지는 햇빛. 석양(夕陽).
10 도연하다 술에 취하여 거나하다. 또는 감흥 따위가 북받치다.
11 받어먹다 '받아먹다'의 잘못.
12 히야카시(ひやかし) 희롱이나 놀림을 뜻하는 일본 말.

"저이들은 응원하구요."

기생들도 박과 함께 말참례를 시작한다.

"시굴[13] 기생들 우숩지[14]?"

"우숩다니? 기생엔 여기가 서울 아닌가. 금수강산 정기들이 다르네!"

기생들은 하나는 방긋 웃고, 하나는 새침한다. 방긋 웃는 기생을 보니, 현은 문득 생각나는 기생이 하나 있다.

"여보게들?"

"그래."

"벌써 열둬 해 됐네그려? 그때 나 왔을 때 저 능라도에 가 어죽 쒀 먹던 생각 안 나?"

"벌써 그렇게 됐나 참."

"그때 그 기생이 이름이 뭐드라? 자네들 생각 안 나나?"

"오, 그렇지!"

비스듬히 벽에 기대었던 김이 놀라 일어나더니,

"이거 정작 부를 기생은 안 불렀네그려!"

하고 손뼉을 친다.

"아니, 그 기생이 여태 있나?"

"살았지 그럼."

"기생 노릇을 여태 해?"

"암."

"오라!"

하고 박도 그제야 생각나는 듯이 무릎을 친다.

그때도 현이 서울서 내려와서 이 세 사람이 능라도에 어죽 놀이를 차렸다. 한

---

13 시굴 '시골'의 방언.
14 우숩다 '우습다'의 방언.

기생이 특히 현을 따라, 그때만 해도 문학청년 기분이던 현은 영월의 손수건에 시를 써 주고 둘이만 부벽루를 배경으로 하고 사진을 다 찍고 하였었다.

"아니, 지금 나이 몇 살일 텐데 아직 기생 노릇을 해? 난 생각은 나두 이름두 잊었네."

"그러게 이번엔 자네가 제발 좀 데리구 올라가게."

"누군데요?"

하고 기생들이 묻는다.

"참, 이름이 뭐드라?"

박도,

"이름은 나두 생각 안 나는걸……."

하는데 보이가 온다.

"기생, 제일 오랜 기생, 제일 나이 많은 기생이 누구냐?"

보이는 멀뚱히 생각하더니 댄다.

"관옥인가요? 영월인가요?"

"오! 영월이다 영월이. 곧 불러라."

현은 저윽 으쓱해진다. 상이 들어왔다. 술잔이 돌아간다.

"그간 술 좀 뱄나?"

박이 현에게 잔을 보내며 묻는다.

"웬걸…… 술이야 고학할[15] 수 있던가, 어디……."

"망할 자식 가긍허구나[16]! 허긴 너이 따위들이 밤낮 글 써야 무슨 덕분에 술 차례가 가겠니! 오늘 내 신세지……."

"아닌 게 아니라……."

하고 김이 또 현에게 잔을 내어 밀더니,

---

15 고학하다 학비를 스스로 벌어서 고생하며 배우다.
16 가긍하다 불쌍하고 가엾다.

"현 군도 인젠 방향 전환을 허게."

한다.

"방향 전환이라니?"

"거 누구? 뭐래던가 동경 가 글 쓰는 사람 있지?"

"있지."

"그 사람 선견이 있는 사람야!"

하고 김은 감탄한다.

"이 자식아, 잔이나 받아라. 듣기 싫다."

하고 현은 김의 잔을 부리나케 마시고 돌려보낸다.

박이 다 눈두덩을 내려 쓸도록 모두 얼근해진 뒤에야 영월이가 들어섰다. 흰 저고리 옥색 치마, 머리도 가림자[17]만 약간 옆으로 탔을 뿐, 시체 기생들처럼 물들이거나 지지거나 하지 않았다. 미닫이 밑에 사뿐 앉더니 좌석을 획 둘러본다. 김과 박은 어쩌나 보느라고 아무 말도 않고 영월과 현의 태도만 번갈아 살핀다. 영월의 눈은 현에게서 무심히 스쳐 지나 박을 넘어뛰어 김에게 머무르더니,

"영감, 오래간만이외다그려."

하고 쌍긋 웃는다.

"허! 자네 눈두 인젠 무댔네그려! 자넬 반가워할 사람은 내가 아냐."

"기생이 정말 속으로 반가운 손님헌텐 인살 안 한답니다."

하고 슬쩍 다시 박을 거쳐 현에게 눈을 옮긴다.

"과연 명기로군! 척척 받음 수가……."

하고 김이 먼저 잔을 드니 영월은 선뜻 상머리에 나앉으며 술병을 든다.

웃은 지 오래나 눈 속은 그저 웃는 것이 옛 모습일 뿐, 눈시울에 거무스름하게 그림자가 깃들인 것이나 볼이 홀쭉 꺼진 것이나 입술이 까시시 메마른 것은

---

17 가림자 '가르마'의 잘못.

너무나 세월이 자국을 깊이 남기고 지나갔다.

"자네, 나 모르겠나?"

현이 담배를 끄며 묻는다.

"어서 잔이나 드시라우요."

잔을 드는 현과 눈이 마주치자 영월은 술이 넘는 것도 모르고 얼굴을 붉힌다.

"자네도 세상살이가 고단한 걸세그려?"

"피차일반인가 봅니다. 언제 오셨나요?"

하고 현이 마시고 주는 잔에 가득히 붓는 대로 영월도 사양하지 않고 받아 마신다.

"전엔 하얀 나비 같은 수건을 썼더니……."

"참, 수건이 도루 쓰고퍼요."

"또 평양말을 더 또렷또렷하게 잘했었는데……."

"손님들이 요샌 서울말을 해야 좋아한답니다."

"그깟 놈들…… 그런데 박 군? 어째 평양 와수건 쓴 걸 볼 수 없나?"

"건 이 김 부회 의원 영감께 여쭤볼 문젤세. 이런 경세가(經世家)들이 금령[18]을 내렸다네."

"그렇다드군 참!"

"누가 아나 빌어먹을 자식들……."

"이 자식들아, 너이야말루 빌어먹을 자식들인 게…… 그까짓 수건 쓴 게 보기 좋을 건 뭐며 이 평양부 내만 해두 1년에 그 수건값 허구 당기[19]값이 얼만지 알기나 허나들?"

하고 김이 당당히 허리를 펴고 나앉는다.

---

18 금령 어떤 행위를 하지 못하게 하는 법령.
19 당기 '댕기'의 방언. 여자의 길게 땋은 머리끝에 드리는 끈이나 헝겊.

"100만 원이면? 문화 가치를 모르는 자식들……."

"그러니까 너이 글 쓰는 녀석들은 세상을 모르구 산단 말이야."

"주저넘은 자식…… 조선 여자들이 뭘 남용을 해? 예펜네[20]들 모양 좀 내기루? 예펜넨 좀 고와야지."

"돈이 드는걸……."

"흥! 그래 집 안에서 죽두룩 일해, 새끼 나 길러, 사내 뒤치개질해…… 그리고 1년에 당기 한 감 사 매는 게 과하다? 아서라, 사내들 술값, 담뱃값은 얼만지 아나? 생활 개선, 그래 예펜네들 수건값이나 당기값이나 졸여 먹구? 요 푼푼치 못한 경세가들아? 저인 남용할 것 다 허구……."

"망할 자식, 말버릇 좀 고쳐라…… 이 자식아, 술이란 실사회선 얼마나 필요한 건지 아니?"

"안다. 술만 필요허냐? 고유한 문환 필요치 않구? 돼지 같은 자식들…… 너이가 진줄 알 수 있니…… 허……."

"히도오 바가니 수르나 고노야로[21]……."

"너이 따원 좀 바가니시데모 이이나[22]……."

"나니?"

"나닌 다 뭐 말라빠진 거냐? 네 술 좀 먹기루 이 자식, 내 헐 말 못 헐 놈 아니다. 허긴 너헌테나 분풀이다만……."

하고 현은 트림을 한다.

"이 사람들 고걸 먹구 벌써 취했네그려."

박이 이쑤시개를 놓고 다시 잔을 현에게 내민다. 김은 잠자코 안주를 집는 체한다.

---

20 **예펜네** '여편네'의 방언. 결혼한 여자를 낮잡아 이르는 말.
21 **히도오 바가니 수르나 고노야로** 일본 말로 '사람 우습게 보지 마라, 이 자식.'을 의미한다.
22 **바가니시데모 이이나** 일본 말로 '깔봐도 좋다.'를 의미한다.

오래 해 먹어서 손님들 기분에 눈치 빠른 영월은 보이를 부르더니 장구를 가져오게 하였다. 척 장구채를 뽑아 잡고 저쪽 손으로 먼저 장구 전두리[23]를 뚱땅 울려 보더니,

"어-따 조오쿠나 이십-오-현 탄-야월⋯⋯."

하고 불러 내기 시작한다. 현은 물끄러미 영월의 핏줄 일어선 목을 건너다보며 조끼 단추를 끌렀다. 부들부들 떨리는 손으로 상머리를 뚜드려 본다. 그러나 자기에겐 가락이 생기지 않는다.

"에-헹-에-헤이야-하 어-라 우겨-라 방아로구나⋯⋯."

하고 받는 사람은 김뿐이다. 현은 더욱 가슴속에서만 끓는다. 이런 땐 소리라도 한마디 불러 내었으면 얼마나 속이 시원하랴 싶어진다. 기생들도 다른 기생들은 잠잠히 앉아 영월의 입만 쳐다본다. 소리가 끝나자 박은,

"수고했네."

하고 영월에게 술 한 잔을 권하더니 가사를 하나 부르라 청한다. 영월은 사양치 않고 밀어 놓았던 장구를 다시 당기어 안더니,

"일조-오-나앙군⋯⋯."

불러 낸다. 박은 입을 씻고 씻고 하더니 곡조는 서투르나 그래도 꽤 어울리게 이런 시 한 구를 읊어서 소리를 받는다.

"각하-안-산-진 수궁처⋯⋯ 임-정-가고옥-역난위를⋯⋯."

박은 눈물이 글썽해 후- 한숨으로 끝을 맺는다.

자리는 다시 찬비가 지나간 듯 호젓해진다. 김은 보이를 부르더니 유성기[24]를 가져오라 한다. 재즈를 틀어 놓더니 그제야 다른 두 기생은 저희 세상인 듯 번차[25] 김과 마주 잡고 댄스를 추는 것이다.

---

23 전두리 둥근 그릇의 아가리에 둘려 있는 전의 둘레. 또는 둥근 뚜껑 따위의 둘레의 가장자리.
24 유성기 원통형 레코드 또는 원판형 레코드에 녹음한 음을 재생하는 장치.
25 번차 번을 드는 차례. 번갈아.

"영월이?"

영월은 잠자코 현의 곁으로 온다.

"난 자넬 또 만날 줄은 몰랐네, 반갑네."

"저 같은 걸 누가 데려가야죠?"

"눈이 너머[26] 높은 게지?"

"네?"

유성기 소리에 잘 들리지 않는다.

"눈이 너머 높은 게야?"

"천만에…… 그간 많이 상허셨세요."

"응?"

"많이 상허셨세요."

"나?"

"네."

"자네가 그리워서……."

"말씀만이라두……."

"허!"

댄스가 한 곡조 끝났다. 김은 자리에 앉으며 현더러,

"기미모 오도레[27]."

한다.

"난 출 줄도 모르네. 기생을 불러 놓고 딴스[28]나 하는 친구들은 내 일찍부터 경멸하는 발세."

"자네처럼 마게오시미 쓰요이[29]한 사람두 없을 걸세. 못 추면 그냥 못 춘대

---

26 너머 '너무'의 방언.
27 기미모 오도레 일본 말로 '너도 춤춰라.'를 의미한다.
28 딴스 댄스(dance). 서양식 사교춤을 이르는 말.
29 마게오시미 쓰요이 일본 말로 '고집이 센'을 의미한다.

지……."

"흥! 지기 싫어서가 아닐세. 끌어안구 궁뎅이 짓이나 허구, 유행가 나부랭이[30]
나 비명을 허구, 그게 기생들이며 그게 놀 줄 아는 사람들인가? 아마 우리 영월
인 딴슬 못할 걸세. 못하는 게 아니라 안 할걸?"

"아이! 영월 언니가 딴슬 어떻게 잘하게요."
하고 다른 기생이 핼깃 쳐다보며 가로챈다.

"자네두 그래 딴슬 허나?"

"잘 못한답니다."

"글쎄, 잘허구 못허구 간에?"

"어쩝니까? 이런 손님 저런 손님 다 비월 맞추자니까요."

"건 왜?"

"돈을 벌어야죠."

"건 그리 벌기만 해 뭘 허누?"

"기생일수룩 제 돈이 있어야겠습니다."

"어째?"

"생각해 보시구려."

"모르겠는데? 돈 많은 사내헌테 가면 되지 않나?"

"돈 많은 사내가 변심 않구 나 하나만 다리고 사나요?"

"그럴까?"

"본처나 되면 아무리 남편이 오입[31]을 해두 늙으면 돌아오겠지 하구 자식 낙
이나 보면서 살지 않어요? 기생야 그 사람 하나만 바라고 갔는데 남자가 안 들
어와 봐요? 뭘 바라고 삽니까? 그리게 살림 들어갔다 오래 사는 기생이 몇 됩니
까? 우리 기생은 제가 돈을 파서 돈 없는 사낼 얻는 게 제일이랍니다."

---

30 나부랭이 어떤 부류의 사람이나 물건을 낮잡아 이르는 말.
31 오입 남자가 아내가 아닌 여자와 성관계를 가지는 일.

"야! 언즉시야[32]라 거 반가운 소리구나!"

하고 박이 나앉는다. 그리고,

"난 한 푼 없는 놈이다, 직업두 인젠 벤벤[33]치 못하다. 내 예펜네라야 늙어서 바가지두 긁지 않을 거구, 자네 돈 봤으면 나하구 살세?"

하고 영월의 손을 끌어당긴다.

"이 사람, 영월인 현 군 걸세."

"참, 돈 가진 기생이나 얻는 수밖에 없네 인젠……."

하고 현도 웃었다.

"아닌 게 아니라 자네들 이제부턴 실속 채려야[34] 하네."

하고 김은 힐끗 현의 눈치를 본다.

"더러운 자식!"

"홍 너이가 아무리 꼬장꼬장한 체해야……."

"뭐 이 자식……."

하더니 현은 술을 깨려고 마시던 사이다 컵을 김에게 사이다째 던져 버린다. 깨지고 뛰고 하는 것은 유리컵만이 아니다. 기생들이 그리로 쏠린다. 보이들도 들어온다.

"이 자식? 되나 안 되나 우린 우린…… 이래 봬두 우리……."

하고 현의 두리두리해진 눈엔 눈물이 핑 – 어리고 만다.

"이런 데서 뭘…… 이 사람 취했네그려, 나가 바람 좀 쐬게."

하고 박이 부산한 자리에서 현을 이끌어 현은 담배를 하나 집으며 복도로 나왔다.

"이 사람아? 김 군 말쯤 고지식하게 탈할 게 뭔가?"

"후……."

---

32 언즉시야(言則是也) 말이 사리에 맞음.
33 벤벤 '변변(제대로 갖추어져 충분함)'의 방언.
34 채리다 '차리다'의 방언.

는 아이에게 별로 신경을 쓰지 않았다. 그런데 어느 날 밤 어두컴컴한 할머니 방에서 밥을 퍼먹는 아이를 보고는 깜짝 놀라 걸음을 멈추었다. "이상하네." 나는 혼잣말을 했다. 하지만 그게 어떤 의미였는지는 확실치 않았다. 그러고 나서 나는 한 번 더 "이상하다."고 중얼거렸다. 그의 모습에서 뭔가 짚이는 데가 있는 것 같은데 좀처럼 생각이 나지 않는 것이었다. 잔뜩 웅크린 등이며 얼굴, 입 모양, 젓가락질하는 것까지 왠지 낯이 익었다. 마침내 나는 숨이 막힐 것 같아서 잠자코 아이의 옆을 떠났다. 하지만 그 뒤에도 아이에 관해 그다지 신경을 쓴 것은 아니었다. 그러다가 아이와 나 사이에 정말 이상한 일 하나가 일어났다.

그 무렵 나는 S대학 협회에 더부살이[1]를 하고 있었다. 내가 하는 일이라곤 그곳의 시민교육부에서 야간에 두 시간씩 영어를 가르치는 정도였다. 하지만 장소가 코오토오〔江東〕에 가까운 공장가이고 배우러 오는 이들도 노동자들이어서 두 시간 수업도 힘이 들었다. 낮에 하는 일 때문에 녹초가 되어 있는 사람들을 가르치는 것이니 이쪽에서 여간 긴장해 있지 않으면 다들 꾸벅꾸벅 졸아 대기 십상이었기 때문이다.

야간반 중에서 활기가 있는 것은 역시 어린아이들이었다. 우리 교실 바로 아래가 아이들 방이어서 언제나 와와 하는 소란스러운 소리가 들려오곤 했다. 내 반 학생들은 그 소리에 놀라서 자세를 다잡곤 하는 형편이었다. 낡은 피아노가 딩동 하고 울리기 시작하면 아이들은 일제히 "우리 씩씩하게 어서 자라자." 하는 노래를 목청껏 불러 대어 지붕이라도 날려 버릴 기세였다.

'이제 시간 됐구나.' 하는 생각을 하기가 무섭게 이번에는 콩이라도 볶는 듯한 소동이 한바탕 벌어진다. 아이들이 앞다투어 계단을 뛰어 올라오는 것이다. 수업을 마치고 교실을 나서려던 나는 순식간에 아이들에게 붙잡혀 비둘기 기르는 영감 꼴이 되는 것이다. 한 녀석은 어깨 위로 기어오르고 다른 녀석은 팔에

---

1 더부살이 남의 집에서 먹고 자면서 일을 해 주고 삯을 받는 일. 또는 남에게 얹혀사는 일.

매달리고 또 한 녀석은 내 앞에서 팔짝팔짝 뛰고 있는 식이다. 다른 몇 명은 내 옷이나 손을 잡아당기고 뒤에서 소리를 치며 나를 밀어 대면서 내 방까지 온다. 방문을 열려고 하면 미리 들어가 기다리고 있던 녀석들이 문을 열지 않으려고 안간힘을 쓴다. 이쪽에서는 아이들이 개미처럼 달라붙어 문을 열려고 낑낑댄다. 이럴 때면 으레 옆에서 야마다 하루오가 훼방을 놓는 것이다.

"내버려 둬, 내버려 두라니까. 아아아—."

하고 소리를 질러 대며 내 코앞에서 신나게 익살맞은 춤을 추는 것이다. 마침내 이쪽이 개가를 올리며 방 안으로 몰려들어 가면 방 안에서 아까부터 기다리고 있던 여자아이 예닐곱이 와! 하며 기뻐한다.

"미나미(南) 선생님! 미나미 선생님!"

"나도 안아 줘요."

"나도."

"나도."

그러고 보니 나는 여기서 어느샌가 미나미 선생으로 통하고 있었다. 내 성은 물론 남(南)가라고 불러 마땅하건만 여러 가지 이유에서 일본 이름처럼 불리고 있었던 것이다. 내 동료들이 먼저 그런 식으로 부르기 시작했다. 나는 처음에 그런 호칭이 몹시 마음에 걸렸다. 하지만 나중에는 이렇게 아무것도 모르는 천진한 아이들과 어울리기 위해서는 오히려 그 편이 좋을지도 모르겠다는 생각을 하게 되었다. 따라서 나는 스스로에게 이것은 위선도 아니고 비굴한 것도 아니라는 사실을 거듭해서 타이르듯 해 왔다. 또한 만일 이 아이들 중에 조선 아이가 있었더라면 말할 것도 없이 나는 고집을 부려서라도 나를 남이라고 부르도록 했으리라고 자신에게 변명을 하기도 했다. 그것은 조선 아이에게도 내지 아이들에게도 감정적으로 나쁜 영향을 끼칠 것이 틀림없을 것이기에.

그런데 어느 날 밤, 아이들과 함께 놀고 있는데 내 학생 중 하나가 새하얗게 질린 듯한 얼굴로 들어왔다. 그는 자동차 조수를 하면서 밤에는 영어나 수학을 배우러 오는 이(李) 아무개라는 건장한 젊은이였다. 그는 문을 닫더니 싸움이라도 걸듯이 내 앞에 버티고 섰다.

"선생님."

조선말이었다.

나는 흠칫했다. 아이들은 무슨 뜻인지도 모르면서 험악한 분위기에 기가 눌려 그와 나의 얼굴을 번갈아 바라보고 있었다.

"자, 나중에 또 놀자. 선생님은 지금부터 볼일이 있거든."

나는 침착하려 애쓰며 입가에 미소까지 지어 보였다.

아이들은 고분고분 밖으로 나갔다. 하지만 야마다 하루오의 눈초리만은 이상한 광채를 띠고 뭔가 캐내려는 듯이 나를 말끄러미 쏘아보고 있었다. 나는 아직도 그 희미하게 빛나던 눈길을 잊을 수가 없다. 그는 게처럼 옆 걸음질을 쳐 이곳저곳에 부딪혀 가며 마지못해 천천히 빠져나갔다.

"자, 앉아요."

나는 둘만 남게 되었을 때 조용히 조선말로 이야기했다.

"어쩌다 보니 둘이서만 이야기를 나눌 기회도 없었군요."

"그래요."

이 군은 선 채로 부르짖듯 말했다.

"나는 사실 어느 쪽 말로 말을 걸어야 할지조차 몰랐어요."

그의 말속에는 젊은이다운 분노가 넘쳐 나고 있었다.

"나는 물론 조선 사람이오."

라는 자신의 대답이 어쩐지 약간 떨리고 있는 듯했다. 틀림없이 내 성이 마음에 걸려서였을 것이다. 그리고 이렇게 태연할 수 없다는 것이 바로 자신에게 비굴한 부분이 있었다는 증거일지도 모른다. 나는 약간 허둥거리며 이렇게 묻고 말았다.

　"뭔가 마음에 거슬리는 일이라도 있었나요?"

　"있어요."

그는 사납게 대답했다.

　"어째서 선생님 같은 분들까지 이름을 숨기려 드는 거죠?"

나는 갑자기 말문이 막혔다.

　"진정하고 앉읍시다."

　"어째서인지 저는 그걸 묻고 있는 거예요. 나는 선생님의 눈이나 광대뼈, 콧등을 보고 조선 사람이 틀림없다고 생각했어요. 하지만 선생님은 그런 낌새를 전혀 보이지 않았죠. 나는 자동차 조수 노릇을 하고 있어요. 오히려 나 같은 일을 하는 사람이 성 때문에 여러 가지 불쾌한 일들을 당할 거라고 생각해요. 그렇지만……."

그는 감정이 북받쳐 말을 더듬기 시작했다. 도대체 이렇게까지 흥분할 이유가 뭘까.

　"그렇지만 나는 그럴 필요를 느끼지 않습니다. 나는 꿀릴 것도 없고 비굴한 짓을 하고 싶지도 않다는 거죠."

　"옳아요."

나는 약간 신음 섞인 소리로 말했다.

　"나도 그 말에 동감이에요. 다만 나는 아이들과 유쾌하게 지내고 싶었을 따름이라오."

복도에서는 아이들이 여전히 소란을 피우며 이따금 문을 열고는 콧물이 매달린 얼굴로 들여다보기도 하고 눈을 감고 혓바닥을 내밀어 보이기도 했다.

"만일 내가 조선 사람임을 밝힌다면 저 아이들이 나를 대할 때 애정 말고 다른 것, 나쁜 의미에서의 호기심이라고나 할까 어쨌든 뭔가 다른 것이 앞서게 되겠지요. 그것은 우선 선생으로서 섭섭한 일입니다. 아니, 두려운 일이라고 해야겠군요. 그렇다고 해서 내가 조선인이라는 사실을 굳이 감추려는 것은 아니었고 그저 남들이 다들 그런 식으로 나를 불렀던 거라오. 또한 나도 새삼스럽게 나는 조선인이다, 하고 떠들고 다닐 필요를 느끼지 못했던 거고. 어쨌든 자네에게 조금이라도 그런 인상을 주었다면 할 말이 없구려……."

라고 말했을 때, 문을 열고 들여다보고 있던 아이들 속에서 한 아이가 갑자기 큰 소리로 외쳤다.

"그렇구나, 선생님은 죠오센징[2]이다!"

야마다 하루오였다. 그 순간 복도는 물을 뿌린 듯 조용해졌다. 나도 잠시 동안 당황할 수밖에 없었다. 나는 억지로 마음을 가라앉히며 말했다.

"여하간 다시 만나서 천천히 이야기합시다."

이 군은 손을 부들부들 떨면서 나갔다. 야마다를 비롯한 두세 아이가 달아나는 모양이었다. 나는 하릴없이 멍하니 서 있었다. 한순간 나야말로 위선자가 아닌가 하는 생각이 번개처럼 스쳐 지나갔다. 계단 아래서 종소리가 땡땡 하고 울렸다. 아이들이 재잘거리며 구름 떼처럼 몰려 내려가는 소리가 어딘가 먼 곳에서 들려오는 것처럼 어렴풋이 들렸다. 문이 살그머니 열리더니 발소리를 죽이고 다가온 야마다가 등을 구부리고 문틈으로 방 안을 들여다보았다. 그러더니

"어이, 죠오센징!"

하며 혓바닥을 쏙 내밀어 보이고는 쫓기듯이 달아나 버렸다.

그때부터, 야마다는 점점 더 심술궂게 나를 괴롭혔다. 내가 그 아이에게 한층

---

2 죠오센징 '조선인(ちょうせんじん)'의 일본식 발음으로, 일본인들이 한국인에 대한 멸시의 의미를 담아 사용하였다.

주의를 기울이게 된 것은 이날 이후였다.

　하긴 그러고 보니 그 아이는 벌써 오래전부터 의혹의 눈으로 나를 감시하느라 내게 달라붙어 있었던 것 같기도 했다. 어쩌다 내가 이야기 도중에 말꼬리 같은 것에 걸려 혀가 제대로 돌지 않는다든가 할 때 그것을 흉내 내며 웃어 대곤 하는 것도 그 아이였다. 그는 처음부터 내가 조선 출신이라는 것을 눈치채고 있었음이 틀림없다. 그러면서도 아이는 언제나 내 곁을 맴돌고 내 방에 와서는 곧잘 말썽도 부리곤 했다. 그것은 아이가 나에게 일종의 애정 같은 것을 느끼고 있어서였을까? 그런데 그 일 이후 아이는 나를 몹시 경원하는[3] 듯 좀처럼 가까이 다가오지는 않으면서 주변을 빙빙 도는 것은 전보다 더했다. 언제든지 내가 무슨 실수라도 저지르기만 하면 한쪽 구석에서 좋아하려고 심술궂게 노리고 있는 것처럼. 하지만 나는 어느 누구에 못지않을 애정 어린 태도로 그를 대했다. 나는 어떻게든 그를 달래고 싶었던 것이다. 그리고 될 수 있는 대로 그 아이를 연구하여 서서히 지도해 가기로 마음먹었다. 나는 우선 이렇게 생각했다. 가난한 그 아이의 집은 지금까지 조선에 이주해서 살고 있었다. 그때에 아이도 외지(外地)에 건너간 다른 아이들과 마찬가지로 비뚤어진 우월감을 길러 가지고 돌아왔을 것이 틀림없다고. 그러나 마침내 어느 날 나는 더 이상 참지 못하고 노발대발 화를 내고 말았다. 그때도 나는 아이들 방으로 내려와 그들과 함께 놀고 있었는데 야마다는 부러 그러는 것처럼 내 쪽을 두어 번 살피더니 갑자기 아무것도 아닌 일로 화를 내면서 옆에 있던 어린 여자아이를 잔인할 정도로 팔을 휘둘러 가며 때렸던 것이다. 여자아이는 울면서 달아났다. 야마다는 그 아이를 쫓아가며

　"죠오센징 자바레, 자바레!"

하고 소리를 쳤다.

　'자바레'는 잡아라라는 뜻으로 한 말이겠지만 이는 조선에 사는 일본 이주민

---

3 경원하다 공경하되 가까이하지는 아니하다.

들이 곧잘 쓰는 말이다. 물론 달아난 여자아이는 조선인이 아니었다. 나더러 들으라고 한 소리일 것이다. 나는 달려가서 야마다의 먹살을 잡고는 앞뒤 가릴 것 없이 따귀를 후려쳤다.

"못된 놈 같으니라구, 무슨 짓을 하는 거야?"

야마다는 입을 다물고 아무 말도 하지 않았다. 그저 등신같이 내가 하는 대로 가만히 있었다. 울지도 않았다. 그저 거친 숨을 씩씩거리면서 빤히 내 얼굴을 올려다보고 있을 뿐이었다. 유난히 눈자위가 희어 보였다. 아이들은 내 옆을 둘러싼 채 마른침을 삼키고 있었다. 아이의 눈에 문득 눈물 한 방울이 맺히는 듯했다. 하지만 아이는 조용히 눈물을 삼키는 듯한 목소리로 소리쳤다.

"죠오센징, 바까(바보)!"

2

원래 S협회는 테이꼬꾸[帝國]대학[4] 학생이 중심을 이루고 있는 일종의 사회사업 단체로 그 안에는 탁아부라든가 어린이부를 비롯하여 시민교육부, 구매조합, 무료의료부 등이 있어서 이 빈민 지대에서는 친근한 단체였다. 젖먹이들이나 어린이들을 위해서는 물론이고 일상생활의 자질구레한 것들에 이르기까지 그야말로 끊을 수 없는 긴밀한 관계를 가지고 있었던 것이다. 그리고 여기 다니고 있는 아이들의 어머니들 사이에는 '어머니회'도 조직되어 있어서 서로 정신적인 교류나 친목을 나누기 위해 한 달에 두어 번씩 모이곤 했다. 하지만 야마다 하루오의 어머니는 지금까지 단 한 번도 얼굴을 비친 적이 없었다. 자기 아이가 밤늦게까지 여기 와서 놀고 있다는 것을 안다면 다른 어머니들처럼 관계되는 대학생들에 대한 따스한 감사의 정이 있어서는 아닐망정 부모로서 자기 아이가 걱정되어서라도 가끔씩 얼굴을 내밀지 않겠는가. 나는 이 유별난 아이에게 관

---

4 테이꼬꾸대학 일본 제국대학을 일컬음.

심을 가짐과 동시에 이러한 그의 가정부터 알아봐야겠다고 생각했다.

오래지 않아 사흘 연휴가 있는 주말을 이용해서 어린아이들이 어느 고원(高原)⁵에 야영을 가게 되었을 때, 나는 야마다를 내 방으로 불렀다. 나는 이 아이가 지금까지 이런 기회에 한 번도 참가하지 못했다는 것을 알고 있었다.

"어때, 너도 갈래?"

소년은 고집스레 입을 다물고 있었다. 이 아이는 이런 경우 이쪽에서 아무리 다정하게 굴어도 항상 의심하려 들었다.

"이번엔 너도 가자, 응?"

"……."

"왜 그래? 너도 어머니를 한번 모시고 와. 아버지라도 좋고. 아무튼지 학부형이 오셔서 승낙을 하면 되니까."

"……."

"모시고 올래?"

야마다는 고개를 저었다.

"그럼 안 갈 거야?"

"……."

"비용은 선생님이 대 줄게."

아이는 공허한 눈으로 나를 올려다보았다.

"그렇게 하자."

"……."

"아니면 선생님이 너희 집에 함께 가서 이야기해 줄까?"

아이는 당황한 듯이 또 고개를 저었다.

"하지만 사흘씩이나 자고 오는데 아버지 어머니의 허락을 받아야 할 거 아

---

5 고원 보통 해발 고도 600미터 이상에 있는 넓은 벌판.

니니?"

"선생님도 산에 가요?"

그때에야 소년은 뜬금없이 물었다.

"안 가요?"

"응 선생님은 못 가. 이번엔 여기 남아야 할 것 같거든."

"그럼 나도 안 갈래요."

아이는 보일 듯 말 듯한 미소를 입가에 띠며 말했다.

"그건 또 왜?"

그러자 아이는 히이 하며 이를 드러내고 백치처럼 턱을 쑥 내밀었다.

이렇게 해서 나는 언제부터 한번 그 아이의 집을 찾아가고 싶다고 생각은 하면서도 결국은 그럴 기회가 없었다. 아이는 웬일인지 그럴 틈을 주지 않는 것이었다.

마침내 토요일이 되어 S협회 어린이부의 100여 명의 아이들은 기쁨에 설레며 줄을 지어 우에노[上野]역으로 갔지만 그 시간이 되도록 야마다는 역시 나타나지 않았다. 잠시 후 볼일이 있어 옥상에 올라간 나는 놀라지 않을 수 없었다. 빨랫줄을 매어 놓은 기둥에 기대어 선 야마다 하루오가 멀어져 가는 아이들의 행렬을 바라보고 있었던 것이다. 나는 눈시울이 뜨거워지는 것을 느꼈다. 인기척을 듣고 돌아본 아이는 몹시 당황한 모양이었다. 나는 억지로 웃음을 지으며 아이의 어깨를 살며시 안아 주었다.

"저기 좀 보렴. 애드벌룬이 떠 있지?"

"예."

아이는 기어들어 가는 소리로 대답했다. 검게 그은 굴뚝들과 칙칙한 건물들 너머로 멀리 보이는 우에노공원 언저리에 꼬리를 끌며 애드벌룬 두어 개가 떠 있었다. 나는 문득 아이의 마음을 따스하게 어루만져 주고 싶었다.

"얘, 하루오야. 이제부터는 선생님도 한가하니까 우리 함께 우에노에라도 갔다 올까?"

아이는 올려다보며 씨익 웃었다.

"자, 가자. 선생님은 학교에도 볼일이 있으니 마침 잘됐다."

학교에 볼일이 있다는 것은 물론 거짓말이었다. 그렇게 마음에도 없는 소리를 할 만큼 나는 내심 야마다를 껄끄러워하며 신경을 쓰고 있었던 것일까?

"아니?"

아이는 눈을 커다랗게 떴다.

"선생님도 테이꼬꾸대학이란 말예요?"

아이는 정말 놀란 모양이었다.

"조선인도 넣어 줘요?"

"그럼, 누구든지 들어갈 수 있지. 시험에만 붙으면……."

"거짓말 마세요. 우리 학교 선생님이 그랬어요. '요놈의 죠오센징 어쩔 수가 없군. 소학교에 넣어 준 것만도 고맙게 생각해라.'"

"원, 세상에 그런 말을 하는 선생님도 있어? 그래서 그 학생이 울었니?"

"울기는 왜 울어요? 안 울었어요."

"그래? 그 아이 이름이 뭐니? 언제 한번 선생님에게 데려오렴."

"싫어요."

아이는 다급하게 말했다.

"그런 애 없어요, 없다구요."

"이상한 소리를 하는구나."

"아무한테나 말할 수 없어요, 아무것도 아니에요."

아이는 열심히 자기가 한 말을 부정하려 들었다. 정말 묘한 아이라고 나는 생각했다. 그리고 그와 거의 동시에 어쩌면 이 아이가 조선인이 아닐까 하는 생각이 느닷없이 떠올랐다. 나는 놀란 듯이 아이의 얼굴을 뚫어지게 쳐다보았다. 아이는 얼굴이 굳어져 경계하듯이 뒷걸음질쳤다. 그러고는 서둘러 계단을 뛰어

내려가면서 외쳤다.

"가서 모자 쓰고 올게요."

나는 그저 고개를 흔들며 계단을 내려왔다.

하지만 내가 현관문 가까이까지 계단을 내려왔을 때 아래쪽에서 예사롭지 않을 일이 벌어졌다는 것을 알았다. 의료부의 의사와 간호부, 구매조합의 남자들이 숨을 죽이고 밀치락거리며[6] 현관문에 붙여 세워 놓은 자동차에서 초라한 옷차림의 한 아낙네를 들어 옮기고 있었던 것이다. 그 뒤를 조수인 이 군이 몹시 흥분한 듯이 어깨로 숨을 몰아쉬며 들어오는 것이 보였다. 아낙네의 머리는 피투성이가 된 채 뒤로 툭 떨구어져 있었다. 하루오가 그 옆에서 부들부들 떨며 몇 걸음 따라오다 말고 나를 보더니 흠칫하며 그 자리에 멈춰 섰다. 나는 서둘러 이 군 쪽으로 다가가서 어떻게 된 일이냐고 걱정스럽게 물었다. 그러자 그는 이를 갈 듯이 하며 외쳤다.

"남편이 칼로 찔렀어요."

의료부 입구에서 웅성거리던 사람들이 모두 놀라 그를 돌아보았다.

"저 아주머니는 조선 사람이고 남편은 내지인인데 이게 완전히 악당이에요."

그러면서 손수건으로 목덜미를 닦으려던 그는 한쪽에서 머뭇거리고 있는 야마다 하루오를 보더니 무서운 기세로 소년에게 달려들었다.

"바로 이 녀석이야. 이 녀석의 애비라구."

그는 야마다의 멱살을 잡아 비틀면서 마치 범인이라도 잡은 듯이

"이놈의, 이놈의……."

하며 입에 거품을 물고 부르짖었다. 그 소리는 흥분 때문에 거의 울음소리에 가까웠다.

야마다는 몹시 고통스러운 듯 비명을 질러 가며

---

6 밀치락거리다 '자꾸 밀치다.'라는 뜻의 방언.

"아니야, 아니라구."

하고 외쳤다.

"죠오센징 같은 건 우리 엄마가 아냐! 아니라구, 아냐!"

남자들이 사이에 들어 겨우 두 사람을 떼어 놓았다. 나는 그저 멍하니 서 있었다. 이 군은 격노해서 다시 달려들더니 야마다의 등짝을 힘껏 걷어찼고 하루오는 비틀거리며 나에게 안겨 왔다. 그러더니 와 하고 울음을 터뜨렸다.

"나는 죠오센징이 아니야. 나는 죠오센징이 아니에요, 그렇죠? 선생님."

나는 아이를 꼭 껴안아 주었다. 내 눈에 뜨거운 것이 괴어오르는 것을 느꼈다. 이 군의 악에 받친 듯한 난폭함도 또한 이 소년의 애처로운 울부짖음도 나는 어느 쪽도 나무랄 수가 없었다. 나는 그 자리에 고꾸라질 것만 같았다. 할머니가 일단 하루오를 데리고 나가자 겨우 그 자리가 가라앉았다. 이 군은 여러 사람 앞에서 고함지르듯 말했다.

"저 녀석의 애비란 작자는 사람 축에 못 끼는 도박꾼이오. 바로 얼마 전에 감옥에서 나왔지. 그동안에 저 가엾은 아주머니가 제대로 먹지도 입지도 못하면서 얼마나 고생했는지 모른다오. 그동안 이웃사촌이라고 늘상 우리 집으로 밥을 얻으러 오곤 했죠. 그런데 그 악당 같은 놈이 감옥에서 나오더니 제 여편네가 우리 집에 다녔다고 트집을 잡아서는 저 꼴로 만들어 놓은 거예요. 살아나지 못할 거예요, 못 산다구요."

그는 힝 하고 코를 풀었다. 의료실에서 사람이 나와 조용히 하라고 했다. 나는 그를 조금 떨어진 곳으로 데리고 가며 물었다.

"야마다 하루오네 집을 알고 있겠군요?"

"알고 말고 할 것도 없어요."

그는 치가 떨린다는 듯이 말했다.

"그놈도 역 뒤의 습지에 살고 있으니까요."

"그래요, 정말 지독하군요. 그런데 자네 집에 다녔다고 해서 왜 저런 짓을 한

걸까요?"

그는 이를 악물었다.

"그, 그건 우리 어머니가 조선 옷을 입고 있기 때문이죠. 그러니 조선인의 집엔 가지 말라는 이야기예요. 흥, 꼴값을 하느라고, 같잖게. 그 머저리 같은 전과자 녀석이 뭐 잘났다고. 기껏해야 저도 튀기[7]인 주제에."

하더니 눈앞에 상대방이 있는 것처럼 목소리를 높여 말했다.

"이 나쁜 자식, 기억해 둬. 내 눈에 띄었다 하면 모가지를 비틀어 놓을 테니. 이 한베에[半兵衛][8]란 놈!"

"뭐라구? 한베에?"

나는 놀라서 되물었다.

"그래요."

그는 거친 숨을 몰아쉬며 대답했다.

"정말 나쁜 놈이에요. 잔인한 녀석이죠. 흥, 하지만 이번엔 내가 그냥 안 둘걸. 나쁜 자식! 마누라를 죽인 살인죄를 지우고 말 테니까."

"한베에라."

나는 다시 한번 중얼거렸다. 그건 생각할수록 귀에 익은 이름이었다.

"한베에, 한베에."

나는 몇 번이나 되뇌어 보았지만 머릿속에서 빙빙 돌 뿐 아무래도 생각이 나질 않았다.

이때 의사인 야베[矢部] 군이 나왔기 때문에 우리는 그에게로 다가가 경과를 물었다. 그의 이야기로는 생명에는 지장이 없겠지만 너무나 심하게 찔렸기 때문에 아무래도 한 달간은 입원 치료를 받아야 할 것 같으니 의식이 돌아오는 대

---

7 튀기 종이 다른 두 동물 사이에서 태어난 새끼, 또는 서로 다른 인종 사이에서 태어난 사람을 낮잡아 이르던 말.
8 한베에 일본 말로 '반편이'라는 의미이다.

로 다른 병원으로 옮겨야겠다는 것이었다. 이 군은 그 말을 듣더니 얼굴이 새파랗게 질려 떨리는 목소리로 남편이라는 작자가 땡전 한 푼 없는 알거지 한베에니 입원이라는 건 생각도 할 수 없다, 살려 주는 셈 치고 나을 때까지 여기 누워 있게 해 달라며 사정을 했다.

"선생님, 부탁입니다. 죽 같은 건 제가 끓여 올 테니까, 선생님⋯⋯."

하지만 사실 이곳은 의료부라고는 하지만 뜻있는 의대생 두어 명이 낮에 와서 간이 치료를 해 주는 정도였지, 중상을 입은 환자를 입원시킬 만한 곳은 못되었다. 야베 군도 암담하다는 듯이 고개를 갸웃거리며 나더러 어쩌면 좋겠느냐고 물었다. 나는 금세 가까이의 소오죠오[相生]병원의 윤 의사가 생각나 그쪽에 전화를 걸어 부탁해 보기로 했다. 그 병원은 빈민 구제 의원이라 할 수 있는 곳이었는데 조선인 노동자들의 가난한 주머니에서 그 자금이 나오고 있는 만큼 조선 사람에게는 여러 가지 특전이 있었다. 마침 빈 침대가 있어서 이야기가 순조로웠다. 그녀는 다시 한번 들려 나왔다. 머리와 얼굴에는 하얀 붕대가 여러 겹이나 두껍게 감겨 있었다. 그 모습은 마치 날개를 뜯겨 버린 잠자리처럼 비참했다. 그녀는 우리의 보살핌을 받으며 골목길이 끝나는 곳에 있는 소오죠오병원으로 옮겨졌다. 수술대에 눕혀졌을 때도 조금밖에 의식이 없었다. 그녀는 두어 마디 신음 소리를 냈지만 확실히 알아들을 수는 없었다. 몸집이 작고 가냘픈 여자였다. 밀랍처럼 창백한 손끝을 보니 피가 통하지 않는 것 같았다. 수술대 옆에 선 윤 의사는 야베 군의 말에 귀를 기울여 가며 여러 가지 의료 기구들을 준비하고 있었다. 나는 그들이 다시 그녀의 붕대를 풀려는 것을 보고 조용히 방을 나왔다.

날씨가 점점 사나워지고 있었다. 바람이 일기 시작했다. 등나무 덩굴의 이파리들이 세차게 흔들리고 있었다.

병원에는 한베에도 하루오도 나타나지 않았다.

3

저녁 무렵이 되자 비가 쏟아지기 시작했다. 바람도 더욱 사나워졌고 비는 점점 하늘에 구멍이라도 난 듯한 기세로 퍼부었다. 창문이 덜컹거리고 전등도 깜빡깜빡하고 있었다. 아이들은 한 명도 오지 않았다. 다만 2층에서 수학 수업이 조용히 진행되고 있을 뿐이었다.

나는 식당에서 두어 명의 동료, 그리고 밥 짓는 할머니와 함께 앉아 야영 간 아이들을 걱정하고 있었다. 하지만 나의 뇌리에는 좀 전의 사건에서 받은 충격이 불에 덴 자국처럼 남아 좀처럼 사라지지 않았다. 그러면서도 나는 그 사건의 전말을 제대로 따져 볼 생각은 하지 않았다. 나 자신이 그것이 주는 두려움에 압도당하고 있었는지도 모른다. 나는 그저 눈을 가리고만 싶었다.

세찬 바람이 불어와 요란한 소리로 울부짖었다. 탕! 하며 부엌문이 떨어져 나가는 듯한 소리가 기분 나쁘게 들렸다. 다들 깜짝 놀라 숨을 죽였다. 문 쪽으로 다가갔던 할머니가 악! 하고 소리를 치며 뒤로 물러섰다. 달려가 보니 문짝은 날아가 뒹굴고 비바람 속에 야마다 하루오가 오도카니 서 있었다. 때마침 번갯불이 번쩍거려 아이는 마치 유령처럼 흔들려 보였다.

"웬일이니? 하루오."

나는 아이를 안고 들어와 그대로 2층에 있는 내 방으로 올라갔다. 뭐라 표현할 수 없는 심정이었다. 흠뻑 젖은 옷을 벗기고 타월로 몸을 닦은 뒤 침대에 눕혔다. 아이는 덜덜 떨고 있었다. 뜨거운 차를 주니 몇 잔이고 벌컥벌컥 받아 마셨다. 그러고 나서야 겨우 좀 기운을 차려 서글픈 얼굴로 나를 올려다보았다. 내 가슴속에서 무언가가 녹아내리고 따스한 감정이 절실하게 치밀어 오르는 것 같았다. 이 소년은 또 무슨 까닭으로 이런 폭풍우가 치는 한밤중에 나를 찾아온 것일까?

"병원엔 다녀왔니?"

아이는 입술을 씰룩거리더니 갑자기 이잉 하는 울음을 터뜨렸다.

"바보같이, 울긴."

"아니, 병원엔 안 갈래요, 안 간대두요."

"응, 괜찮아."

나는 쉰 듯한 목소리를 냈다.

"괜찮다구."

"예."

아이는 곧 안심했다는 듯이 고개를 끄덕였다. 그러더니 따듯하고 포근한 이불 속에서 다리를 펴고 고개를 움츠려 보였다. 나는 그 모습이 더할 수 없이 귀여웠다. 아이의 눈은 반짝이고 입가에는 방긋이 미소가 떠올라 있었다. 나에게 완전히 마음을 연 것이겠지. 나는 아이의 내면에도 이런 아름다운 것이 숨어 있음이 틀림없다고 생각했다. 어머니에 대한 본능적인 애정만 하더라도 그렇다. 어째서 유독 이 소년에게만 그것이 결여되어 있다고 생각할 수 있단 말인가. 그건 단지 이지러져 있을 뿐인 것이다. 나는 이웃 사람들에게서 수모당하고 따돌림을 받고 있는 동족의 한 여인을 상상했다. 그리고 내지인의 피와 조선인의 피를 함께 물려받은 한 소년의 내면에서 조화를 이루지 못하는 이원적[9]인 것의 분열이 가져온 비극을 생각했다. '아버지의 것'에 대한 무조건적인 헌신과 '어머니의 것'에 대한 맹목적인 거부, 이 두 가지가 끊임없이 서로 싸우고 있을 것이다. 더구나 빈곤의 고난 속에 몸을 두고 있는 아이이고 보면 그저 순진하게 어머니의 사랑에 젖어 들 수 없었음이 분명하다. 아이는 드러내 놓고 어머니의 품에 안길 수조차 없다. 하지만 '어머니의 것'에 대한 맹목적인 거부 속에는 역시 어머니에 대한 따스한 숨결이 고동치고 있었을 것이다. 그가 조선 사람을 볼 때마다 충동적으로 "죠오센징, 죠오센징." 하고 외칠 수밖에 없었던 심정을 나는 어렴풋이나마 이해할 수 있었다. 그러면서도 아이는 나를 처음 본 순간부터 내가 조

---

9 이원적(二元的) 두 개의 요소가 맞물려 있는. 이중적.

선 사람이 아닐까 하는 의심을 품으면서도 내내 나를 쫓아다니지 않았던가. 그것은 틀림없이 나에 대한 애정이 아니겠는가. '어머니의 것'에 대한 무의식적인 그리움일 것이다. 그리고 그것은 나를 통해 어머니에 대한 사랑을 보여 주는 하나의 굴절된 표현임에 틀림없다. 사실은 어머니의 병실을 찾아가는 대신에 나를 찾아온 것일지도 모른다. 어머니를 찾아가는 마음과 무엇이 다르랴. 이런 생각을 하는 동안 나는 비길 데 없는 슬픔에 젖어 그 녀석의 밤송이 같은 머리를 쓰다듬으며 억지웃음을 지어

"어머니가 계시는 병원에 가 볼까?"

하고 물어보았다.

아이는 서글프게 고개를 저었다.

"어째서?"

아이는 대답이 없었다.

폭풍우는 점점 가라앉고 있는 모양이었다. 가랑비가 이따금 생각난 듯이 처마를 두드리고 있었다. 나는 창을 열고 머지않아 개어 올 것 같은 하늘을 바라보았다. 멀리 북쪽 하늘에는 찢어진 구름 틈으로 별들도 두어 개 보였다.

"이젠 비가 갤 모양이야. 우리 함께 병원에 가 보지 않을래?"

대답이 없다. 돌아다보니 아이는 이불을 푹 뒤집어쓰고 있었다.

"아버지는 가셨니?"

"갈 리가 있어요?"

아이는 이불 속에서 약간 반항적으로 말했다.

"이상한 아버지구나, 어머니가 안되셨다."

"……."

"그럼 넌 아버지한테로 돌아갈 생각이구나. 아버지도 틀림없이 집에서 걱정하고 계실 거야."

"……."

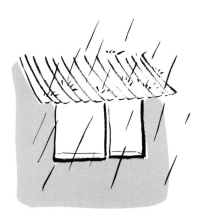

얼굴을 내민 아이가 토라진 듯한 눈초리를 하고 있었다.

"난 여기가 좋은데."

"그야, 뭐……."

나는 대답할 말을 찾다가 할 수 없다는 듯 말했다.

"여기 있어도 괜찮긴 하지만……."

마침 수학 수업이 끝났는지 복도가 소란스러워지기 시작했다. 잠시 후 문에 노크 소리가 나고 이 군이 시름 어린 얼굴로 들어서다가 누워 있는 야마다를 보더니 단박에 표정이 굳어졌다. 나는 약간 당황하여 밖에 나가 이야기하자며 그를 복도로 데리고 나왔다.

"선생님은 죠오센징 소리 듣는 게 무서워서요."

이 군은 핏대를 세우며 소리쳤다.

"저 녀석을 감싸고도는 거군요."

"그런 무례한 소리가 어디 있소?"

나는 괜스레 발끈하여 외쳤다. 나는 분명히 그의 출현에 당황하고 있었다.

"야마다는 이 사나운 비바람 속에 나를 찾아왔소. 게다가 가고 싶어도 갈 곳이 없단 말이오."

"누가 갈 곳이 없다는 겁니까? 그 불쌍한 아주머니야말로 정말 돌아갈 데가 없죠. 저놈은 지 애비한테로 가면 된다구요. 빌어먹을 악당 자식!"

그러더니 그는 갑작스레 맥이 빠져 애원하듯 흐느껴 울었다.

"어째서 선생님은 그 가엾은 아주머니는 동정하지 않는 거죠? 그 불쌍한 아주머니 생각은 눈곱만큼도 하지 않는군요……."

"제발 좀 그만둬요."

나는 사정하듯이 말했다. 내 목소리는 떨리고 있었고 머리는 텅 비어 뭘 어떻게 해야 좋을지 알 수가 없었다.

"선생님……."

"그만두라니까!"

나는 갑자기 소리를 질렀다. 머리가 어떻게 될 것 같았다.

그는 비칠비칠하며 사라졌다. 나는 격렬한 싸움이라도 한 것처럼 기진맥진하여 벽에 기댔다.

물론 나는 순진한 이 군의 행동을 이해할 수 있다고 스스로에게 일렀다. 나도 과거에 그런 시기를 거쳐 왔기 때문이었다. 하지만 다음 순간 나는 현재 내가 미나미라고 불리고 있다는 사실이 나의 오관[10] 속에 종소리처럼 울리고 있는 것을 느꼈다. 그래서 나는 놀란 듯이 언제나처럼 그것에 대한 갖가지 변명들을 생각해 내고자 했다. 하지만 그것은 이미 불가능했다.

'위선자 같으니라구, 너는 또 한 번 위선을 부리겠다는 것이지.'

내 속에서 문득 한 목소리가 들렸다. '너도 이제는 기력이 다 되어 비굴해 가고 있는 거야.'

나는 깜짝 놀랐고 경멸하듯 되물었다.

'나는 어째서 항상 비굴해져선 안 된다, 안 된다 하며 씩씩거리고 있어야 하지? 그게 오히려 비굴의 시궁창 속에 발이 빠졌다는 증거 아니냐……'

그러나 나는 끝까지 말을 맺을 용기가 없었다. 나는 지금까지 자신이 완전히 어른이 되었다고 굳게 믿고 있었다. 어린아이같이 토라져 있지도 않고 젊은 아이들처럼 광적으로 ○○하지도 않는다고. 하지만 역시 나는 쉽사리 비열함을 짊어지고 빈둥거리고 있었던 것일까. 이번엔 스스로에게 따지고 들었다. 너는 저 순진무구한 아이들과 허물없이 지내고 싶어서라고 했다. 하지만 결국, 기를 쓰고 자신을 숨기려 드는 오뎅집의 조선 사람들과 네가 뭐가 다르다는 거냐? 거기서 나는 항변을 위해서 이 군을 몰아치려 했다. 그렇다면 일시적인 감상에서든 격정에서든 "나는 조선인이다, 조선인이라구." 하며 외쳐 대는 오뎅집의 또

---

10 오관(五官) 다섯 가지 감각 기관. 눈, 귀, 코, 혀, 피부를 이른다.

다른 사나이와 너는 도대체 뭐가 다르다는 것이냐? 그것은 자기가 조선인이 아니라고 우겨 대는 야마다 하루오의 경우와 본질적으로는 아무런 차이도 없는 것이 아닌가. 나는 완전히 얼굴색이 다른 터키 아이들조차 여기 아이들과 씨름을 하고 뒹굴며 천진하게 놀고 있는 것을 본다. 그런데 조선인의 피를 받은 하루오만은 어째서 그렇게 하지 못하는 것일까? 나는 그 이유를 너무나 잘 알고 있다. 따라서 나는 이 땅에서 자신이 조선인이라는 사실을 의식할 때는 언제나 무장을 하고 있지 않으면 안 되었던 것이다. 그렇다. 나는 지금 분명히 혼자서 옥신각신하던 끝에 지쳐 있는 것이다.

나는 잠시 동안 멍하니 그 자리에 서 있었다. 이 군은 이미 사라지고 없었다. 나는 비척거리며 내 방으로 돌아왔다.

방은 어두컴컴했다. 하루오의 침상으로 다가서던 나는 깜짝 놀라 눈을 치떴다. 새우처럼 웅크리고 자신의 오른팔을 베고 눈을 반쯤 뜬 채로 잠들어 있는 야마다 하루오의 모습. 나는 자기도 모르게 손으로 입을 틀어막고 터져 나오려는 소리를 삼켰다.

'아, 한베에의 아들이다!' 나는 마침내 생각해 낸 것이다. 지금까지 눈앞에 어른거리면서도 좀처럼 생각나지 않던 한베에. '한베에의 아들이다!'

나는 기절할 만큼 놀랐다. 아, 이건 또 어찌 된 일인가. 나는 이런 모습으로 잠들어 있는 한베에를 얼마나 오랫동안 보아 왔는지 모른다. 칠칠맞게 떡 벌린 입하며 커다란 눈 주위에 있는 늙은이 같은 둥근 그늘까지 제 아버지를 꼭 빼닮지 않았는가. 그 아이가 또 똑같은 모습을 하고 내 옆에 누워 자고 있는 것이다. 실은 나는 한베에와 두 달도 넘게 같은 유치장에서 지냈다. 그를 떠올리는 것만으로도 한기가 등줄기를 훑고 지나가는 것을 느꼈다. 그것은 내가 하루오를 전보다 더 사랑하고 있기 때문이었다. 한순간, 이 남다른 아이 하루오가 결국은 제 아버지와 같은 인간이 되는 것이나 아닐까 하는 무서운 예감이 나의 뇌리를 스쳐 지나가 나는 오싹 소름이 끼쳤다.

돌이켜 보면 내가 M서의 유치장에서 한베에를 만난 것은 작년 11월이었다. 그때 그는 히죽히죽 웃어 가며 나에게 다가왔다. 주름진 말상의 얼굴에 커다란 눈이 게슴츠레한 흉물스러운 사내였다. 하지만 나는 그를 보는 순간에 아, 조선 사람이구나 하고 생각했다.

"어이, 네 셔츠 좀 빌리자!"

그는 이미 내 양복 단추를 벗기고 있었다. 나는 그때 좀 흥분해 있었기 때문에 단박에 퉁명스레 그를 뿌리치고 구석에 가 앉았다. 다른 사람들은 다들 고약스럽게도 이제라도 무슨 일이 벌어지지 않을까 하고 기대하는 눈초리로 나와 그를 번갈아 바라보고 있었다.

"이 자식이 겁 없이 까부는군."

그는 정식으로 시비를 걸어왔다.

"이 죠오센징 놈이 나를 뭘로 보는 거야."

그는 팔을 걷어붙였다. 그때 복도를 오가고 있던 간수가 철창을 들여다보며

"야마다, 앉아 있어!"

하고 호통을 쳤다. 나는 그 소리를 듣고야 비로소 그가 내지인이라는 것을 알았다.

그는 히쭉 웃더니 순순히 제자리로 돌아갔다. 그러고는 하릴없이 윗옷을 벗어 밖에서는 보이지 않도록 벽에 걸더니 시치미를 뚝 떼고 있었다. 도시락의 나무젓가락을 부러뜨려 마치 못처럼 벽에 꽂아 놓고 있었던 것이다. 나는 웃음이 터지려는 것을 겨우 참고 있었다. 그때 그 옆에서 졸고 있던 왜소한 몸집의 털보가 머리를 그에게 기대려고 하자 그는 별안간 거친 주먹으로 그의 머리를 콱 쥐어박았다. 그러고는 무시무시한 얼굴로 그를 노려보는 것이었다. 그날 저녁 그는 내게는 도시락을 나눠 주지 않고 자기만 게걸스레 먹어 댔는데 그때 그의 모습이 지금도 눈에 선하다. 그래서 언젠가 밥을 먹고 있는 하루오를 보면서 얼핏 한베에를 떠올릴 뻔했던 것이다.

그는 말하자면 비겁한 폭군이었다. 다들 그를 무서워했지만 뒤에서는 몹시 미워하고 있기도 했다. 그는 필요 이상으로 간수의 눈을 두려워했지만 그 대신 신참자나 힘없는 이들에게는 무자비하고 난폭했다. 그중에서도 무시무시한 기세로 사람들을 을러대는 것이 주특기인 모양이었다.

"이쪽은 말야, 이래 봬도 에도[江戶][11] 구석구석을 누비고 다니던 몸이시라구. 까불지 않는 게 신상에 좋을걸. 너희들 같은 좀도둑하고는 차원이 다르니까."

유치장 안의 분위기로 봐서 그와 한패라고 여겨지는 사람이 도합 예닐곱은 되었다. 그가 허풍을 떠는 대로라면 그들은 아사쿠사[淺草][12]를 주름 잡고 있는 타카다[高田]파로서 유명한 배우들을 공갈쳐서 큰돈을 우려낸 모양이었다. 한베에는 그중에서도 자신이 얼마나 겁 없는 사람인지를 떠벌리고 다녔다. 하지만 가만 보니 그 패거리 중에서는 '모자라는 놈'이라는 의미에서 그를 한베에라고 부른다는 사실을 금세 눈치챘다. 나는 지금도 그의 본명을 모른다. 시간이 지나면서 차츰 나는 그에게 낯을 익혔고 그가 어떤 인물인지도 대충 이해할 수 있게 되었다. 그와 동시에 내 자리는 점점 그와 가까워졌다. 그건 왜냐하면 감방에서는 고참일수록 철창 쪽 가까이로 옮겨 가게 되어 있는 까닭이었다. 나는 마침내 한베에와 마주 앉게 되었고 잘 때는 나란히 눕게 되었다. 그는 이미 나에게 온순하게 대하고 있었지만 그와 함께 자는 것이 내게는 큰 고통이었다. 그의 입 냄새가 참을 수 없을 만큼 지독하다는 것도 있었지만 무엇보다 그가 밤새도록 사타구니를 긁어 댄다는 것 때문이었다. 제 입으로 매독[13]이라고 말했다. 나는 그것이 머릿속까지 퍼진 것이 아닐까 생각했다. 어느 날 한밤중에 그가 묘하게 정색을 하고 내게 물었다.

"자네 고향이 조선 어디야?"

---

11 에도 일본 '도쿄'의 옛 이름.
12 아사쿠사 도쿄의 서민가.
13 매독(梅毒) 성병의 일종.

"북쪽일세."

"난 남쪽에서 태어났지."

그는 교활하게 내 눈치를 살폈다. 그러고는 흥 하며 자기 말을 부정하듯 코웃음을 쳤다. 하지만 나는 애써 놀란 기색을 보이지 않으며 대수롭지 않게 말했다.

"그래?"

그러자 그는 이를 드러냈다.

"정말이야."

물론 이러한 이야기는 둘이서 남몰래 주고받고 있었다.

"내 마누라도 조선 여자라구."

"그래애……?"

나는 무의식중에 눈이 둥그레졌다.

그는 그 보란 듯이 히죽히죽 웃었다. 나는 분명히 그에게 무언가 사연이 있으리라고 생각했다.

"조선에 가서 얻었나?"

"우스꽝스럽고 성가신 일이었지. 스사끼〔洲崎〕의 조선 요릿집[14]에 나랑 두목이 직접 담판을 하러 갔었어. 이 계집을 우리에게 넘겨라, 그렇지 않으면 가만두지 않겠다, 장지문에 불을 지르겠다고 겁을 줬지. 그랬더니 그놈들 새파랗게 질려서 내놓더라구."

그는 곁눈질로 힐끔 나를 보았다. 마침 비쳐 드는 새벽 달빛에 그 눈은 한층 더 음산하게 그늘져 보였다.

하지만 이튿날 아침에는 시치미를 뚝 떼고 내가 언제 그런 소리를 했냐는 얼굴이었다. 역시 변함없이 약한 자를 괴롭히고 신참의 도시락을 낚아챘다. 그러나 나는 그날 밤 이후 점점 더 그에 대해 의심스럽게 생각하게 되었다. 하지만

---

14 요릿집 술과 요리를 파는 집.

그가 경찰에서 야마다라고 불리고 있는 것을 보면 내지인임에 틀림없었다. 그렇다면 그의 어머니가 조선 사람일지도 모르겠다는 생각도 했었지만 끝내 확인하지 못한 채 나는 기소 유예[15]로 나왔다.

그리고 나는 이제야 마침내 그를 생각해 낸 것이다. 얼마나 어리석은가. 성이 같다는 것만 보고도 그 정도는 눈치챌 수 있는 일 아닌가. 맨 처음 야마다 하루오를 본 순간부터 내 눈앞에는 한베에의 영상이 어렴풋이나마 어른거리고 있었을 것이다. 하지만 나는 그것이 한베에라는 사실을 깨닫지 못하고 있었던 것이다. 어쩌면 하루오에 대한 애정 때문에 마음 한구석에서 한베에라는 사실을 무서워하고 있었던 것인지도 모른다.

"한베에."

나는 다시 한번 조용히 불러 보았다.

하지만 하루오는 새근새근 단잠에 빠져 있었다. 나의 망막에는

"내 마누라도 조선 여자라구."

하며 비굴한 웃음을 짓던 한베에의 얼굴이 몇 겹으로 겹쳐 떠올랐다. 그러더니 어느새가 그 얼굴은 잠든 하루오의 모습과 겹쳐졌다. 한순간 하루오는 가느다란 신음 소리를 냈다. 그는 얼굴에 경련을 일으키듯 하며 가위에 눌려 우우우 하며 소리를 지르고 돌아눕더니 놀란 듯이 눈을 떴다.

"왜 그래, 꿈이라도 꿨니?"

나는 땀투성이가 되어 있는 그의 목덜미를 닦아 주며 물었다.

그는 다시 눈을 감으며 잠꼬대처럼 중얼거렸다.

"아버지가 이번엔 나를 처치하겠대요."

---

15 기소 유예 검사가 형사 사건에 대하여 범죄의 혐의를 인정하나 범인의 성격·연령·환경, 범죄의 경중·정상, 범행 후의 정황 따위를 참작하여 재판을 청구하지 않는 일이다.

　나 역시 밤새도록 엎치락뒤치락하며 어수선한 꿈만 꾸었다. 아침에 눈을 떠 보니 이미 하루오의 모습은 보이지 않았다. 나는 놀라는 스스로에게 소오죠오 병원에 가 보면 될 것이라 일렀다. 그날은 일요일이니 하루오도 학교에 가지 않을 것이다. 어느샌가 나는 병원 문 앞에서 초인종을 누르고 있었다. 마침 윤 의사가 나와서 나를 하루오 어머니의 병실로 데려가면서 말했다.

　"이름이 야마다 테이쥰〔山田貞順〕이라구 되어 있어. 조선 사람이 아닌가 봐. 말투도 좀 그렇고 테이쥰이라는 이름도 좀 이상하고 해서 부상당한 순간의 상황을 조선말로 물어봤지만 입을 다물고 대답하지 않더군. 그냥 넘어진 거라고 일본 말로 하더라구."

　"아, 그래?"

　나는 우물우물 대답했다.

　"다친 데는 어때?"

　"아마 괜찮을 거야, 물론 얼굴에 상처는 남겠지만, 정말 가엾을 정도의 상처가 미간 언저리에 생길 거야. 자, 저길세…… 야마다 상, 아드님이 다니는 협회에서 선생님이 오셨네요."

　하루오는 없었다. 12첩[16] 정도 되는 방에 침대가 다섯 개쯤 엇갈려 놓여 있었는데 침대는 침울한 얼굴의 환자들로 모두 차 있었다. 그 구석 쪽에 하루오의 어머니가 누워 있었다. 하얀 붕대로 친친 감은 얼굴에서 코와 입만 약간 보였다. 그녀는 꼼짝 않고 누워서 아무런 대답도 없었다. 윤 의사는 회진을 돈다면서 자리를 떴다. 나는 그녀에게 무슨 말을 해야 좋을지 몰라 좀 당황스러웠다.

　"얼마나 힘드십니까? 하루오도 몹시 걱정하는 것 같더군요."

　어쩌다 보니 말끝에 야마다 이야기가 미끄러져 나왔다.

---

16 첩　다다미 한 장 넓이를 가리키는 단위.

"실은 제가 하루오가 다니는 협회의 선생을 하고 있거든요……. 저는 남(南)이라고 합니다."

그녀가 약간 몸을 움직인 것 같았다. 틀림없이 그녀는 내가 조선 이름을 가졌다는 것 때문에 놀랐으리라고 짐작했다.

"음, 음."

그녀는 손끝을 가늘게 떨며 신음했다.

"하루오…… 하루오가 정말로 나를……."

"……."

나는 대답할 말이 없었다.

"으흐흑."

그녀는 감동한 듯 흐느꼈다.

"우리 하루오가 정말로…… 내가 걱정된다고…… 했단 말씀입니까……."

나는 씁쓰레한 기분이었다. 하지만 일단은 하루오 이야기로 그녀를 위로할 수밖에 없었다.

"저는 매일 하루오를 만납니다. 때로는 이것저것 실망하실 일도 있겠지요. 하지만 아직 어린아이니 틀림없이 머지않아 어머니가 남들에게 자랑할 만한 하루오가 되어 줄 겁니다."

나는 사실 그렇게 생각하고 있기도 했다. 그가 지금 같은 성격을 갖게 만든 여러 가지 조건들을 감안해 가면서 따스한 손길로 지도해 간다면 틀림없이 그는 점점 더 깊은 자신의 인간성에 눈을 뜨게 되리라고 나는 믿고 있었다.

그녀는 대답이 없었다. 숨을 죽인 채 내 말에 귀를 기울이고 있을 뿐이었다. 나는 말을 계속했다.

"처음에는 역시 어머니가 하루오를 데리고 조선으로 돌아가는 수밖에 없다고 생각했습니다."

그녀는 흠칫했다.

"어머니를 위해서도, 하루오의 장래를 생각해서도 그게 제일 좋은 길이라고 여겨졌거든요. 하지만 아직도 한베에 씨를 생각하는 마음이 있으신 거죠?"

"아이고…… 아무 말도 하지 마세요."

그녀는 기어들어 가는 소리로 애처롭게 말했다.

"제 남편인걸요……."

"아무것도 숨기실 필요 없어요. 나는 전부터 한베에 씨에 관해서는 잘 알고 있습니다."

"아."

그녀는 놀란 듯이 말을 삼켰다. 그러더니 완전히 가라앉은 소리로 신음하듯 말했다.

"……어쨌든 그 사람이 나를 자유롭게 만들어 주었잖아요. ……게다가 저, 저는 조선 여자랍니다……."

말끝은 흐느낌으로 변해 있었다.

역시 이런 식의 노예 같은 감사의 정이 그녀의 삶을 지탱하고 있는 것일까? 나는 잔혹한 한베에를 떠올리며 뭐라고 말할 수 없는 서글픔에 휩싸였다. 언젠가 스사끼의 조선 요릿집 주인을 협박해서 빼앗아 끌고 왔다는 것이 바로 이 여인이리라. 비겁하고 잔인한 한베에이니 의지가지없는[17] 조선 여자에게 눈독을 들여 자기 것으로 만든다는 것은 있을 법한 이야기였다. 그녀는 애초부터 그의 제물로 선택되었을 뿐이었다. 그 무지막지하고 얼간이 같은 한베에를 생각하면 얼마나 가엾은 아낙네인가. 나는 그들 부부의 일상생활까지도 상상할 수 있을 것 같았다. 그녀는 날마다 얻어맞을 것이다. 벌거벗긴 채로 두 손을 모아 빌고 애원할지도 모른다. 그런 환경에서 하루오 같은 유별난 아이가 생긴 것이다. 자기는 조선 사람이라고 그녀는 몹시도 서글프게 말했다. 그녀는 어쩌면 자신

---

17 의지가지없다 의지할 만한 대상이 없다. 또는 다른 방도가 없다.

이 내지인과 결혼했다는 사실을 자랑스럽게 생각하고 그나마 거기서 위안을 받으며 이런 역경 속에서 살아가고 있는지도 모른다. 나는 그녀가 한베에에 대해 격렬한 증오심을 가지고 있기를 바랐고 같은 민족으로서 함께 느끼는 의분[18]에서 오는 즐거움에 취하고 싶었다. 하지만 나는 보기 좋게 한 방 얻어맞은 셈이었다.

"선생님."

"예."

"부탁이…… 있습니다. 부디 우리 하루오를…… 모르는 척…… 해 주세요."

"……."

나는 잠자코 그녀를 바라보았다. 그녀는 금세 울음을 터뜨릴 것 같은 목소리였다.

"……하루오는…… 혼자서도 잘 놉니다……."

상처가 몹시 쑤시는지 그녀는 다시 죽은 듯이 늘어졌다. 그래도 모기같이 가느다란 소리로

"혼자서…… 아이들…… 목소리를…… 흉내 내기도 하고…… 심심치 않게…… 논답니다……. 춤도 잘 추지요. 저는 너무나 서글펐어요. 어디서 보고 왔는지……. 혼자서 열심히 춤을 추는 거예요……. 그러면서 저도 울고 있더라구요……."

"조선 사람이라고 밖에서 놀림을 당해서일까요?"

"그렇지만 이젠 울지 않아요."

그녀는 힘주어 말했다.

"하루오는 일본인입니다……. 아이는 그렇게 생각하고 있습니다……. 그 아이는 제 아이가 아니에요……. 그걸…… 선생님께서 방해하는 것은…… 옳지

---

18 의분(義憤) 불의에 대하여 느끼는 분노.

않다고 생각합니다…….”

“저는 한베에 씨도 조선에서 태어났다고 들었는데요…….”

“예……. 그래요……. 어머니가 저처럼 조선 사람이었죠……. 하지만 지금은…… 조선이라는 말만 들어도 그 사람은 부르르 성을 낸답니다…….”

“그렇지만 하루오는 조선 사람인 나를 무척 따릅니다. 실은 간밤에도 제 방에 와서 자고 갔습니다.”

“…….”

“머지않아 아이가 어머니를 대하는 태도도 점점 달라지리라고 생각합니다.”

나는 그녀를 격려하듯 우겨 말했다.

“틀림없이 이제 곧 하루오는 어머니를 향한 애정을 되찾게 될 거예요. 하루오가 나를 따르는 것은 꼭 나에 대한 애정 때문이라기보다도 실은 어머니에 대한 사랑이 그런 식으로 나타나는 것이라고 생각합니다. 하루오는 애정에 굶주려 있는 것이 틀림없어요. 어머니에게 그저 단순히 사랑을 쏟을 수도 없고 또 어머니의 사랑을 순진하게 받아들일 수도 없었던 거죠. 하지만 그건 점점 나아져 갈 거예요…….”

“그럴까요?”

그녀는 절망적으로 깊은 한숨을 내쉬었다.

“……그 애가요…….”

그때 한복을 입은 웬 할머니가 구르듯이 문에서 뛰어들어 왔다. 나는 이 할머니가 이 군의 어머니라는 것을 첫눈에 알아볼 수 있었다. 나는 침대에서 조금 물러섰다. 할머니는 환자의 무참한 모습에 조선말로 분통을 터뜨렸다.

“세상에 무슨 끔찍한 짓이야. 틀림없이 그 악당에게 천벌이 내릴 거야. 이봐요. 하루오 엄마, 나를 알아보겠어? 이가네 엄마야. 정신을 똑바로 차리고 빨리 나아야지. 알았어?”

정순[19]은 손끝을 떨며 침대 위를 더듬었다. 할머니는 그 손을 잡았다.

"상처만 나으면 이번에야말로 찾지 못하게 고향으로 돌아가라구. 언젠가처럼 다시 돌아와선 안 돼. 뭐 좋을 게 있나."

정순은 앓는 소리를 냈다. 할머니는 뭔가 생각났다는 듯이 서둘러 보자기를 풀더니 귤 두 알을 꺼내 놓았다.

"귤일세. 이걸 먹으면 갈증이 좀 풀릴지도 몰라."

하면서 할머니는 부지런히 귤껍질을 벗겼다.

"우리 아들이 아주머니 갖다드리라며 사 왔더라구. 걔도 오늘부터 면허장이 나와서 겨우 독립했다고 좋아하던데."

"몸조리 잘하세요."

나는 이제 그만 자리를 뜨는 것이 좋을 것 같아 그렇게 말하고 문을 향해 걷기 시작했다. 그때 하루오 어머니가 조선말로 무어라고 숨 가쁘게 중얼거리는 것이 들려와 나는 그 자리에 우뚝 멈춰 섰다. 그녀는 할머니한테 애원하듯 말하고 있었다.

"할머니…… 돌아가지 않을래요……. 제 얼굴에는 끔찍한 흉터가 남는대요……. 그렇게 되면…… 그 사람도…… 나를 팔아 치우겠다는 소리는 못 할 거고…… 아무도 이런 나를 살 리가 없잖아요……."

하더니 별안간 경련이라도 일어난 듯이 일어나려 했다.

"아!"

"아니, 왜 이래, 응?"

할머니는 허둥지둥 그녀를 안아 침대에 눕혔다.

"…… 무슨…… 소리가 났어요."

그녀는 정신이라도 이상해진 것처럼 헐떡이며 말했다.

---

19 정순 하루오의 어머니 이름인 테이쥰[貞順]을 우리식으로 읽은 것.

"할머니…… 하루오가 와요. 저것 보세요, 나를 찾아왔잖아요……."

그러더니 갑자기 새된 소리를 지르기 시작했다.

"할머니, 가 주세요……. 빨리 숨으세요!"

"오긴 누가 온다고 그래? 아무도 안 보이잖아?"

할머니는 울음 섞인 서글픈 소리로 말했다.

나는 발소리를 죽여 문밖으로 나왔는데 온몸이 땀투성이였다. 그때 나는 누군가의 조그만 그림자가 복도 모퉁이를 황급히 가로지르는 것을 본 것 같았다. 누군지 확실히 보이지는 않았지만 혹시 정말로 하루오가 아닌가 하는 생각이 퍼뜩 머리를 스쳤다. 나는 얼른 모퉁이까지 뛰어가 주위를 둘러보았다. 내 짐작은 틀린 것이 아니었다. 2층으로 올라가는 계단 뒤쪽의 어두컴컴한 구석에 야마다 하루오가 몸이 굳어 버린 듯이 서서 눈을 반짝이고 있었던 것이다.

"왜 그러고 있어?"

나는 다가서며 물었다.

당황한 아이가 고개를 저었다. 그리고는 겁에 질린 듯 점점 더 구석으로 뒷걸음질 쳤다. 무얼 숨기고 있는 것인지 오른손을 등 뒤로 돌리고 있었다. 금방 비명이라도 지를 것 같았다.

"어머니 문안을 온 거지?"

나는 목 안이 뜨거워지는 것을 느끼며 말했다.

"어머니는 좀 전에도 네가 보고 싶다고 하시더라."

아이는 한층 더 거세게 고개를 저었다. 나는 안타까워 아이의 몸을 잡아당겼다. 아이는 여전히 오른손을 등 뒤에 감춘 채였다. 뭔가 하얗고 조그만 종이 꾸러미를 꼭 쥐고는 숨기려 드는 것이었다. 순간 야마다 하루오가 자기 어머니를 주려고 뭘 가져온 거라고 나는 생각했다. 자기 어머니를 병문안 와서도 남의 눈을 꺼리고 들키지 않으려 한다는 것은 얼마나 슬픈 일인가.

나는 오히려 소년의 그런 모습이 말할 수 없이 애처로워 보여서 말했다.

"틀림없이 어머니가 기뻐하실 거야."

그러자 아이는 갑자기 내 품에 얼굴을 묻고 흐느껴 울기 시작했다.

"바보같이 울기는."

아이는 더욱 목 놓아 울어 댔다. 그러다가 어떻게 꼬깃꼬깃한 흰 종이 꾸러미가 굴러떨어졌다. 나는 그걸 보고 멈칫했다. 썰어 놓은 담뱃잎이었던 것이다. 그건 오늘 아침 일어나서 책상 위와 서랍을 암만 찾아도 없던 내 '싸리' 담배 봉지였다.

"뭐야, 이것 때문에 선생님을 무서워하고 있었구나. 그냥 선생님한테 말을 하고 가져왔으면 될걸. 됐어, 이제부터 조심하면 되는 거야. 자, 어서. 어머니가 기다리시잖아? 갖다드려. 왼쪽 세 번째 방이야."

나는 아이의 용기를 북돋우듯이 어깨를 두드려 주었다.

"뭐야, 너답지 않구나. 선생님은 이제부터 협회에 가서 기다리고 있을게. 네가 오면 어제 약속했던 대로 둘이서 우에노로 놀러 가자꾸나."

아이는 왁 하며 울음을 터뜨렸다. 내 마음도 흔들렸다. 하지만 내가 병원 안에 있으면 아이를 더 곤란하게 할 것 같아 그에게 병실을 일러 주고 나는 서둘러 그곳을 빠져나왔다. 그리고 어째서 그가 내 담배를 가지고 온 것인지 곰곰이 생각해 보았다. 아이 어머니가 피우는 것이라고밖에 생각할 수 없었다. 세상에 이런 엉뚱한 짓을 하다니. 그때 한베에가 감방의 벽에 옷을 걸어 놓고 히죽히죽하고 웃던 모습이 떠올랐다.

5

한 시간쯤 지나 야마다 하루오는 다시 내 앞에 나타났다. 하지만 아이는 손가락을 입에 문 채 발끝만 내려다보고 있었다. 뭔가 후련하다는 안도감 같은 것이 있는 건지 이제라도 입이 벌어질 것 같은 표정이었다. 뭔가 자랑스러운 일을 해

낸 아이가 어른 앞에서 멋쩍어 하는 것 같았다. 지금까지 이 아이의 얼굴에 이렇게 순진하고 어린애다운 표정이 나타난 적이 있었던가. 그는 이제 완전히 나를 신뢰하고 있음이 틀림없었다. 나는 그저 남몰래 미소 지을 뿐 아무것도 묻거나 하지 않았다.

"자, 가 볼까."

모자를 집으며 한마디 했을 뿐이었다.

전날 밤 폭풍우의 영향으로 약간 쌀쌀한 오후였다. 히로꼬지[廣小路]에서 전차를 내렸을 때는 일요일의 밀치락달치락하는 혼잡이 한창이었다. 어느샌가 마쯔자까야[松板屋]백화점까지 밀려와 있기에 특별히 볼일은 없었지만 아이의 손목을 잡고 안으로 들어갔다. 백화점 안도 몹시 붐비고 있었다. 하루오가 에스컬레이터를 타자는 대로 둘이서 그 위에 나란히 섰을 때 아이의 얼굴은 환하게 빛나고 있었다. 나는 온몸에 넘쳐 오르는 듯한 기쁨을 맛보았다. 소년 하루오가 지금 북적대는 수많은 사람들 사이에 있다는 사실이 나는 이상하리만큼 즐거웠다. 이 아이 하루오는 내 곁에 있는 동시에 사람들 틈에 있는 것이다. 두 사람은 나란히 3층까지 올라갔다. 거기서도 사람들의 물결을 누비며 우리는 5층인가 6층까지 올라가 식당 한구석에 마주 앉았다. 우리는 필요 이상의 말은 별로 하지 않았다. 아이는 아이스크림과 카레라이스를 주문했고 나는 소다수를 마셨다.

"맛있어?"

"예."

아이는 접시 위에 고개를 박은 채 눈만 올려 뜨고 나를 보았다.

"백화점 카레라이스는 정말 맛있네요."

그러고 나서 우리는 엘리베이터를 타고 내려와 1층 특매장에서 1원을 주고 아이의 셔츠를 하나 샀다. 아이는 싱글벙글하며 꾸러미의 끈을 길게 늘여 들고 걸어 나왔다.

공원에도 보기 드물게 많은 사람들이 나와 있었다. 우리는 돌계단을 올라 큰 길로 나섰다. 우거진 숲은 오후의 부드러운 햇살 아래서 소리 없이 나른하게 흔들리고 있었다. 하늘은 낮게 흐려 있고 바람은 때때로 나무 꼭대기 우듬지[20]에서 빗소리처럼 울고 있었다. 널따란 길에는 시골뜨기 같은 아낙네들과 아저씨들이 줄지어 걸어가고 있었다. 아이는 어느 틈에 새로 산 셔츠로 갈아입고 너덜너덜한 윗옷은 옆구리에 낀 채로 이따금 휘파람을 불고 있었다. 나는 뭐라 할 수 없이 이 아이가 사랑스러웠다. 하지만 나는 아이에게 별로 말을 걸지는 못했다. 아이가 느닷없이 내 소매를 잡아당기며 물었다.

"선생님, 말할 거예요?"

"뭘 말이냐?"

그러고 보니 아이의 눈은 여느 때와 마찬가지로 의심과 반항으로 번쩍이고 있었다. 나는 대뜸 알아차렸다. 담배 이야기를 하는 것이었다.

"말하기는, 아무한테도 말 안 해. 가엾은 어머니한테 갖다드린 거잖아? 사실은 선생님은 오늘 네가 좋은 일을 했다고 생각하는걸. 어머니가 담배를 좋아하시나 보구나?"

"좋아하시는 게 아니구요."

아이는 갑자기 풀이 죽어 내키지 않는 듯이 중얼거렸다.

"엄마는 피가 나면…… 언제나 담뱃잎 썬 것을 상처에 붙이거든요. 난 다 알고 있었어요."

그렇구나. 나는 숨이 막힐 듯했지만 놀라는 기색마저 보일 수 없었다. 눈앞이 부옇게 흐려져 왔다. …… 남편에게 몹쓸 짓을 당해서 피를 흘리면 그녀는 가엾게도 담뱃잎 썬 것을 침으로 이겨 몇 개씩이나 상처에 붙이고 있었음이 틀림없었다. 자기 고향 사람들이 그랬던 것처럼.

---

20 우듬지 나무의 꼭대기 줄기.

"그랬구나."

우리는 어느샌가 파출소 가까이까지 와 있었다. 그 옆에는 튼튼해 보이는 체중계가 놓여 있었다. 나는 그것을 보고 아무렇지도 않은 척 뒤를 돌아보고 서글 프게 웃으며 아이에게 달아 보지 않겠느냐고 물었다. 아이는 즐겁게 저울 위로 올라섰다. 너무나 갑작스레 무게를 받아 바늘은 휘청휘청 흔들리기 시작했다. 뜻밖에도 제법 무거운 모양이었다. 그때 하루오는 무엇에 놀란 듯이 내 쪽으로 뛰어들며 손가락으로 큰길을 가리켰다. 무슨 일인가 싶어 아이가 가리키는 쪽을 돌아보는데 자동차 한 대가 우리들 옆에 와서 서는 것이었다.

"어라." 하고 보니 운전석에서 이 군이 새 모자챙에 손가락을 약간 올려붙이고 싱긋 웃으며 인사를 했다. 나는 반가워하며 그에게로 다가갔다.

"축하해요. 아까 병원에서 자네 어머니가 말씀하시더구먼. 잘된 모양이로군요."

하루오는 그다지 어색해하거나 하지 않고 나를 따라왔다. 그걸 본 이 군은 거북한 듯이 눈을 돌렸다.

"예, 조금 전에 저도 병원에 다녀왔어요."

그렇다면 그는 거기서 하루오를 만났을 것이다. 검고 아름다운 눈을 깜박이며 그는 기쁨을 감출 수 없다는 듯이 평소와는 달리 들떠 있었다.

"이제 겨우 저도 제구실을 하게 되었어요. 이건 제법 좋은 차죠? 37년형이긴 하지만 비교적 새거[21]구 엔진도 튼튼해요."

그러고는 뻐기듯이 시동을 걸었다. 내 눈에는 흔해 빠진 포드[22]였고 그다지 좋아 보이지도 않았지만

"정말 좋은 차로군요."

하고 대답해 주었다.

---

21 새거 '새것'의 잘못.
22 포드(Ford) 미국산 자동차 상표의 하나.

"오늘은 하루오와 함께 놀러 나왔어요."

해 놓고 소년을 내세우듯 뒤를 이었다.

"좀 전에도 나는 몰랐는데 하루오가 일러 줘서 알았지요."

"어때요? 한번 타 보시지 않겠어요? 동물원에 가시는 길이죠?"

그는 차문을 열고 열심히 권했다.

우리는 거절할 수가 없어서 손을 잡고 차에 올랐다. 동물원 입구까지는 금세였다.

"어때요? 타실 만하죠?"

그는 우리를 내려놓으며 말했다. 이 순박한 젊은이는 오늘 하루가 견딜 수 없이 즐거운 모양이었다.

"다른 손님들도 다들 그러시더라구요."

"그렇군, 새 차라서 기분이 좋군요."

나는 솔직하게 말했다.

그는 만족해서 솜씨 좋게 핸들을 꺾더니 아까처럼 손가락을 약간 들어 작별 인사를 하고는 빵빵 하는 경적을 울려서 사람들을 헤치며 물고기처럼 달려갔다. 하루오는 물끄러미 서서 부러움에 찬 눈길로 차를 바라보았다. 나는 오늘이 참 운 좋은 날이라는 생각이 들었다.

"이 군은 멋진 기사가 되었네. 너는 커서 뭐가 될 거야?"

나는 하루오를 돌아다보며 즐거운 어조로 물었다.

"나는 무용가가 될 거예요."

아이는 느닷없이 명랑한 소리로 외쳤다.

"허어."

나는 놀라서 아이를 바라보았다. 일시에 아이의 몸이 광채를 발하는 것 같았다.

"무용가가 된단 말이지?"

문득 이 아이는 정말 대단한 무용가가 될지도 모르겠다는 생각이 들었다.

"그렇구나."

"예, 저는 춤추는 게 좋아요. 그치만 밝은 데서는 안 돼요. 무용이란 건 전깃불을 끄고 어두운 데서 하는 거잖아요? 선생님은 싫어하세요?"

"아니, 그건 틀림없이 신나는 일일 거야. 그러고 보니 너 참 몸집이 멋있구나."

나는 꿈꾸듯이 말했다.

"선생님도 춤을 무척 좋아한단다⋯⋯."

내 눈앞에는 출신이 남다르고 학대와 구박으로 비뚤어지기도 했던 한 소년이 무대 위에 서서 교차하는 푸르고 붉은 갖가지 빛 속에서 발을 쭉 뻗고 팔을 활짝 펴서 춤을 추는 모습이 어른거렸다. 나의 온몸 구석구석을 정갈한 환희와 감격이 넘쳐흐르는 것을 나는 느꼈다. 아이도 만족스러운 웃음을 띠고 나를 바라보았다.

"선생님도 무용을 만들어 본 적이 있을 정도야. 선생님도 어두운 데서 춤추는 걸 좋아하지. 맞아, 이제부터는 선생님과 함께 무용 연습을 하자꾸나. 잘하게 되면 더 훌륭한 선생님께 모시고 가 줄게."

나는 거짓말을 하고 있는 것이 아니었다. 나 역시 한때는 무용가가 되고 싶어 창작 무용을 해 본 적이 있었다.

"예."

아이의 눈은 푸른 별처럼 반짝이고 있었다.

'그래, 조만간 협회 근처의 아파트로 이사를 하자. 그래서 우선은 둘만 있을 수 있도록 하는 거야.'

나는 스스로에게 일렀다. 아이가 앞으로 어떻게 변할지는 모른다. 어쩌면 나를 금방 배신할 수도 있다. 하지만 뻣뻣하게 굳어 있던 마음을 조금이나마 풀어놓기 시작한 이 기회를 놓칠 수는 없는 일이다.

그러고 보니 우리는 신나게 고목들 사이를 빠져나와 암자 옆을 지나고 있었다. 어젯밤 폭풍우의 흔적이 여기저기 남아서 부러진 나뭇가지들이 나무에 매

달려 있기도 하고 땅 위에는 군데군데 누런 잎들이 떨어져 있기도 했다. 비둘기들이 암자 지붕과 오층탑 주변을 요란스레 날아다니고 있었다. 석등 옆으로 가니 아래쪽 숲 사이로는 시노바즈[不忍] 연못이 펼쳐져 있었다. 연못은 거울을 깔아 놓은 듯 저녁노을을 반사하여 때때로 번쩍번쩍 황금빛으로 빛나곤 했다. 대여섯 척의 보트가 떠 있었다. 연못 위의 돌다리 난간에는 많은 사람들이 기대어 수면을 내려다보고 있었다. 어쩐지 엷은 안개가 일기 시작한 것 같았다. 이제부터 땅거미가 지기 시작할 것이다. 어둠이 시나브로[23] 연못을 건너 점점 이쪽으로 퍼져 오는 것이 느껴졌다. 그에 따라 두 사람의 마음도 더욱더 맑게 가라앉는 것이었다.

"동물원에 간다는 게 여기까지 와 버렸구나."

"그렇지만 난 보트를 타고 싶은걸요."

"그래? 그럼 내려가자."

거기서부터는 기다란 계단이 이어져 있었다. 나와 하루오는 계단을 하나씩 내려갔다. 아이는 나보다 한 단 더 내려서서 마치 늙은이라도 데리고 가는 것처럼 조심스레 내 손을 이끌고 가는 것이었다. 그러다가 계단 중간쯤에서 갑자기 멈춰 서더니 내 몸에 착 달라붙어 나를 올려다보며 응석이라도 부리듯 이렇게 말했다.

"선생님, 나 선생님 이름 알아요."

"그래?"

나는 겸연쩍게 웃으며 말했다.

"말해 보렴."

"남 선생님이죠?"

하고 말한 아이는 제 옆구리에 끼고 있던 윗옷을 내던지듯 내 손에 맡기고는 혼

---

23 시나브로 모르는 사이에 조금씩 조금씩.

자서 신나게 돌계단을 달려 내려갔다.

나도 안도하며 가벼운 걸음으로 타다닥 하고 그의 뒤를 따라 내려갔다.

(1939년)